Евгений Сухов
Я-ВОР в законе
БОЛЬШОЙ СХОДНЯК
Я-ВОР в законе
ОБОРОТЕНЬ
Серия продолжается!
Серия
«Записки беглого вора»
Павел Стовбчатый
ЗАПИСКИ беглого ВОРА
Павел Стовбчатый
ЗАПИСКИ ВОРА 2
ИГРЫ С СУДЬБОЙ
Серия продолжается!
Серия
«Особая масть»
Павел Стовбчатый
ОСОБАЯ МАСТЬ
ЧЕТВЕРТЫЙ ПОБЕГ
Павел Стовбчатый
ОСОБАЯ МАСТЬ
КОРОНОВАННЫЙ СУДЬБОЙ
Серия продолжается!
Серия
«Мы из спецназа»

Валерий Горшков
ТЮРЬМА
НЕЧИСТЬ

МЫ из СПЕЦНАЗА
ДВОЙНАЯ ИГРА

Серия продолжается!

АСТ пресс

Герои и персонажи в романе вымышленны.
Совпадения с реальными лицами и событиями случайны.

2

Валерий Горшков

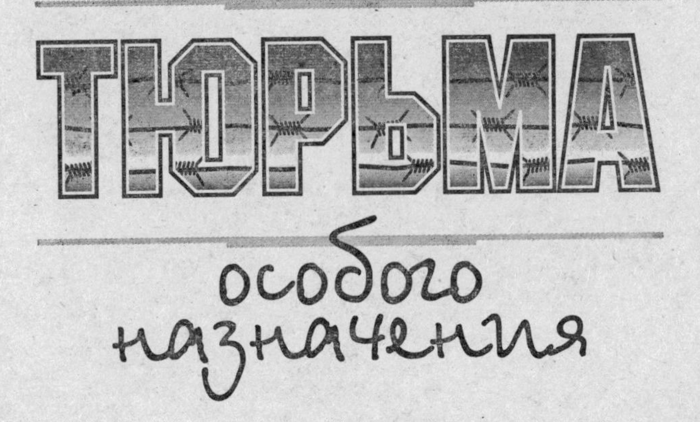

НЕЧИСТЬ

Москва
АСТ-ПРЕСС
КНИГА
2001

УДК 882
ББК 84(2Рос-Рус)6-44
Г 70

Горшков В. С.

Г 70 Тюрьма особого назначения: Нечисть. — М.: АСТ-ПРЕСС КНИГА, 2001. — 448 с.

ISBN 5–7805–0685–X

Отец Павел, священник в колонии для смертников... бывший спецназовец. По долгу службы он отправляется в северную столицу. В поезде священник знакомится с Юрием Величко, солдатом, только что вернувшимся из Чечни, который едет в Питер на поиски своего отца.

Дорожное знакомство неожиданно получает продолжение: случайные попутчики сталкиваются с кровожадной сектой дьяволопоклонников, которая под покровительством могущественной криминальной группировки наводит ужас на весь город. Священнику и бывшему солдату предстоит встать на пути кровавого беспредела.

УДК 882
ББК 84(2Рос-Рус)6-44

ISBN 5–7805–0685–X

Пролог

За окном купе пассажирского поезда Санкт-Петербург — Вологда медленно проплывали чахлые огороды и кособокие сараи, пришедшие на смену тянувшейся на десятки километров дикой северной тайге и бесконечным бетонным заборам, складам и цехам пригородной промышленной зоны. Каждый раз, когда я видел эту нищету, мое сердце сжималось от щемящей тоски по потерянной стране. Какой бы она ни была и какими бы эпитетами ее сейчас ни награждали, она была действительно любимой, единственной, той, которую хотелось защищать с оружием в руках и с гордостью смотреть на подъем ее флага. Но сейчас мне все чаще казалось, что жизнь в той стране была всего лишь сном, миражом, наваждением, что не было ни детства, ни школы, ни Рязанского высшего военно-десантного училища, ни чужой войны, ни моей любимой Вики, ни беды, круто поломавшей мою дальнейшую жизнь, ни духовной семинарии, и существовали только населенный убийцами мрачный остров и моя не раз подвергшаяся испытаниям вера...

Поднявшись с сиденья, я принялся одеваться, благо мне никто не мешал: мои попутчики по купе, милая пожилая супружеская пара, бывшие актеры одного из камерных питерских театров, на днях отметившие полвека совместной жизни и приехавшие навестить сына-егеря и троих внуков, сошли на предпоследней перед Вологдой станции. А мой путь снова, во второй раз в жизни, лежал в Вологду. Проведя два месяца в Санкт-Петербурге, я возвращался в древний монастырь, ставший ныне узилищем особого назначения. Я не был на берегах Невы почти три года, пролетевших как один день, в который уместилась целая жизнь. Для обитателей Каменного острова, крохотного пятачка суши, где я служил настоятелем тюремной церкви, время остановилось навсегда.

Поезд сбавил ход. Через запотевшее окно купе я разглядел перрон вологодского железнодорожного вокзала, замелькали лица встречающих...

Я подошел к зеркалу на двери и надел поверх черной рясы большой серебряный крест — тот самый, что спас меня от заточки серийного убийцы Маховского и теперь имел на себе памятную отметину. Пригладив ладонями волосы, заметно поседевшие со дня моего первого приезда в этот красивейший русский город, я веревочкой стянул их на затылке. Подождав, пока поезд, взвизгнув тормозами и дважды громыхнув вагонной сцепкой, окончательно остановится напротив здания вокзала, я взял чемодан и вышел в коридор, в котором уже толпились со своим багажом устремившиеся к выходу распаренные пассажиры. Где-то в тамбуре громко ругнулась некрасивая склочная проводница, открывая заслонку над ступеньками и распахивая дверь вагона...

Встречавшего меня Андрея Каретникова, старшего прапорщика внутренних войск, я заметил сразу. Он стоял рядом с газетным киоском и курил, выискивая взглядом среди высыпавших на перрон людей приметную фигуру бородатого мужчины в длинном, до пят, одеянии священника. Заметив меня, Андрей торопливо затянулся, бросил окурок в урну и пружинисто шагнул навстречу.

— Здравствуйте, отец Павел. — Мы обменялись рукопожатием. — Давайте я возьму ваш чемодан...

— Здравствуй, Андрюша. Ничего, своя ноша не тянет. Да и на немощь я, слава Богу, пока не жалуюсь. Ты один?

— Да, — кивнул парень. Не так давно, в день своего двадцатисемилетия, он прямо на острове первым из охранников прошел обряд православного крещения. — Машина там, на стоянке. Как съездили?

— С Божьей помощью, — сдержанно ответил я. — Успел сделать все, что хотел.

В течение пятнадцати часов, прошедших с того момента, как на перроне Финляндского вокзала Петербурга я расстался с генералом Корначом, меня не покидало ощущение тревоги. Возможно, волновался я зря, но сердцу приказать невозможно — иногда оно начинает болеть без видимых на то причин, и лишь потом мы понимаем: оно не ошибалось, оно предчувствовало... Сам я считал свою тревогу следствием годами копившегося перенапряжения и тех событий, которые мне пришлось пережить в Петербурге. Это удивительное переплетение событий несло в себе, как мне казалось, некий мистический знак, смысла которого я покуда не мог постичь.

Обойдя здание вокзала, мы подошли к стоящему возле стоянки такси микроавтобусу «додж». Он принадлежал нашему сверхрежимному учреждению ГУИНа. Машина напоминала о денежном пособии, которое Совет Европы предоставил с целью технического обустройства первого в России пристанища для помилованных смертников. И, судя по уменьшению числа свободных камер на острове, далеко не последнего...

Каретников сел за руль, подождал, пока я устроюсь в салоне и захлопну дверцу, запустил мотор и резво тронулся с места, на всякий случай включив без сирены проблесковый маячок на крыше автобуса. Обгоняя попутные автомобили, черный «додж» помчался к шоссе, по которому нам предстояло намотать около ста двадцати километров до поворота на грунтовку...

На минуту отвлекшись от очередной волны воспоминаний о поездке в Питер, я перевел взгляд с проносившихся за пуленепробиваемым стеклом пейзажей на ловко лавировавшего в потоке транспорта молчуна Андрея. Этот светловолосый парень с сильными руками и лицом выпускника престижного вуза был в числе тех охранников Каменного, с которыми я быстро нашел общий язык. Но таких оказалось меньше, чем хотелось бы. Трудная и опасная служба по охране заключенных, сплошь кровавых душегубов, насильников и садистов, которым уже абсолютно нечего терять, в душе каждого офицера и прапорщика оставляет неизгладимый след. Поэтому не удивительно, что часть контролеров к самому факту пребывания на закрытом острове священника, «ведущего с маньяками душеспасительные беседы», относилась, мягко говоря, скептически. А подчас люди открыто злословили и откровенно ухмылялись не только у меня за спиной, но и в лицо...

За время моего почти беспрерывного (если не считать редких выездов в Вологду) пребывания вдали от цивилизации вообще много чего изменилось...

После той памятной истории с подпольным производством амфитамина и попыткой побега из вологодской тюремной больницы бандита и убийцы Завьялова, когда были чудом обнаружены в подземелье под монастырем сокровища, спрятанные последним настоятелем, и произошло похожее на сказку счастливое возвращение в нормальную жизнь невинного человека, многие месяцы носившего полосатую робу смертника, — после всего этого охрана тюрьмы была поспешно заменена. На смену крепким бойцам из отряда «Кедр», по слухам, отправившегося в составе спецназа внутренних войск в мятежную Чечню, пришли особо проверенные контролерские кадры из других колоний и тюрем страны. Каждые шесть месяцев во избежание эксцессов проводилась их частичная ротация. На постоянной основе несли службу лишь начальник тюрьмы, его заместитель и костяк из двух десятков старших контролеров. Среди них был и Андрей Каретников...

— Что нового в древних монастырских стенах? — спросил я, когда «додж», оставив позади перечеркнутый красной полосой дорожный указатель, вылетел за городскую черту.

— Так, всё в пределах нормы... — пожал плечами старший прапорщик. — Несколько нападений на конвоиров с легким ранением заточкой, пара вскрытых вен — сорок третий и сто седьмой, обоих док вытащил и заштопал... Зря, наверное. Если эти уроды сами не хотят жить, зачем им мешать? Пусть проваливают в свой ад как самоубийцы, им туда прямая дорога...

— Врач делает свою работу, а на остальное — воля Божья, — сухо сказал я в ответ, с болью вспомнив о заключенном Скопцове, в отчаянии неоднократно перегрызавшем себе вены в камере-одиночке. Если бы не доктор Семен Аронович, покинувший остров после того, как обнаружилось, что он продает на сторону выделяемый для заключенных морфий, — если бы не доктор, то простой питерский таксист Вадим Скопцов так и не дожил бы до торжества справедливости и не вдохнул бы полной грудью воздух свободы. Это была трагическая ошибка следствия, во что бы то ни стало стремившегося гордо отчитаться о поимке серийного убийцы. Как известно, за преступления, совершенные маньяками Михасевичем и Чикатило, были расстреляны невиновные люди.

С тех пор таких трагедий, слава Богу, не случалось, — по крайней мере, на моей памяти... Я очень сомневался в том, что среди других полутора сотен душегубов — моей основной и весьма специфической паствы — есть еще невиновные, хотя мне день за днем приходилось вновь и вновь слушать лживые клятвы и смотреть, как стоящие на коленях рыдающие убийцы размазывают по лицу сопли и до крови разбивают голову о бетонный пол камеры, строя из себя безвинных страдальцев. Я привык и к постоянному вранью, и к периодическим истерикам с заведомо невыполнимой просьбой вернуть отмененный смертный приговор. Я привык к мысли, что мне суждено лично познакомиться со всеми теми нелюдями, которых судят в России за чудовищные изуверства и о похождениях которых с леденящими душу подробностями пишут охочие до чернухи газеты. И главное — я научился глядеть на убийц глазами священника, а не прокурора или палача.

— Ну и не далее как вчера подбросили еще двоих «полосатых». Весьма примечательные твари! — после паузы продолжил Андрей. — Бандюга из Москвы и директор детского дома-интерната из Тюменской области. Когда этот лысый педофил узнал, что на острове есть свой священник, то начал биться в истерике и требовать встречи. Так что вас уже ждут с нетерпением, отец Павел!..

В голосе вполне лояльного к моей духовной миссии контролера все-таки проскользнула неприкрытая ирония.

— Каждый грешник имеет право на покаяние, остальное в руках Господа, — тихо ответил я, снова отвернувшись к окну и невидящим взглядом скользя по примелькавшимся кустам и деревьям на обочине трассы — дороги, которая для всех кроме одного из обитателей тюрьмы стала последним, бесконечно затянувшимся коридором в никуда. Даже после смерти тело приговоренного не разрешалось передавать родственникам. Убийцу ждала одна из безымянных могил на тюремном кладбище и кособокая табличка с номером вместо креста. Обратной дороги с Каменного не было...

Предстояло около двух часов пути, говорить больше не хотелось, и под монотонный шорох шин и покачивание амортизаторов я вскоре снова погрузился в воспоминания о своей полной драматизма и мистических совпадений поездке в Санкт-Петербург.

Часть первая

Глава 1

Моим попутчиком по купе оказался общительный, не по годам возмужалый двадцатилетний голубоглазый блондин Юрка (он именно так и представился). Коренной житель Вологды, он в отличие от большинства мирян не испытал чувства легкой неловкости, случайно оказавшись в одном купе со священником, и первым быстро и непринужденно пошел на контакт.

Я сказал, что служу настоятелем церкви на острове Каменный, и Юрка сразу все понял — он знал о существовании в области тюрьмы для пожизненно осужденных и, вопреки моим ожиданиям, не стал задавать никаких обывательских вопросов. Вскоре за стаканом чая с печеньем он сам поведал мне короткую, но насыщенную событиями историю своей жизни. Было видно, что пареньку очень хочется выговориться, и я, священник с мрачного острова, показался Юрке самым лучшим слушателем из всех возможных, тем более что рассказанная моим попутчиком история действительно стоила того, чтобы ее выслушали...

Еще месяц назад Юрка воевал в Чечне в составе сводного батальона морской пехоты Северного флота. До дембеля ему оставалось не больше месяца, когда из дома пришла срочная телеграмма, заверенная главврачом горбольницы. Телеграмма шла больше двух суток, проделав кружной путь через Североморск. В ней сообщалось, что его мама внезапно заболела и в настоящий момент находится в реанимации, состояние ее здоровья очень тревожное. Ротный Юрки не стал медлить, ограничился лишь звонком в военкомат Вологды с просьбой срочно проверить факт, изложенный в телеграмме. Подтверждение пришло уже спустя несколько часов: мать старшего сержанта Юрия Величко скончалась утром того же дня. Офицер не стал сообщать бойцу, и без того вкусившему все прелести новой кавказской войны, эту трагическую новость, просто отправил в военкомат Вологды предписание об увольнении старшего сержанта Величко в запас, помеченное датой окончания отпуска. Об этой простой и человечной комбинации отцов-командиров Юрка узнал уже дома, когда пришел вставать на временный учет...

После смерти мамы, в течение долгого времени скрывавшей от единственного сына заработанный на асбестовом производстве рак и тайно принимавшей обезболивающие препараты, Юрка остался на гражданке совсем один, получив в наследство лишь комнату в коммуналке — единственное, что смогла заработать мать за двадцать пять лет.

А на следующее утро после скромных похорон Юрка случайно нашел между книг на полке письмо, адресованное ему в часть. Мама написала его за день до срочной госпитализации, но так и не успела отнести на почту. Зная о поставленном врачами страшном диагнозе и боясь, что не сможет дождаться сына со службы, она не смогла больше хранить главную тайну своей юности. Юра с раннего детства считал, что его отец — военный летчик, погибший при испытаниях новейшего истребителя-невидимки. А в неотправленном письме мать сообщала, что отец Юры на самом деле жив. Реальная история Юркиного появления на свет оказалась простой и начисто лишенной героики и трагизма.

Мама и отец даже не были мужем и женой. Когда молодой повеса Леня, не желая обременять себя семьей, двадцать лет назад позорно сбежал, бросив свою единственную и навеки любимую на четвертом месяце, мама не сочла нужным искать трусливого Дон Жуана с помощью милиции — насильно мил не будешь. Сына она растила одна. Когда Юрке было семь лет и он пошел в первый класс, мать, устав от бабьего одиночества выскочила замуж за давнего школьного ухажера, но очень скоро разобралась в своих чувствах и снова осталась вдвоем с сыном. Что касается беглого папаши, то мать долгое время не знала, где он и что с ним, да и не хотела этого знать, навсегда вычеркнув его из своей жизни. Но однажды совершенно случайно она увидела по телевизору репортаж из Санкт-Петербурга: на экране старенького «Темпа» постаревший и потолстевший сбежавший возлюбленный, улыбаясь в камеру фарфоровой улыбкой чеширского кота, под аплодисменты приглашенных на халявный фуршет гостей торжественно разбивал о гладкую мраморную стену открываемого им элитного ночного клуба бутылку дорогого французского шампанского. Клуб-казино назывался «Полярная звезда», а его лоснящегося сытостью хозяина звали уже не Леней, а Леонидом Александровичем Флоренским...

И сейчас бывший сержант морской пехоты Юра Величко ехал, чтобы встретиться с преуспевающим питерским бизнесменом, который лишь с биологической точки зрения являлся его отцом. Юрке, по его собственным словам, хотелось «в первый и последний раз посмотреть этому козлу в лицо», а затем он собирался вернуться домой в Вологду. После войны в Чечне Юра твердо решил поступить на службу в местный ОМОН...

Я слушал этого крепкого, серьезного, уже опаленного войной парня, смотрел в его голубые глаза и не верил в то, что он хочет всего лишь повидать отца, которого считал погибшим. Ведь было очевидно: если преуспевающий родитель выслушает сына, узнает о смерти бывшей возлюбленной, попросит прощения и предложит сыну остаться, тот останется. Но парень боялся признаться в этом даже самому себе.

На питерском вокзале я попрощался с Юрой, и мы пожали друг другу руки. Я сообщил заметно волновавшемуся парню, что в течение ближайших двух недель меня можно будет найти в Свято-Троицком храме у настоятеля отца Сергия, на что Юра твердо пообещал, что обязательно зайдет и расскажет, как прошла встреча с отцом.

С вокзала я пешком, несмотря на сильный дождь, отправился через весь центр города прямо в храм, с упоением вдыхая сырой и свежий невский воздух, разглядывая знакомые с детства дома, серебристые парковые фонари, скамейки с изогнутыми спинками, — все то, что мне постоянно вспоминалось на острове.

О моем приезде отец Сергий не знал — я решил сделать ему сюрприз. Своего духовного наставника я застал за службой и до ее окончания скромно стоял в сторонке, молясь вместе с ним и прихожанами и испытывая великую радость от возвращения в эти стены, к этим святым иконам, среди которых было несколько очень древних. Особенно выделялся прекрасный образ Богоматери, которого я раньше в храме не видел. Православные образа и наставления мудрого пожилого священника сыграли в моей жизни переломную роль, а после гибели Вики удержали меня на самом краю бездны, подарили желание жить и в итоге сделали меня тем, кто я есть сейчас...

Когда служба закончилась, я подошел к отцу Сергию и мы обнялись, на глазах у служек и прихожан. Старый священник был так рад, что даже прослезился, и я увел его за бордовую бархатную шторку во внутренние покои храма. Там мы смогли спокойно поговорить.

— А у нас большая радость, — это было первое, что сказал отец Сергий, когда мы присели на стоявший в его комнатке диванчик друг против друга. Вернулась икона Тихвинской Пресвятой Богородицы, та самая, которую выкрали в семнадцатом году и впоследствии вывезли за границу.

— Да, мимо этого образа трудно пройти, — кивнул я. — От него с такой силой исходит божественная энергия, что не нужна никакая дополнительная экспертиза.

— Ты тоже почувствовал, правда?! — схватив меня за рукав, сверкнул повлажневшими глазами отец Сергий. А я с щемящей грустью отметил, что за те три года, которые мы не виделись, настоятель сильно постарел, осунулся. — Слава Богу, покойный владелец завещал ее Русской Православной Церкви, — перекрестившись, с чувством продолжал отец Сергий. — Говорят, французы ни за что не хотели отдавать икону, но все уладилось... Потом в Патриархии долго думали, передавать ее в храм или оставить в хранилище — все-таки огромной ценности икона, оценена в два миллиона долларов, — но митрополит Владимир настоял, и вот она здесь... За антиударным стеклом и под надежной сигнализацией. А ночью храм снаружи всегда охраняет милиция.

— Тогда за сохранность образа можно не волноваться, — сказал я. — Расскажите лучше, как вы, отец? Как здоровье?

— Грех жаловаться, в моем-то возрасте, — пробормотал, отведя взгляд, настоятель и добавил, меняя тему: — Что я? Разве это главное... Вот заключенный тот, Вадим Скопцов, которому ты помог выйти на свободу, теперь наш постоянный прихожанин. Приходит на все праздники, да-а... У него сейчас все хорошо, освоил профессию, работает в типографии Союза писателей, помогает нам печатать брошюры и молитвословы. Вчера вот принес новый рекламный проспект.

Встав с диванчика, настоятель, слегка прихрамывая, подошел к письменному столу, выдвинул ящик, достал глянцевый рекламный проспект и протянул мне.

— Теперь мы с помощью одной туристической фирмы организуем автобусные поездки по святым местам. Последний маршрут был в Пюхтицкий Свято-Успенский женский монастырь в Эстонии. Что делать, нужно как-то сводить концы с концами. Столько средств уходит на бесплатную столовую... А после этого дефолта, прости Господи...

Настоятель, видимо, хотел добавить еще что-то в адрес кремлевских организаторов ограбления страны, но сдержался, вздохнул и, перекрестившись, сказал:

— Пока я жив, храм будет ежедневно кормить горячей пищей двести нуждающихся, а потом... потом пусть решает тот, кто меня сменит, кто примет храм.

Во взгляде отца Сергия без труда читался немой вопрос: может, это будешь ты? Конечно, быть протоиереем одного из храмов Санкт-Петербурга куда приятнее и почетнее, нежели безвылазно пребывать на мрачном острове, в окружении заживо похороненных государством жестоких преступников, абсолютное большинство из которых лишь прикидывается уверовавшими и раскаявшимися, чтобы иметь возможность побеседовать с кем-то кроме постоянного соседа по камере, почитать новые книги, развлечься игрой в пробуждение совести. Бог им судья...

Но это был мой крест, и я не мог просто так взвалить его на плечи кому-то другому, сбежав от мрачных сырых стен, лжи и прищуренных взглядов в относительно благополучную, несравненно более комфортную и такую близкую мне северную столицу. Отец Сергий знал мои мысли на сей счет, а потому не задал своего вопроса вслух.

— А как те ребята, которых я венчал, журналисты Анжелика и Дмитрий? — спросил я.

— Я давно их не видел, — покачав головой, ответил старик. Взгляд его заметно потускнел. — Может, года два, а то и больше. С тех пор, как крестил их новорожденную дочурку. Если память мне не изменяет, ее назвали Лизочкой. Загляни к ним сам — уверен, они будут рады.

— Обязательно зайду, — кивнул я.

— А чтобы не передвигаться на своих двоих... У тебя, кажется, были автомобильные права? — вспомнил отец Сергий и, дождавшись моего молчаливого кивка, предложил: — Тогда возьми мою «Таврию», с машиной-то в городе сподручней. Чай, не разучился еще управлять. Здесь она стоит, рядом, во дворике. Гараж у меня там... И не спорь. Я уже полгода как за руль не сажусь. Зрение подводит — днем еще ничего, а в сумерках совсем худо. Так что пользуйся, отец Павел... пока я жив.

— Бог с тобой, отец. Живи сто лет.

Настоятель лишь грустно улыбнулся в ответ и перевел разговор на другую тему, обойти которую мы просто не могли, — на жизнь в особой тюрьме...

Расставшись с отцом Сергием перед вечерней службой и воспользовавшись его автомобилем с ручным управлением, я съездил на кладбище к моей милой Вике. Просидел у могилы до самого вечера, а потом поехал в центр и, подставляя лицо моросящему дождю, еще долго гулял вдоль гранитной набережной Невы, погруженный в свои мысли.

Когда на окутанный тучами город опустилась белая ночь, я вернулся к Зимнему дворцу, возле которого оставил малолитражку настоятеля, сел за руль и поехал в Стрельну, где в скромном частном домике недалеко от станции жил отец Сергий, согласившийся приютить меня на ближайшие несколько дней.

До Стрельны оставалось несколько километров, когда это случилось — огромный черный джип вылетел на шоссе с проселка, словно черт из табакерки, с грохотом ударил «Таврию» в левый бок и сбросил ее с дорожного полотна в кювет.

Первое, что я услышал, очнувшись от секундной потери сознания и попытавшись пошевелить обсыпанными битым стеклом плечами, — это яростный мат и приближавшийся топот ног.

Спустя секунду мне в висок уперся холодный ствол пистолета.

Глава 2

Это был «бульдог», серьезная игрушка. Я отметил это машинально, медленно, словно поднимающийся со дна водолаз-глубоководник, приходя в чувство после удара головой о переднюю стойку кузова и грудью — о руль. Кажется, это уже было три года назад — петляющий по лесной грунтовке уазик, лента с шипами, растянутая по асфальту, удар — и пустота...

На сей раз переломов у меня, судя по всему, не было — перевернувшись вместе с машиной и вылетев в придорожную канаву, я отделался лишь ушибами...

— Все, падла, отъездился! — скрипя зубами, прорычал приставивший к моей голове ствол длинноволосый тип с перекошенным лицом, в расстегнутой почти до брючного ремня черной джинсовой рубашке и таких же джинсах. — Вылезай, сука, быстро!

— Слышь, Люцифер, может, он того... подох? Гляди, вся рожа в крови, — равнодушно прогнусавил второй выпрыгнувший из джипа молодчик, приземистый, краснолицый и толстогубый. От обоих молодчиков за версту разило перегаром.

— Нет, живой, гад! Только треснулся здорово, сейчас оклемается... — злобно прошипел длинноволосый и вдруг на мгновение замер, разглядев рясу. — Э-э, да это поп! Вот так добыча!

— Думаешь прихватить на шабаш? — с опаской оглядевшись по сторонам и вобрав голову в плечи, пробормотал губастый толстяк. Он покосился на джип, стоявший с открытыми настежь дверями. Одна фара была разбита, других повреждений я не заметил. Проносившиеся по трассе автомобили не останавливались — себе дороже вмешиваться в чужие разборки.

Лохматый, убрав ствол «бульдога» от моего виска, многозначительно посмотрел на толстяка, на лице которого выступила испарина.

— Тут и думать нечего, — хриплым голосом сказал он, полоснув меня свирепым взглядом. — Упускать такой редкий трофей я не собираюсь... А для тебя, пузан, этот святоша — просто подарок Князя Тьмы перед посвящением! Когда ты своими руками перережешь ему горло на алтаре, тогда поймешь... Ага, очухался, гонщик!

Я пошевелился, расправив плечи и осторожно смахнув с рясы осколки разлетевшегося вдребезги дверного стекла. Лобовое стекло было покрыто паутиной мелких трещин и, отвалившись от стоек, висело на порвавшемся резиновом уплотнителе над исходившим паром искореженным капотом. Правая дверь от удара о бампер джипа вогнулась внутрь салона, вспорола, сорвав с крепежных болтов, водительское сиденье, сломала панель приборов и лишь чудом не проломила мне ребра. Легковушка отца Сергия стараниями этих пьяных лихачей превратилась в бесполезный кусок железа, не подлежащий восстановлению.

— С добрым утром, отче! Как вам там, не жестко?! Ха-ха-ха! — заржал патлатый, подавшись вперед и оскалившись до ушей. — А ты, я гляжу, у нас просто Шумахер!..

Мой блуждающий после сильного удара взгляд случайно упал на впалую грудь длинноволосого, видневшуюся под расстегнутой черной рубашкой, и застыл, не в силах оторваться от необычного украшения, покачивавшегося на серебряной цепочке. Это был перевернутый основанием кверху православный крест — главный символ поклонников сатаны! Теперь странное упоминание патлатого наглеца о предстоявшем толстяку ритуале посвящения уже не казалось мне полным бредом и приобретало вполне отчетливый, дьявольский смысл. Осознание реальной опасности удвоило мои силы, замутившееся зрение прояснилось, боль на время отступила... Итак, судьба подкинула мне новое испытание, столкнув с вооруженными чертопоклонниками.

— Быстро выползай из машины! — снова наведя на меня ствол, скомандовал длинноволосый. — Приехали! Я тебя научу правила соблюдать, святой отец...

Аккуратно высвободив из педальной ниши ноги, практически не пострадавшие, если не считать ушиба колена, я отстегнул спасший мне жизнь ремень безопасности и под прицелом пистолета выбрался из помятого кузова через уцелевшую правую дверь.

Разглядев мое поцарапанное, окровавленное лицо и порванную в нескольких местах рясу, краснолицый толстяк глумливо ухмыльнулся, а лохматый наглец издевательски зацокал языком.

— Больно, батюшка? — проблеял он, приподняв брови. — Может, требуется медицинская помощь? У меня в джипе есть аптечка с йодом и ватой...

— Уберите оружие, — спокойно сказал я. Ситуация пока складывалась явно в пользу этих двух безумцев. — Что касается нарушения правил, то здесь лишь ваша вина. К тому же вы пьяны...

— Нижайше прошу прощения, батюшка Акакий, в самое ближайшее время мы компенсируем вам стоимость этого ржавого корыта, да еще с процентами за моральный ущерб! — продолжал кривляться лохматый, не спуская с меня своих пустых гляделок. — Тысяч пятнадцать долларов вас устроит? Вот и ладушки! А сейчас давайте скоренько позвоним по телефону и вызовем «скорую» и ГИБДД. Порос, дай святому преподобному старцу отцу Евлампию свой мобильник, пусть позвонит «ноль-два» и «ноль-три»!

— Может, лучше дать в рожу? Или вырвать у него бороду? — сняв с ремня брюк сотовый телефон и повертев его в руках, с серьезным лицом предложил толстяк, снова оглянувшись на шоссе, по которому в обе стороны с шумом проносились мимо места аварии десятки автомобилей в минуту.

— Не стоит искушать судьбу, когда вашими устами говорят бесы, — по-прежнему находясь от сатанистов на расстоянии трех шагов, по другую сторону разбитой машины, сухо сказал я. Еще задолго до прибытия на Каменный я научился держать себя в руках и не отвечать на злословие в свой адрес. — Что касается милиции, то она нам действительно потребуется. Для составления протокола ДТП и изъятия оружия...

— Знаешь, Порос, я передумал, — ухмыльнувшись, покачал головой длинноволосый и сделал шаг вперед. — Лучше позвони в труповозку и вызови черное такси для нашего отца Онуфрия. Ведь сейчас дьявол придет за его душой, незапятнанной, как трусы девственницы. Чуешь, батюшка? А может, сменим веру, а?

— Аминь, аллилуйя и аллах акбар! — глумливо поддакнул губастый, обходя автомобиль. — Не ссы, мы не варвары, конец тебе обрезать не будем. Верно, Люцифер? Гы-гы-гы!..

Плотная стена из кустов за моей спиной была непреодолимым препятствием для бегства. Да я и не собирался спасаться бегством от таких недоносков с опилками вместо мозгов — слишком много чести. К тому же убивать меня тут, на месте, они явно не собирались. Это был просто спектакль, рассчитанный на слабость нервов потенциальной жертвы...

Однако против пистолета, пока его обладатель стоял достаточно далеко, я был бессилен. В том, что ствол заряжен, у меня не было ни малейших сомнений. Стоило мне дернуться, и патлатый, явно страдавший манией величия и оттого примеривший к своей ничтожной личности одно из имен лукавого — Люцифер, — тут же пристрелил бы меня на месте. Я, как и все люди, любил жизнь, данную мне Богом, но уже очень давно, еще до поступления в духовную семинарию, перестал бояться смерти. Однако умирать здесь, сейчас, так непростительно глупо, мне не хотелось...

— Если хочешь жить, падай на колени и целуй нам ноги! — заиграв желваками, хрипло приказал длинноволосый и покачал стволом «бульдога». — И, может, мы оставим тебя в покое. Тем более что с нашим мустангом, похоже, ничего страшного не случилось. Ну, на колени, я сказал! Или предпочитаешь гнить в дерьме, с пулей в затылке?!

Люцифер кивком показал на проложенную под насыпью шоссе бетонную трубу, наполовину утопавшую в вязкой сточной жиже. В его глазах разгорался безумный блеск — сейчас они напоминали алеющие на ветру угли. Сколько раз за последние годы я видел похожее свечение в глазах других душегубов! А тот, что держал меня на прицеле, в злодействе вряд ли был новичком. Я понял это сразу. Не зря говорят, что глаза человека — зеркало его души. В глазах патлатого безумца полыхало адское пламя.

— Я не боюсь смерти. А ты зря все это затеял, — сухо сказал я. — И когда-нибудь рука Господа покарает тебя за все твои черные деяния. Сдается мне, их было немало. Так?

— О, если бы ты только знал, сколько именно, поп — толоконный лоб! — Люцифер разразился жутким каркающим смехом. Словесная перепалка, в которой благодаря оружию он чувствовал свое полное превосходство, его явно забавляла, и отказывать себе в удовольствии поглумиться над служителем Церкви он не собирался. — Но это мой путь, я сам его выбрал! А вот тебя ждет полный абзац! Представь себе хоть на мгновение, что происходит со священником, угодившим в ад, к Князю Тьмы!

Этот долговязый тип с провалившимися от наркотиков желтыми щеками, водянистыми, неопределенного цвета глазами, бледными тонкими губами и болтающимся на впалой груди перевернутым распятием был давно и глубоко безумен, но ни одна «дурка» в мире уже не смогла бы справиться с поразившим его тяжелым недугом. Еще пять—семь лет назад объятых бесами людей объявляли обычными психами, пеленали в смирительные рубашки, запирали в клетках-одиночках спецбольниц и каждые шесть часов насильно пичкали транквилизаторами, дабы окончательно лишить их и без того пошатнувшегося разума. Нет, таких, как Люцифер, могла исцелить только истинная вера или... или пуля в затылок.

— Ну что ж, — самодовольно хмыкнул лохматый, переглянувшись с толстяком, обливавшимся потом, несмотря на прохладу летнего вечера. — Что ж, так даже лучше... Я запру тебя в сыром подвале с крысами и буду убивать долго и мучительно! Неделю, месяц, пять — пока ты сам не попросишь перерезать тебе глотку!

Он едва заметно мигнул своему толстогубому подельнику, и они бросились на меня одновременно с двух сторон — Порос с кулаками, а Люцифер с пистолетом. Их примитивные действия я в общих чертах просчитал заранее, однако от тронувшихся рассудком безумцев можно ожидать любого сюрприза. В этой спонтанной акции менее проворному толстяку выпадала роль отвлекающего, в то время как поджарый и подвижный Люцифер намеревался оглушить меня ударом тяжелой рукоятки пистолета по голове. Потом мое бесчувственное тело, видимо, оттащили бы в багажник джипа и увезли в обещанный подвал с хвостатыми грызунами. О дальнейшем я предпочитал не думать...

Ни один из чертопоклонников не ожидал отпора со стороны рассудительного священника средних лет, к тому же одетого в сковывающую движения длинную, до пят, рясу. И в этом состояла их главная ошибка. Среди крепких молодых мужчин, в последние десять — пятнадцать лет принявших духовный сан, было немало таких, кто мог не только постоять за себя, но и поучить этому мастерству других. Времена Пересвета и славяно-горицкой науки закалки духа посредством тренировки тела возрождались, как среди священников, так и в монашеских обителях. Мои же противники не знали и не хотели знать ничего, кроме дьявольского учения самозваного «зверя трех шестерок» Алистера Кроули...

Метнувшегося вперед чуть раньше Пороса я схватил за запястье, вывернул его руку и, используя набранную им при броске энергию, швырнул его навстречу уже замахнувшемуся пистолетом лохматому, так что голова толстяка с разгона врезалась Люциферу в живот. Сдавленно охнув, патлатый перегнулся пополам и рухнул на землю, а массивная туша Пороса придавила его сверху.

— А-а-ы-ы!.. — захрипел Люцифер, тщетно пытаясь сбросить с себя тело приятеля. Однако пистолет, представлявший собой главную угрозу, был по-прежнему в руке Люцифера, смертоносное дуло смотрело мне в грудь, а указательный палец лежал на курке. Я ударил носком ботинка по сжимавшей «бульдог» руке одновременно с выстрелом. Пуля просвистела у самого моего уха, а пистолет, несколько раз перевернувшись в воздухе, упал в двух шагах от разбитой машины.

— Убью, су-у-ка!!! — яростно рычал Люцифер. Ему уже удалось вдохнуть полной грудью и выбраться из-под скулившего от боли Пороса. Он прыгнул к пистолету, пытаясь дотянуться до рукоятки выброшенными вперед руками, но я ногой отбросил пистолет далеко в сторону, а локтем врезал длинноволосому в челюсть. Люцифер коротко взвыл, схватился руками за лицо, рухнул на землю и задергался в конвульсиях, приняв позу эмбриона. Толстяк, обескураженный отпором, прижался спиной к колесу «Таврии» и, поджав колени к груди, со страхом смотрел на меня, стараясь подавить вырывающиеся всхлипы. Его поврежденная рука, как и челюсть лохматого, нуждалась, видимо, во внимании хирурга.

— Телефон, быстро! — потребовал я. — И сиди, где сидишь!

Порос торопливо выхватил из-за пояса мобильник и протянул его мне. Увы, трубка была безнадежно испорчена от удара об остов автомобиля — на треснувшем индикаторе расплылось темное пятно жидких кристаллов. Я утер рукавом рясы сочившуюся из царапины на лбу кровь и нажал пару кнопок. Бесполезно — с таким же успехом я мог попытаться позвонить при помощи валявшейся в траве пустой пачки из-под сигарет. Размахнувшись, я швырнул мобильник в кусты и на мгновение задумался.

— Я могу вам чем-нибудь помочь, батюшка? — вдруг послышался совсем рядом спокойный мужской голос.

Обернувшись, я увидел стоящего невдалеке мужчину лет сорока пяти в дорогом черном костюме с галстуком. На ногах его были блестящие модные туфли, на руке — золотые часы с массивным браслетом. Он курил сигарету в длинном черном мундштуке с золотым ободком и вопросительно смотрел на меня, слегка прищурившись. Вне всякого сомнения, этот человек был не робкого десятка.

— Спасибо, кажется, я разобрался сам... — пробормотал я, пытливо разглядывая незнакомца, судя по виду — явно не бедного и знающего себе цену. Было непонятно, как он оказался на обочине шоссе в столь поздний час, поскольку машины его я не видел.

— Значит, эти гнусные жлобы, сявки беспородные, сами зацепили вашу машину, а после еще оказались недовольны?! — с металлом в голосе спросил незнакомец, презрительно оглядев сатанистов, которые вмиг притихли и перестали скулить. Странно, но его взгляд подействовал на них гипнотически, как взгляд удава действует на брошенных в террариум белых мышей.

— Примерно так и было, — подтвердил я. — Спасибо, что подошли. У вас, случайно, нет с собой сотового телефона? Думаю, пора вызвать милицию.

— К сожалению, — развел руками мужчина. — Раньше был, но потом жена — она у меня медик — порассказала всяких ужасов про то, что мобильники вызывают рак головного мозга, и я сразу от них отказался. Теперь пользуюсь пейджером... Но тут рядом, за углом моей дачи, есть телефон-автомат, — незнакомец указал рукой на возвышавшийся за кустами деревянный забор.— Звонок в милицию бесплатный. А я пока постерегу этих уродов, чтобы не сбежали...

— Справитесь? — я подобрал с земли еще теплый «бульдог» и пристально посмотрел на моего добровольного помощника. — Шустрые ребята, даже слишком...

— Я тоже не пальцем деланный, — фыркнул импозантный незнакомец, исподлобья взглянув на сатанистов. — Прежде чем заняться бизнесом, я служил в весьма серьезной организации, одно упоминание о которой заставляло даже генералов писать в штаны с лампасами! Так что можете не волноваться, отец...

Он выжидательно умолк, и я невольно закончил:

— Павел. Меня зовут отец Павел.

— Не волнуйтесь, отец Павел, никуда они не денутся. Можете идти!.. Кстати, мы с вами раньше нигде не встречались?! Лицо ваше мне очень знакомо, — мельком взглянув на номерной знак «Таврии», сказал незнакомец. — Вы, случаем, не в нашем храме Петра и Павла в Петродворце служите?

— Нет, я вообще не служу в Санкт-Петербурге... Будьте осторожней. Я вернусь через минуту.

— Не торопитесь, никуда эти скоты теперь не денутся!.. — донеслось мне вдогонку.

Продравшись через кусты и двигаясь вдоль забора, огораживавшего внушительных размеров территорию и строившийся кирпичный дворец, я вышел на узкую асфальтированную дорогу, которая вела к выстроенным у шоссе со стороны Финского залива шикарным особнякам.

Осматривая окрестности, я до смерти напугал припозднившуюся одинокую старушку, стремительно бросившуюся на противоположную сторону дороги при виде оборванного священника с выпачканным в крови лицом и пистолетом в руке. Однако заветного телефона-автомата я так и не увидел. Заподозрив неладное, я бегом вернулся к трассе, к покореженной «Таврии» отца Сергия.

Ни сатанистов, ни доброго незнакомца, вызвавшегося их посторожить, ни, разумеется, черного джипа с разбитой фарой там уже не было. В память о стычке остались лишь пистолет «бульдог» с тремя патронами в обойме и груда искореженного железа, некогда бывшего самой что ни на есть иномаркой...

ГИБДД и обычную милицию я вызвал лишь спустя пятнадцать минут, остановив проезжающее мимо такси, в котором имелась радиосвязь с диспетчерской. Дав показания под протокол и сдав оперу пистолет как вещественное доказательство, в Стрельну, к домику настоятеля Троицкой церкви, я добрался лишь в четвертом часу утра — ребята-милиционеры согласились подбросить меня на своем уазике. Молча выслушав мой подробный рассказ о происшествии на Петергофском шоссе и напоив меня чаем с блинами, отец Сергий, сдерживая волнение, сказал:

— Главное, что ты жив. Знаешь, не хотел тебе говорить, расстраивать, но, видно, придется. Три недели назад в наш храм среди бела дня ворвались двое таких же патлатых нелюдей в черном и, прокричав богохульные ругательства, бросили в образ Тихвинской Богоматери пакет с кровью... Хорошо, что икона за стеклом, ничего с ней не случилось, но это же открытый плевок, вызов! Ироды проклятые!

— Милицию вызывали? — с неприятным холодком в груди спросил я.

— А что они могут?! Только бумажки писать... — вздохнул протоиерей. — Бытовое хулиганство, говорят, ребятишки от скуки пошутили, а раз никто не пострадал, значит, нет повода возбуждать дело. Но какое же это хулиганство? Тут налицо умышленное осквернение храма и святых образов!.. Однако за такие дела они предпочитают не браться. Нет судебной перспективы. У них, дескать, серьезных преступлений по горло. Так и сказали...

— Неужели так трудно вычислить, где обретаются эти черти, а потом разом накрыть осиное гнездо? — стиснув зубы, произнес я, глядя в чашку с чаем и вспоминая дикий хохот, безумный взгляд и впалые пергаментные щеки смеющегося мне в лицо подонка по кличке Люцифер.

Обычное хулиганство. Ребятишки.

— У нас в стране объявлена свобода вероисповедания, молись кому хочешь, — с болью в голосе сказал отец Сергий, медленно перекрестившись чуть подрагивающей от волнения рукой. — Хоть Христу, хоть антихристу... Сколько их, сектантов проклятых, изуверов, ловцов душ человеческих, в последние годы изо всех щелей повылазило... А никому и дела нет, что все это — проделки дьявола. Думаешь, после сегодняшней аварии и нападения на тебя кто-то всерьез будет их искать?

— Не знаю. Думаю, вряд ли, — покачал головой я. — Я даже марки джипа не запомнил, не до того было. Да и не слишком я разбираюсь в новых моделях.

Хотя эксперт в милиции сказал, что на рукоятке «бульдога» кроме моих есть и другие отпечатки пальцев плюс словесный портрет обоих этих уродов. Может, что и выплывет...

Успокаивая моего духовного отца, я сам не очень верил в скорые результаты расследования. Единственный свидетель инцидента — холеный незнакомец в костюме исчез вместе с сатанистами. Уже после того как на место аварии приехала милиция, я вдруг подумал, что в момент столкновения незнакомец вполне мог находиться на заднем сиденье джипа и, не желая светиться, приказал Люциферу и Поросу самим решить проблему. И лишь когда ситуация неожиданно вышла из-под контроля, а я завладел оружием, он незаметно покинул джип и, прикинувшись хозяином строящегося рядом коттеджа, разыграл весь этот спектакль с телефоном-автоматом «за углом»...

Глава 3

Уснуть в этот день мне так и не удалось — промучившись в постели до семи утра, я встал, принял душ, еще раз смазал ссадину на лице бальзамом из трав, который оставил мне уехавший в храм отец Сергий, надел чистую одежду взамен измаранной при аварии, заварил себе чаю, а потом, поколебавшись, снял трубку старенького, как и все в доме настоятеля, телефона «VEF». Я набрал навсегда записанный в памяти прямой номер моего бывшего командира, а ныне — генерал-лейтенанта ФСБ Алексея Трофимовича Корнача. За прошедшие три года я пользовался этим каналом связи лишь однажды...

Если на происшедшую со мной по вине чертопоклонников аварию, разбитую машину и оставшуюся просто сотрясением воздуха угрозу убийства я еще мог закрыть глаза, то спускать на тормозах демонстративное осквернение святыни было выше моих сил! Помня, как по моей просьбе начальник «аналитического отдела» ФСБ спас невинного парня, осужденного за убийство семи женщин, в том числе и моей Вики, на пожизненное заключение, я верил, что секретное ведомство сможет сделать то, на что неспособна обычная милиция, — найти и покарать подонков.

Я набрал номер. После пятого гудка чужой бесцветный голос произнес:

— Слушаю.

— Я бы хотел поговорить с Алексеем Трофимовичем, — столь же лаконично сказал я.

— Кто его спрашивает?

— Старый знакомый. Мое имя вам ничего не скажет.

— По какому вопросу? — продолжал допытываться блеклый, словно измененный компьютером голос, и это мне совсем не понравилось.

— По личному. Он в курсе...

— По этому номеру его уже давно нет, — чуть помолчав, жестко сообщил голос. — Назовите свое имя.

— А как мне связаться с генералом? — из неизвестного службиста каждое слово приходилось вытаскивать словно клещами.

— Нет информации, — прозвучал содержательный ответ.

— Это срочно, — ощутив неотвратимо надвигавшуюся перспективу услышать в трубке короткие гудки, я решил немного приоткрыть карты. — Передайте, что звонил Аверин. Я в городе. Алексей Трофимович поймет...

На сей раз ответа вообще не последовало. В мембране щелкнуло, и раздались гудки. Я положил трубку. Вот так сюрприз! Остается надеяться, что мой разговорчивый собеседник с бесцветным голосом электронной машины передаст Корначу мою просьбу выйти на связь.

Позавтракав на скорую руку, я решил сделать то, что собирался сделать накануне днем — навестить Анжелику Гай и Дмитрия Нагайцева, журналистов еженедельника «Невский репортер», с которыми столкнула меня судьба вскоре после прибытия на Каменный остров и которых я венчал в Троицком храме — они попросили меня специально приехать для этого в Петербург. С тех пор я три года не был в родном городе.

В отличие от номера Корнача номер телефона редакции и номер однокомнатной квартирки на проспекте Маршала Жукова наизусть я не помнил, а моя

записная книжка осталась на далеком острове, так что пришлось ехать без приглашения. Глянув на часы, я понадеялся, что в рабочее время кто-нибудь из супругов будет в редакции.

По дороге в «Невский репортер» я зашел в один из детских магазинов на Ленинском и купил в подарок двухлетней Лизочке Нагайцевой не слишком большого, по ее возрасту, но очень симпатичного пушистого розового слоненка с гофрированным бантиком на хвосте.

Лучше бы я этого не делал...

Секретарь еженедельника Марина, приятная дама бальзаковского возраста в брючном костюме горчичного цвета и швейцарских очках, узнала меня буквально с порога и от удивления даже всплеснула руками.

— Ой, здравствуйте, отец Павел! Что ж вы не позвонили, не предупредили о своем приезде?! Вы давно в Питере? — Вскочив из-за стола, Марина, цокая каблуками по паркету, подошла ко мне. Ее взгляд, переметнувшийся на торчащую из пакета милую игрушку, на секунду застыл, рот слегка приоткрылся, губы дрогнули. Аккуратно тронутое дорогим макияжем загорелое лицо выражало растерянность.

— Вчера приехал, — наблюдая за женщиной, машинально отозвался я. — Что с вами?

— Это для Лизы?! — осторожно спросила Марина. В ее голосе сквозила боль.

— Да. А в чем дело?.. — задохнувшись от дурного предчувствия, пробормотал я.

— Вы... вы разве ничего не знаете?! — взяв себя в руки, осторожно спросила Марина, тщательно подбирая слова. — Девочка пропала! Три дня назад! Бабушка, мама Анжелики, гуляла с внучкой во дворе, на минутку зашла в квартиру за кофточкой для ребенка, а когда снова вышла, то Лизочки в песочнице уже не было, только игрушки... Ужасное несчастье!

Марина вздохнула и покачала головой. Курившие в сторонке у окна двое журналистов подавленно замолчали, бросая на меня унылые взгляды.

— Простите, — это было единственное, что я смог сказать, стараясь держать себя в руках. — Простите меня... Я не знал... До свидания.

Пакет с ни в чем не повинным розовым слоненком теперь жег мою ладонь сильнее раскаленного металла.

Развернувшись, я на ватных ногах направился к выходу и уже взялся за дверную ручку, когда кто-то тронул меня за локоть. Обернувшись, я увидел одного из двух куривших у окна парней. Имени его я не знал, но видел его во время моего прошлого визита в редакцию. Он, как и весь коллектив еженедельника, был на венчании. В опущенной руке журналиста все еще дымилась сигарета.

— Отец Павел, они сейчас дома, — сказал он почти шепотом, глядя мне в глаза. — Уверен, им сейчас как никогда необходима ваша поддержка. Вы знаете адрес?

— Проспект Маршала Жукова, пятьдесят шесть, — кивнул я. — Я как раз собирался туда ехать...

— Нет, это старый адрес, — покачал головой парень. — Дима недавно получил приличный гонорар за изданную в Швеции книгу о боссах русской мафии и купил новую четырехкомнатную квартиру в Озерках. Маришка, — парень обернулся к стоявшей у стола женщине, — я отвезу отца Павла к ребятам, хорошо? А ты, если шеф спросит, замолви за меня словечко...

— Конечно, конечно, Толик! О чем ты говоришь! — поспешно кивнула дама и, не зная, куда девать руки, кончиком указательного пальца поправила очки. — Можете ехать! Аркадий Григорьевич не зверь какой, поймет...

— Пойдемте, отец Павел, — сунув в рот сигарету и распахнув тяжелую бронированную дверь редакции,

сказал журналист. — К сожалению, я не смогу зайти к ребятам вместе с вами, сами понимаете, — словно извиняясь, предупредил он, когда мы уже входили в кабину распахнувшего двери лифта. — Что бы ни случилось, мы, журналюги, как врачи и менты, должны работать, несмотря ни на что...

— Конечно, Анатолий, я понимаю. Спасибо тебе. У вас замечательный дружный коллектив, — пребывая в шоке от известия об исчезновении ребенка, я проговорил первое, что пришло на ум.

— Ну... — замялся парень, даже в лифте не пожелавший расстаться с сигаретой, — если совсем честно, то коллектив у нас тот еще. Имени Павлика Морозова. Подковерная борьба за должности, за собственные рубрики, интриги, стукачество и прочее... Как в любой газете. Думаете, главный мне не воткнет за то, что я свалил без разрешения? — Толик ухмыльнулся и покачал головой. — Как бы не так! Просто сейчас все делают вид, что сочувствуют и наповал убиты горем, а на самом деле большинству глубоко положить и на Нагайцева, и на Анжелику! Везунчиков мало кто любит, больше притворяются...

«Вот он, наш двуликий, лицемерный мир, — подумал я, слушая откровения парня. — И он всегда был таким — и сто, и пятьсот лет назад. Улыбки в лицо и нож в спину...»

«Девятка» Анатолия остановилась возле новой кирпичной шестнадцатиэтажки..

— Седьмой этаж, квартира двадцать пять, — прощаясь со мной за руку, сказал журналист и посмотрел на наручные часы. — Скажите Димке, что я позже позвоню, ближе к вечеру. Пусть держится. Хотя это гораздо легче сказать, чем сделать...

— У тебя есть дети, Анатолий?

— Да, сын. Но ему только два месяца, — натянуто улыбнулся парень. Он бросил взгляд на слоненка, понимая, почему я задал этот вопрос.

— Передай это ему от меня, — я протянул Толику пакет с купленной для пропавшей Лизы игрушкой. — Подрастет — будет играть.

— Я все понимаю, отец Павел, — вздохнув, журналист принял подарок и положил его на сиденье. — Спасибо.

— Тебе спасибо. Храни тебя Господь.

В еще чистом и лишенном наскальной живописи подъезде пахло обойным клеем и краской — дом был совсем новый, малолетними вандалами пока не освоенный. Поднявшись на нужный этаж, я позвонил в квартиру. Некоторое время за дверью стояла напряженная тишина, потом быстро щелкнул замок, дверь распахнулась, и я увидел на пороге Анжелику Гай. Наши глаза встретились. На ее опухшем от слез, болезненно бледном, но по-прежнему красивом лице сначала промелькнуло недоумение, но в следующий миг девушка со стоном бросилась мне на шею и громко, отчаянно разрыдалась. Я осторожно погладил ее по длинным и золотистым, как у моей покойной Вики, волосам и как мог попытался успокоить:

— Тише, девочка, тише. Все будет хорошо, вот увидишь. Она обязательно найдется...

Боже, как мне самому хотелось верить в то, что я говорил!

В прихожую вышел коренастый парень в бронежилете поверх камуфляжной куртки и черной каскесфере, с автоматом АКСУ в руках. Спецназовец, судя по всему дежуривший в квартире на случай неожиданного визита гонца от похитителей, увидев меня, заметно расслабился.

— Ну, успокойся, — дав девушке время справиться со слезами, я чуть отстранил ее и посмотрел ей в глаза. — Все будет хорошо, ты мне веришь?

— Да, — вытирая покрасневшие от слез, чудовищного нервного напряжения и бессонницы глаза, кивнула Анжелика, увлекая меня в квартиру. — Вам, отец Павел, я верю. Просто я так боюсь за нее! Ведь уже третий день пошел, а о Лизочке ничего не слышно! Мама в больнице с сердечным приступом — никак не может себе простить, что оставила ее одну во дворе.

— Здравствуйте, батюшка, — сухо кивнул спецназовец. — Проходите, я пока закрою дверь.

Из прихожей мы с Анжеликой вошли в гостиную. Несмотря на приоткрытое окно, в комнате серыми слоями висел плотный, хоть топор вешай табачный дым. Дима Нагайцев с землистым, постаревшим сразу на десять лет неподвижным лицом сидел на стуле возле усыпанного пеплом журнального столика, на котором кроме радиотелефона с определителем номера и записывающим устройством стояли пепельница, доверху заполненная окурками, пустая на три четверти литровая бутылка водки и пузатый коньячный фужер. Тут же валялись открытая пачка «Мальборо» и золотая бензиновая зажигалка. У стены, рядом с тумбой телевизора, выстроилась целая батарея пустой водочной тары.

— Димочка, отец Павел приехал... — Всхлипнув, Анжелика снова упала мне на грудь и тихо заплакала. Нагайцев медленно, словно заржавевший робот, повернул голову и несколько секунд тупо смотрел на меня совершенно пьяными, невидящими глазами. Мне показалось, что в его состоянии невозможно адекватно воспринимать действительность, но я ошибся. Отвернувшись и устремив гипнотизирующий, молящий о чуде взгляд на жестоко молчавший телефон, Дмитрий на удивление четким голосом произнес:

— Хотел сказать вам, отец Павел, «добрый день», но, увы, это неправда... Сегодня страшный день. И вчера был страшный день. И позавчера тоже был страшный день. Боюсь, теперь для нас с женой все дни будут такими. Вопреки всем вашим церковным трактатам порой ад настигает людей уже при жизни...

Единственное, что я хочу понять, — чем мы заслужили такое проклятие? Чем?!

— Вы не заслужили его, поверь. А отчаяние — один из тяжелейших смертных грехов, — сказал я, с тоской понимая, как дико и банально древняя библейская истина звучит в этих стенах, насквозь пропитанных страхом и отчаянием. — Пока человека не нашли, он жив. И ваша девочка тоже жива.

— Я не миллионер, не крестный отец мафии и не политик, — по-прежнему неотрывно глядя на телефон, Нагайцев взял со стола бутылку, наполнил фужер до краев и залпом выпил. — Но даже если на миг представить себе, что Лизу похитили с целью выкупа, почему они не предъявляют никаких требований уже семьдесят часов?! Так не бывает... Если до вечера никто не заявится, то охрану снимают... Верно, лейтенант?

Спецназовец угрюмо кивнул и вернулся назад в прихожую, где сел в кожаное кресло возле двери, положив автомат на колени. Судя по выражению его лица, он искренне сочувствовал постигшему эту семью горю, но приказ есть приказ.

— А если похитители не позвонят до послезавтра, то снимут с телефона вот эту записывающую херню, — продолжал журналист, прикуривая сигарету. — В переводе на русский это означает — конец! Вы понимаете, отец Павел, — конец!..

Нагайцев опять повернулся в мою сторону, и я увидел, что по его щекам текут и теряются в кудлатой бороде слезы. Губы его дрожали, руки сжались в кулаки до белизны в костяшках, сломав зажатую между пальцев сигарету.

Анжелика молча подошла к мужу, подняла с уже прожженного в нескольких местах ворсистого паласа тлеющий обломок сигареты и положила его в пепельницу.

— И все же для отчаяния еще слишком рано... — сказал я и добавил: — Извините, я оставлю вас на какое-то время. Мне надо поговорить с лейтенантом.

Анжелика кивнула, а Дмитрий даже не шелохнулся, снова неподвижно застыв в клубах табачного дыма. Я вышел в прихожую и плотно прикрыл за собой стеклянную дверь.

— Года полтора назад я читал статью про вас в «Невском репортере», отец Павел, — сообразив, что я хочу задать ему пару вопросов наедине, спецназовец заговорил первым. — Вы тот самый настоятель с Каменного, бывший десантник? Или я ошибся?

— Не ошиблись. Я действительно служу в церкви при тюрьме для пожизненно осужденных, — сухо подтвердил я. — Но сейчас речь не обо мне... Скажите, лейтенант, вы в курсе обстоятельств похищения девочки?

— Более или менее, — пожал плечами парень.

— В таком случае мне хотелось бы узнать о ее исчезновении в деталях, — понизив голос так, чтобы меня не услышали несчастные родители пропавшей Лизы, сказал я. — Надеюсь, в разговоре со священником вы не станете ссылаться на тайну следствия и у вас есть что добавить к рассказу Анжелики. Вы ведь слышали его...

— Да, кое-что есть, — подумав, кивнул лейтенант. Не все так безнадежно. Есть одна зацепка — показания свидетеля, продавца в коммерческом киоске на углу. Приблизительно в то же самое время, когда пропал ребенок, продавец заметил, как со двора через сквозной подъезд одного из домов вышел высокий длинноволосый тип в потертых джинсах. Он нес спящего ребенка, по описанию схожего с исчезнувшей девочкой... У тротуара ждал темный джип. Патлатый с девочкой на руках сел на заднее сиденье, и машина уехала. Продавец, дедок-пенсионер, марку иностранной тачки назвать не смог, ну и номер, разумеется, тоже не запомнил. Зато он заметил, что на двери багажника, на том месте, где у большинства джипов обычно крепится запаска, у этой машины запаски не было — только пустая крепежная рама. И еще киоскеру показалось, что во время ходьбы длинноволосый слегка прихрамывал.

Невидимая железная рука крепко сдавила мою шею корявыми пальцами, перекрыв доступ кислорода. В висках глухо застучал пульс, по спине пробежала волна холода. Не далее как вчера вечером я не только в самом прямом смысле столкнулся с черным джипом, у которого на двери багажника отсутствовала запаска, но также имел сомнительное удовольствие поближе познакомиться с его пассажирами, одним из которых был как раз высокий и худой лохматый сатанист с перевернутым распятием на груди, в черном джинсовом костюме и к тому же — я тоже мельком обратил на это внимание — слегка прихрамывавший. Впрочем, хромота не сделала этого подонка менее опасным. Если бы не спецназовская выучка, гнил бы я сейчас в тех придорожных кустах.

Не без усилия сделав глубокий вдох, я посмотрел в настороженные, испытующие глаза оборвавшего рассказ спецназовца:

— Родители знают о джипе?

— Им пока об этом не рассказывали, чтобы лишний раз их не волновать, — покачал головой лейтенант. — Идет активная работа, сети раскинуты, объявлена операция «Перехват». Усиленные наряды гаишников на выезде из города и на улицах останавливают все джипы темного цвета, а опера ставят на уши информаторов из числа рокеров, музыкантов и прочей волосатой алкогольно-наркотической шушеры. Как бывший офицер, вы должны знать, отец Павел, что в т а к и х делах никого из сыскарей подталкивать не приходится, мужики пашут на совесть...

— Мне кажется, лейтенант, что вы назвали не все группы потенциальных подозреваемых, имеющих схожую внешность, манеру одеваться и склонность к криминалу, — от внезапной страшной догадки мой голос дрогнул. — Вы забыли про нелюдей, которые раскапывают могилы, оскверняют кладбища, храмы и проводят свои дьявольские ритуалы, так называемые черные мессы — с оргиями и человеческими жертвоприношениями!

— Сатанисты?!

— Да! И, простите меня за самонадеянность, но я на сто процентов уверен, что в отличие от хулиганов-байкеров с их рогатым двухколесным божеством среди этой хитрой и необычайно осторожной нежити ни у спецслужб, ни тем более у милиции нет «своих» стукачей...

Вспомнив, что за дверью, в гостиной, — убитые горем Анжелика и Дмитрий, я заставил себя замолчать. Но и уже сказанного оказалось вполне достаточно —спецназовец стиснул скулы, взгляд стал напряженным. Лейтенант понял, что я прав. Значит, кое-что господа сыщики, расследующие похищение двухлетней крошки Лизочки Нагайцевой, явно упустили из виду. Или, что казалось мне более вероятным, до поры до времени предпочли не озвучивать столь жуткую версию. Ибо одно дело банальный киднепинг, и совсем другое — похищение с целью принесения в жертву. При одном упоминании о ритуальных убийствах у любого нормального опера начиналась сильная головная боль: все что угодно, только не это!

— Возможно, я ошибаюсь и это просто случайное совпадение... Но в таком случае оно достойно занесения в энциклопедию криминалистики как самое невероятное стечение обстоятельств, — продолжал я сдержанно. — Однако в реальной жизни такая случайность почти исключена... Поэтому я уверен, лейтенант, что смогу помочь вашим коллегам-сыщикам дополнительной информацией. И о похитителе девчушки, и о джипе. Между прочим, не далее чем вчера вечером он получил приметную вмятину на капоте, лишился правой передней фары, а значит, нуждается в срочном косметическом ремонте...

Я прислушался: из гостиной доносился тихий, надломленный голос Анжелики, успокаивавшей пьяного мужа. Моя версия о возможной причастности чертопоклонников к похищению девочки, к счастью, не была услышана ее родителями.

— Не уверен, что уловил ход ваших мыслей, батюшка...

— Дело в том, что вчера вечером на Петергофском шоссе я попал в аварию, — сообщил я пораженному неожиданным заявлением спецназовцу. — А за рулем сбросившего меня в кювет джипа сидел лохматый хромой верзила с «бульдогом» за брючным ремнем и перевернутым распятием на шее. И с ним еще двое типов, тоже весьма примечательных...

Я коротко поведал хмурому лейтенанту о событиях на трассе, едва не стоивших мне жизни. Окажись на моем месте другой, не искушенный в навыках самозащиты священник — не миновать ему обещанного сатанистами «алтаря».

Спецназовец слушал, стиснув мощными ручищами автомат, и время от времени чуть слышно отпускал короткие реплики вроде «вот же суки!..». Действительно, еще каких-то два-три года назад представить себе нечто подобное даже много повидавшему, побывавшему в «горячих точках» и наглядевшемуся на изнанку жизни спецу было бы очень трудно. Но та жуткая реальность, к которой привела Россию на исходе двадцатого века объявленная сверху «свобода вероисповедания», заставила поверить в существование подобных нелюдей...

— ...А вы говорите: операция «Перехват»! Ни один из сотрудников ГИБДД и оперов, с которыми я общался вчера до поздней ночи, даже бровью не повел, узнав о черном джипе и сатанистах, — закончил я свой рассказ, испытующе глядя на опустившего глаза крепкого парня в камуфляже.

— Вот, блин, знал, что кругом бардак, но не до такой же степени! —сквозь зубы процедил спецназовец, покачав головой. — Вот и не верь после этого... Отец Павел! Может, я что не так скажу, но сам Господь столкнул вас с этими тварями, а затем привел сюда!

Парень торопливо перекрестился. А я вдруг подумал, что даже на закоренелых атеистов, будь они сейчас здесь, такой неожиданный для них союз силы в лице спецназовца и православной веры в лице священнослужителя произвел бы впечатление. Вот и ёрничайте по поводу «опиума для народа»!

Я видел, что в крестном знамении спецназовца не было ни малейшей игры.

— Теперь мужики этих сволочей точно достанут, как пить дать! — скрипнул зубами лейтенант, полоснув меня холодным, решительным взглядом. — Насчет отсутствия сексотов в среде сатанюг вы, отец Павел, наверняка правы. Легче внедрить своего человека в личную охрану наркобосса, чем в стаю чертопоклонников. Но, хоть убейте, ни за что не поверю, чтобы и у «старших» не имелось на их проклятых гуру досье и чтобы ФСБ не владело более конкретной информацией!.. Я немедленно связываюсь с командиром!

Парень достал из нагрудного кармана портативную рацию и уже собирался ткнуть пальцем в кнопку, но я остановил его, многозначительно кивнув в сторону комнаты.

— Не торопитесь, лейтенант. Сначала я считал, что ваше начальство зря не сообщило родителям девочки о показаниях киоскера — возможно, это помогло бы вычислить похитителей. Но теперь думаю, действительно лучше, чтобы ребята ни о чем не догадывались. Ведь они оба — профессиональные журналисты, в курсе всех событий в мегаполисе. А уж о реальности существования в Питере сатанистов с их жуткими кровавыми ритуалами знают не меньше нас с вами... Услышать, что ребенка похитили эти нехристи, было бы для них самым страшным ударом. Ибо в таком случае вряд ли преступление затеяно с целью получения выкупа. Ребята потеряют всякую надежду... Поэтому будет лучше, если для разговора с командиром вы пройдете на кухню, а потом позволите мне сказать ему пару слов лично.

— Вы правы, отец Павел, — кивнул спецназовец, пружинисто поднимаясь с кресла. — Пойдемте. Дорога каждая минута!

Лейтенант связался по рации с командиром СОБРа. Комкая слова от волнения, он торопливо сообщил о моих вчерашних злоключениях, после чего мы с майором договорились, что через двадцать минут за мной прибудет машина с двумя сыщиками, которым поручено вести дело о похищении. Мне предстояло еще раз, во всех мельчайших подробностях повторить им то, что я уже рассказывал и сотрудникам ГИБДД, и лейтенанту, но это была такая мелочь! Ради спасения беззащитной девчушки, попавшей в лапы к слугам сатаны, я, как человек, как мужчина и, разумеется, как православный священник, был готов на все...

Как и лейтенат, я верил, что именно Промысел Божий столкнул меня накануне с Люцифером, Поросом и их хитрым спутником, так ловко разыгравшим передо мной спектакль, и столкнул с единственной целью — в очередной раз подвергнуть меня испытанию и дать шанс делом искупить всю ту кровь, которой я немало пролил в прошлой своей жизни.

Да, ни один человек в мире не в состоянии забыть свое прошлое. Оно не отпускает, напоминая о себе постоянно.

Я был далек от мысли, что Лизу, буквально на пару минут оставленную бабушкой на детской площадке без присмотра, похитили случайно, как первого попавшего в поле зрения ребенка, «подходящего» вышедшим на охоту сатанистам по только им известному критерию. Поджидавший невдалеке, у проходного подъезда, джип с водителем, использование препарата, которым мгновенно усыпили ребенка, — все это говорило о тщательной подготовке к похищению именно Лизочки Нагайцевой, дочери двух известных журналистов из «Невского репортера». Вне всякого сомнения, Люцифер и водитель следили за ребенком, выбирая благоприятный момент. И это неспроста. Ключ к причинам, побудившим сатанистов выбрать своей жертвой именно дочурку Анжелики и Дмитрия, следует искать в событиях, предшествовавших трагедии...

Глава 4

Сыщики подъехали к подъезду нового дома в Озерках даже раньше, чем обещал командир СОБРа. Первым результатом моего рассказа о вчерашнем инциденте стал приказ о досрочном снятии охраны — лейтенант Костин, вооруженный и экипированный для взятия рэкетира, отбыл на базу СОБРа прямо в «жигулях» оперативников. Это означало лишь одно: милиционеры в штатском так же, как и я, теперь не сомневались, что девочку похитили именно те самые типы, с которыми я столкнулся на Петергофском шоссе, и вряд ли их гонец наберется наглости пожаловать в гости к родителям Лизы. Направление поиска затерявшихся в огромном городе следов девочки и похитителей стало более конкретным. Во-первых, следовало прошерстить все известные автомастерские города на предмет поиска пострадавшего в аварии джипа, предположительно марки «ниссан-террано». Во-вторых, необходимо было, используя оперативные наработки, повнимательней присмотреться к лицам, замеченным в тяге к дьявольским ритуалам, в том числе ранее судимым за осквернение и разграбление могил. Особое внимание двоим, клички — Люцифер и Порос. Составленные при моем участии еще прошлой ночью фотороботы главных подозреваемых вскоре должны были получить все участковые, сотрудники ДПС и осведомители. Расследование, как принято говорить в среде милицейских начальников, выходило на качественно новый уровень. Напоследок один из оперов вскользь сообщил мне, что пару месяцев назад в МВД был создан особый отдел, специально занимающийся деятельностью «деструктивных религиозных объединений и сект», и его сотрудники, вместе с товарищами из ФСБ, будут подключены к делу немедленно...

Когда я снова вошел в квартиру журналистов, то застал бородача Нагайцева спящим — алкоголь и сильнейший стресс погрузили его в тяжелое, беспокойное забытье. Укрыв мужа теплым шерстяным пледом, Анжелика распахнула окна в гостиной, прибрала на заваленном окурками и залитом водкой столике, а затем вместе со мной присела на кухне. Я заварил крепкий кофе, но она даже не притронулась к своей чашке.

— Отец Павел, я вас умоляю... я вижу по глазам... вам что-то известно? — допытывалась Анжелика, размазывая по лицу слезы. — Почему сразу после вашего прихода сняли охрану с квартиры? Что они вам сказали? Ведь вы спускались вниз и с кем-то разговаривали в машине почти целый час! Что с Лизочкой? Прошу вас, ради всего святого, не молчите! Теперь я все смогу, я все вынесу!.. Они... ее уже нет? Ее... нашли, да?!

Задохнувшись на последнем слове, Анжелика судорожно схватила меня за руку и с мольбой заглянула в глаза. Обманывать ее я не имел права, но и говорить всю правду, страшную правду, тоже не хотел.

— Нет, девочка, ее еще не нашли. Но сейчас на поиски брошены все силы милиции и ФСБ. А в машине я разговаривал с сотрудниками спецслужб... Как ты помнишь, до семинарии я тоже всякого повидал... Вот и предложил сыскарям несколько возможных вариантов поиска... Очень надеюсь, что это поможет выйти на след Лизочки. Ты лучше мне вот что скажи... Не было ли у вас с Димой в последние месяцы скандальных публикаций? Таких, где вы представили кого-то в истинном его обличье, разоблачили. Мог кто-нибудь затаить на вас зло и попытаться отомстить? Только не отвечай сразу, подумай хорошенько. Может, это было полгода назад или больше...

— Мне не нужно думать. Меня уже спрашивали об этом, еще позавчера... У нас с Димой практически все материалы — скандальные. — Анжелика опустила взгляд в чашку с дымящимся черным кофе. — Наш еженедельник вообще в последнее время сильно пожелтел... Вы понимаете, чтó я имею в виду?

— Бульварное чтиво, низкопробные сенсации, огромные тиражи и прибыли, — хмуро кивнул я. — Все остальное — продажная политика, компромат.

— Сейчас большинство газет и журналов так работает. С тех пор как у «Невского репортера» сменился хозяин и главный редактор стал плясать под его дудку, мы пополнили число «карманных» изданий, — продолжала Анжелика. — В отличие от многих конкурентов, медленно загибающихся без читателя, наши тиражи теперь держатся на уровне и зарплата — мало где такую платят... Знаете, наш среднестатистический читатель-обыватель обожает материалы с броскими заголовками. Крупно печатаем: «Алла Борисовна не дала Филиппу...» — и крохотными буковками внизу продолжаем: «...разрешения написать книгу об истории их любви».

— Какова общественная мораль — таковы и духовные потребности обывателя, — подытожил я. — И все-таки вспомни, не проскакивало ли чего-нибудь по-настоящему убойного, что могло если не одним махом подкосить фигуранта, то как минимум сильно и больно ударить по его самолюбию, репутации и карману?

— Не знаю, может быть, лишь отчасти, — пожала плечами Анжелика. — Но чтобы настолько... Нет, вряд ли, — покачала она головой и наконец отхлебнула кофе из чашки. — Вообще-то мы, как и большинство коллег, стараемся не перегибать палку и не доводить дело до исков о защите чести и достоинства. Были, правда, пару раз прецеденты с разборками всех уровней — от бандитских до судебных, но слишком дорого они обходятся хозяевам... Что касается статей, то мы с Димой по журналистской традиции храним подшивки всех журналов, где прошли наши публикации. Но их уже просматривали прошлой ночью два следователя... И ничего не нашли.

— Материалы в редакции?

— Нет, здесь, дома, — тихо ответила журналистка. — По четыре толстых «кирпича»-скоросшивателя у каждого. Хотите, я принесу. Только... какая от этого польза? Какое отношение имеет похищение Лизочки к той коммерческой бульварщине, которой мы с Хемингуэем зарабатываем себе на жизнь?

— С кем? — автоматически переспросил я, хотя сам уже понял, кого имеет в виду Анжелика.

— Это я Димку так называю — Хемингуэй, из-за его бороды и фантазий, — губы измученной девушки дрогнули в подобии снисходительной улыбки. — Половину всех сенсаций и жареных фактов из жизни сильных мира сего он выдумал сам, без какой-либо информации... За это главный его и ценит — почти никаких текущих затрат на сбор информации, сплошные сказки. А читатель от них просто балдеет.

Эта красивая и безусловно умная молодая женщина с манерами и внешностью голливудской кинозвезды, вышедшая замуж вопреки ожиданиям многих своих коллег не за банкира или политика, не за «большие деньги», а за скромного журналиста, явно относилась к своему мужу чуть свысока, как к большому ребенку. Я заметил это еще три года назад, во время венчания. Что ж, красота, успех и множество поклонников неизбежно накладывают отпечаток на характер женщины...

— Ты не возражаешь, если я возьму до завтра подшивку ваших материалов за последний год? Пролистаю для самоуспокоения. Вдруг что-то любопытное и отыщется.

— Честно говоря, сильно в этом сомневаюсь, — грустно улыбнулась Анжелика. — Это бульварное чтиво не для вас, отец Павел. Слишком много откровенной пошлятины. Я почти уверена, что вы не осилите и половины наших с Димой нетленных сочинений...

Покрасневшие глаза девушки снова наполнились слезами. Скорее всего Анжелику растрогали неумелые попытки священника-островитянина помочь ее семье чем-нибудь практическим, а не только успокаивающими словами и молитвами. Так же умиляют взрослых маленькие дети, когда пытаются утешить плачущую маму: они обнимают ее и обещают всегда-всегда убирать за собой игрушки и не есть без разрешения припасенное на зиму малиновое варенье.

По правде говоря, я и сам толком не знал, что именно надеюсь обнаружить на страницах скандально популярного еженедельника с его броскими заголовками и скандальными фотографиями отечественных знаменитостей, пойманных пронырливыми папарацци в пикантные моменты их жизни. У меня не было уверенности, что я непременно найду разгадку преступления, перелопатив кипу журналов. Скорее какое-то смутное предчувствие. А может, мне просто хотелось самому убедиться, что публикации ребят не имеют отношения к похищению их ребенка сатанистами...

Но тогда что или кто имеет?

Ответив на этот вопрос, я смог бы вплотную подойти к Люциферу и его подельникам. Но пока истинные причины, побудившие чертопоклонников выслеживать именно Лизочку Нагайцеву, терялись в непроглядной темноте. И эта неизвестность не давала мне покоя.

Рассказав сотрудникам следственных органов все, что знал, я мог со спокойной совестью вести собственное расследование и начать его решил с внимательного просмотра всех публикаций Анжелики и Дмитрия за последние месяцы. Попрощавшись с Анжеликой, которой необходим был хотя бы короткий отдых, и прихватив спортивную сумку с двумя папками-скоросшивателями, я отправился на автобусе к Троицкой церкви. Я намеревался провести бессонную ночь в тишине и покое личной комнатки протоиерея. Мне предстояло сидеть за письменным столом в окружении святых образов и вчитываться в скабрезные тексты, до ряби в глазах разглядывать фотографии валяющихся под столом в дорогих казино перепившихся отечественных поп-звезд и сильно подретушированные кадры из шпионских микрофильмов, запечатлевших известных политиков принимающими сеансы массажа в компании проституток...

Да, много бы заплатил еженедельник, чтобы заснять этот момент и поместить фото на первой полосе с таким примерно текстом: «Нас регулярно читает даже настоятель тюрьмы для осужденных на пожизненное заключение. Подписывайтесь на «Невский репортер», прикладывайте заряженный целебной энергией снимок отца Павла к проблемным местам, и вы получите полное избавление от любых болезней, включая клептоманию, алкоголизм и энурез, в течение девяти дней!!!»

Бред, как раз в духе нынешней «желтой» прессы.

Глава 5

Предчувствие не обмануло меня! Нужную статью я обнаружил уже под утро, вдоволь начитавшись и насмотревшись такого бреда, от которого голова шла кругом. Часы на стене пробили четыре раза, за окном тесной, заставленной книжными полками комнатушки забрезжил хмурый рассвет. Увидев на очередном развороте еженедельника цветную фотографию, я почувствовал, как из погружающейся в дремоту головы мгновенно улетучилась сонливость, а с век снялась свинцовая тяжесть.

Секундного взгляда на снимок оказалось достаточно, чтобы понять: вот он, ключ к разгадке тайны похищения девочки!

С глянцевой страницы журнала на меня с прищуром и вызовом смотрели сквозь сальные лохмы и темные очки четверо отвратительного вида загримированных субъектов, одетых в черную кожу, драные майки с адскими сюжетами и рваную, потертую джинсу. На их пальцах сверкали серебряные перстни в виде черепов, свастик и обвивающих рукояти кинжалов змей, на груди на массивных цепях висели перевернутые распятия. В центре снимка стоял пятый персонаж — мой давешний помощничек с Петергофского шоссе. Он хищно ухмылялся в реденькие накладные усы и острую козлиную бородку рыжего цвета, сложив руки на груди и победительно поставив каблук на живот лежащей навзничь обнаженной пышногрудой, измазанной кровью бледной женщины с косой в руках.

Отзывчивый прохожий, собственной персоной! Я узнал его сразу, несмотря на фальшивую «ботву» и майку вместо дорогого костюма. Рельефная мускулатура и могучий волосатый торс вчерашнего незнакомца, обнаружившиеся на снимке, произвели на меня некоторое впечатление... Хоть сейчас на подиум, руки-ноги перед публикой гнуть.

Разглядывая бицепсы этого типа, я вдруг вспомнил старую армейскую поговорку, которую любил повторять молодым офицерам-десантникам наш инструктор по рукопашному бою из «Белых барсов», майор Сан Саныч Кондрашов: «Шкафы, когда падают, сильно гремят. Учтите, парни!» Остроумный был мужик, веселый, душа компании. Его убили в Анголе во время вооруженного мятежа...

Приглядевшись повнимательней к четверке патлатых, я вскоре опознал и загримированного практически до неузнаваемости Люцифера. Трое других мне были неизвестны. Толстяка Пороса, в котором было добрых два центнера, на снимке я не обнаружил...

Задержав взгляд на странной фотографии еще на мгновение, я целиком переключился на сопроводительный текст, написанный Анжеликой Гай и броско озаглавленный: «Протухший ливер, господа!» Я, словно томимый жаждой путник, принялся взахлеб глотать строки, пропуская те из них, что не несли в себе смысловой нагрузки: «...надцатого октября в одном из ночных клубов Питера в обстановке полного безумия и отрыва прошли гастроли группы «Гниющие внутренности», скандально известной в узких кругах поклонников спид-трэш-металла. Как и на все концерты этой оторванной напрочь команды, входные билеты не поступали в свободную продажу, а распространялись исключительно по приглашениям среди нескольких десятков проверенных членов клуба, каждый из которых, по слухам, выложил за просмотр и непосредственное участие в «Шоу живых мертвецов» по полторы тысячи баксов!!! Секретность, неизменно сопутствующая гастролям парней из «Гниющих внутренностей», обусловлена прежде всего теми жуткими сценами, которые происходят во время концерта, имеющего столь же близкое отношение к тяжелой музыке, как попавший в дефолт российский рубль — к несгибаемому и твердому американскому доллару. Настоящие имена участников группы неизвестны. Только клички: Крыса, Вампир, Люцифер и Сибирская Язва. Своего продюсера сами «внутренности» гордо кличут не иначе как Воландом... Практически на каждом концерте группы несколько человек из публики падает в обморок, преимущественно — впечатлительные женщины, впервые посетившие представление. «Шоу живых мертвецов» по своему сценарию очень похоже на присущие культу Сатаны магические ритуалы, сопровождаемые элементами садомазохизма, варварским убийством животных, обильно льющейся на сцену теплой кровью, танцами на принесенных в жертву истерзанных тушах в клубах летающего в свете софитов куриного пуха. И наконец кульминация — безобразные половые сношения с голыми девушками из сопровождающей музыкантов «подтанцовки»!!! В порыве экстаза их совершают прямо на глазах у зрителей все участники группы «Гниющие внутренности»... Последнее вызывает особенный восторг сытно жрущей за накрытыми столиками или бьющейся в конвульсиях на танцплощадке специфической публики!.. Излишне говорить, что ни один психически нормальный человек не пойдет на подобного рода концерты и уж тем более не станет платить сумасшедшие деньги за билет. Но ведь кто-то платит — и это факт!.. Неизменные аншлаги и дикий ажиотаж, которые вот уже второй сезон сопровождают гастроли скандальной четверки музыкантов не только в нашей стране, но и по закрытым клубам Европы и Америки, наглядно демонстрируют, в чьих руках находятся настоящие деньги и какого рода развлечения пользуются спросом у так называемых «новых русских»... Если так пойдет и дальше, то никто не удивится, если в скором времени на одном из закрытых концертов «Гниющих внутренностей» в угоду чавкающей публике будет публично совершено убийство человека, как того и требуют сатанинские ритуалы... Таких нелюдей, как питомцы лже-Воланда, нужно подвешивать за одно место на Лобном месте... И уж во всяком случае так называемыми музыкантами вкупе с предоставляющими им площадки дельцами от шоу-бизнеса давно должны были заинтересоваться наши доблестные спецслужбы. Но гастроли отморозков, открыто проповедующих поклонение дьяволу, несмотря ни на что продолжаются. Ау, где вы, внуки Железного Феликса?! Нет ответа...»

Дочитав статью до конца и резко отодвинув от себя подшивку еженедельника, отчего тяжелая папка едва не слетела со стола, я крепко, до боли в скулах, сжал зубы и неподвижно просидел так целую минуту, пока челюсть не свело судорогой. В моей голове с упорством заезженной пластинки, раз за разом прокручивалась раздробленная на составляющие фраза: «...никто не удивится... на одном из закрытых концертов... публично... убийство человека... как того и требуют...»

Я никогда не был предсказателем, но страшная догадка в моем сознании становилась все отчетливее и яснее. Получая огромные гонорары за демонстрацию гнусного шоу, бесы с гитарами в отличие от обычных артистов выступали не только ради денег... Для этих субъектов все было всерьез! Теперь я окончательно уверился, что похищение двухлетней Лизочки — дело рук давно и навсегда расставшихся с разумом лохматых гадов, заслуживающих возмездия. И не только от Господа нашего, от суда Которого не уйти никому из смертных... Только извращенный сгнивший мозг мог додуматься до такого варварского плана!.. Как священник, однажды и навсегда выбравший путь во Христе, я искренне верил в то, что каждому рано или поздно воздастся по делам его. Но от мысли, что жестокая кара настигнет чертопоклонников лишь спустя долгие годы, мне становилось горько. Так не должно быть!

Почему же сыщики не обратили внимания на Анжеликину статью, написанную почти пять месяцев назад? Возможно, они недоверчиво отнеслись к столь легкой зацепке именно из-за ее легкости. А может, сбило с толку заковыристое название статьи и первые строчки, сообщающие о каком-то концерте какой-то скандальной «тяжелой группы». «Ну при чем тут похищенный ребенок? Вот если бы речь шла о крестном отце или хоть о чиновнике из окружения губернатора, тогда бы мы...»

В большинстве случаев ход мышления замордованного работой и жизненными неурядицами опера стереотипен, шаблонен. Так или иначе, но в момент беглого просмотра публикаций в «Невском репортере» милиционер не обладал той информацией, которую получил я, не сидел под дулом пистолета в разбитом автомобиле и даже толком не знал, что именно он ищет в подшивке...

Теперь, когда разрозненные части головоломки сложились в одно целое, я был убежден, что похищением и тихим убийством ребенка дело не закончится. И неистово надеялся, что Лизочка Нагайцева до сих пор жива! Потому что знал — если э т о случится, убитым горем родителям обязательно предоставят доказательства, возможно в виде фотографий или видеозаписи. Ужасные, леденящие душу доказательства смерти двухлетнего ребенка, способные в один момент свести нормального человека с ума. Предоставят только для того, чтобы поглумиться, с безопасного расстояния наблюдая за финалом трагедии, похрюкивая от радости, потирая потные ладони, пьянея от осознания собственной безнаказанности!

Убрав папку в спортивную сумку и задвинув ее под стол, я на минуту задумался, уставившись на перехваченный в двух местах изолентой доисторический телефонный аппарат. Потом снял трубку и во второй раз за сутки предпринял попытку дозвониться до генерала Корнача. Часы показывали четверть пятого утра...

— Слушаю, — как и в прошлый раз, ответил бесцветный голос.

— Это Аверин, я звонил вам вчера. Мне срочно нужен Анатолий Трофимович.

— Этот номер ему больше не принадлежит, — заученно отфутболили меня с той стороны. — Ничем не могу помочь.

Опять то же самое?! Ну уж нет, дудки...

— Послушайте, грозный страж телефона, я вам не мальчик с улицы! — не выдержал я. — Дело особой важности! Вы должны передать генералу, чтобы он связался с Авериным. Номер у вас на определителе... Не знаю, что там у вас за конспирация, но на карту поставлена жизнь человека! Ребенка, вы это понимаете?!

На этот раз в трубке повисла короткая пауза — видимо, эмоциональная нагрузка моей тирады произвела на безликого собеседника некоторое действие.

— Вам перезвонят, как только сочтут нужным, — наконец нашелся службист и повесил трубку.

И на том спасибо, добрый человек. Дай Бог тебе счастья.

Я твердо решил, что подожду ровно тридцать минут, и если мой бывший командир не даст о себе знать, свяжусь с опером Томанцевым, одним из тех двух сыскарей, с которыми я общался в салоне «жигулей» в Озерках. Хочешь не хочешь, а придется ткнуть доблестную милицию носом в то самое место из подшивки, которое они пропустили.

Сейчас, когда я — вольно и невольно — сделал за них основную часть разыскной работы, сыщикам останется лишь проглотить пилюлю, запустить на полную мощь ржавый маховик милицейской машины и как можно быстрее найти в пятимиллионном городе выход на логово сатанистов, а затем накрыть их силами ОМОНа. Похищенная девочка должна быть где-то рядом. В конце концов, заставить «шоуменов» открыть рот и произнести несколько членораздельных слов...

Время шло, а телефон продолжал молчать. Одно я знал точно: если такой человек, как генерал Корнач, не отзывается, значит, на то есть более чем убедительная причина.

Вместо получаса я прождал сорок две минуты. Затем набрал номер мобильного телефона капитана Томанцева и доходчиво разъяснил ему пользу вдумчивого чтения «желтой» прессы.

— Значит, трэш-металл, «Гниющие внутренности»? — переспросил сыщик, хмыкнув. — Любопытно, м-да... Вот что, батюшка, назовите дату выхода журнала, чтобы мне не ехать к вам в храм за папкой. У нас в архиве есть все питерские издания, должны быть, во всяком случае. Хочу сам взглянуть на этих красавцев...

— Тридцать девятый выпуск за прошлый год.

— Понял. А вы... — капитан на секунду замешкался, — вы не могли ошибиться, отец Павел? В вашем возрасте, да еще после перенесенного стресса и аварии... Сами ведь сказали: музыканты на фото в гриме. Да и повод для жуткой мести какой-то, прямо скажем, притянутый за уши. Ну статья, ну нелицеприятная, и что дальше?! Тут как в басне: а Васька слушает, да ест.

С этими словами капитана я вынужден был согласиться. Должно быть что-то еще. Возможно, статья — лишь катализатор. Хотя — кто знает, как устроены мозги у сатанюг?

— А касаемо оторванных куриных голов и сексуальных оргий на сцене, то это у нас сплошь и рядом, — продолжал оперативник. — Вы концерт рок-группы «Коррозия металла» по телевизору не видели? Их солист еще в депутаты Госдумы баллотировался, слава Богу, не прошел... Между прочим, один из его музыкантов живет с бывшей женой писателя...

— У меня и со зрением и с памятью все в порядке, сын мой, — перебил я увлекшегося капитана, мысленно еще раз пожалев о том, что не дозвонился до Корнача. — И лет мне пока еще не семьдесят пять, а лишь сорок два... Нет, я не ошибся. Это их джип сбил меня на Петергофском шоссе. И это они похитили Лизу. Думаю, вам стоит немедленно сообщить коллегам из спецслужб, что информация — моя и продавца из киоска — не только подтвердилась, но и дополнилась конкретными фактами.

— Статья про голых шлюх — это еще не факт, а только версия, — сухо отрезал Томанцев. — Маловато будет для киднепинга! Ладно, отец Павел, вы не волнуйтесь. Спасибо за помощь, однозначно, и — можете отдыхать. Дальше уже наша мужская работа. Всего доброго.

— Я позвоню вам позже, поинтересуюсь ходом поисков, — поспешил добавить я, прежде чем Томанцев прервет связь. Подчеркнутое упоминание о «мужской» работе пришлось проглотить.

— Думаю, это лишнее, — фыркнул капитан и откашлялся. — Когда девочка отыщется... или не отыщется... в общем, вы узнаете об этом одновременно с ее родителями. До свидания, батюшка. Если понадобитесь, я вас найду, даже на острове посреди озера. Кстати, сколько вы еще пробудете в Санкт-Петербурге?

— Теперь — не знаю, — честно ответил я. — Сколько потребуется... Пока не...

— Все, что могли, вы уже сделали! И Бога ради, не болтайтесь под ногами у профессионалов! Отдохните чуток и можете спокойно возвращаться на свой остров. А мы, так уж и быть, постараемся, чтобы в обозримом будущем свободных вакансий в вашем мужском монастыре не осталось! Ха-ха! Шучу, конечно...

— Их и так почти нет. Храни вас Господь, — стараясь голосом не выдать эмоций, я попрощался с капитаном и первым повесил трубку.

На душе было еще тоскливей, чем до разговора с опером.

«Они не найдут... не найдут... не найдут...» — набатным гулом звучало в мозгу.

Я поднял уставшие от ночного бдения глаза и посмотрел на стену, где висели массивные старинные часы. Качая медным маятником, они мелодично отзвонили четверть шестого.

Глава 6

В северной столице Юра Величко оказался впервые в жизни и, разумеется, не имел ни малейшего понятия, где находится принадлежащее воскресшему из небытия отцу, бизнесмену Леониду Александровичу Флоренскому, казино. Выйдя из здания Финляндского вокзала и оглядевшись по сторонам, он подошел к стоянке такси и через приспущенное стекло спросил у развалившегося на сиденье желтой «Волги» грузного пожилого водителя:

— Знаешь, где казино «Полярная звезда», шеф?

— Двести рублей, и поехали, — опытным взглядом оглядев потенциального клиента, явно приезжего, небрежно кивнул труженик баранки.

— Это далеко? — нахмурил лоб Юрка. Названная ушлым таксистом сумма превышала цену железнодорожного билета из Вологды.

— Пешком задолбаешься, — лениво пожал плечами таксист, почесывая лысину и вполглаза косясь на скромно одетого и явно не прибашленного провинциала. Видя его колебания, умышленно тронул ключ зажигания и, не вынимая изо рта дымящейся сигареты, буркнул: — Так что, едем или как?

— Поехали, — поняв, что выбора у него нет — не станешь же, не зная адреса, приставать к прохожим с расспросами о местонахождении игорного дома, — Юрка сел рядом с лысым хапугой на продавленное сиденье, поставив под ноги полупустую спортивную сумку.

Много ли вещей нужно человеку, не собирающемуся торчать в чужом, незнакомом городе больше суток? Скорее всего он вернется на вокзал уже сегодня, купит билет и уедет назад в Вологду. Вот только вначале господин Флоренский узнает о существовании у него двадцатилетнего сына, у которого две недели назад умерла мама.

«За столько лет даже не поинтересовался, как она там! — в который раз подумал Юрка. — Эх, дать бы этому козлу хорошенько в табло за то, что сбежал и бросил беременную маму... Да что толку? Прямо мыльная опера! Богатые тоже плачут!»

Но не приехать в Питер Юрка не мог. Желание увидеть отца было сильнее испытываемой к этому, по сути, совсем постороннему человеку брезгливой неприязни. Он должен хотя бы посмотреть ему в глаза...

— Деньги вперед, парень, — запустив мотор, неожиданно потребовал таксист. — Знаю я вас таких...

— Не бойся, не продинамлю. — Юрка достал из кармана джинсовой куртки деньги и бросил на торпеду «Волги» две красные бумажки. За командировку сводного батальона морпехов Северного флота в мятежную Чечню, за все то кровавое дерьмо, которого он там успел нахлебаться, государство заплатило нормально, на первое время хватит. Вернется домой — поступит на службу в ОМОН, и жизнь потечет своим чередом.

Забрав две сотни, лысый резво отъехал от стоянки, и скоро «Волга» уже катила по набережной Невы. Юрка прилип к стеклу, с любопытством разглядывая проносящиеся мимо дома.

— А на фига тебе в такую рань в казино? — решился на разговор бывалый таксист, искоса поглядывая на удачно подвернувшегося пассажира. На нем, лохе приезжем, он за пять минут поимел полторы сотни рублей. Ночной клуб-казино «Полярная звезда» находился буквально в нескольких кварталах от видневшегося за рекой Большого дома — здания ГУВД. — В рулетку балуешься? Так еще утро, закрыто...

— Дело у меня в казино, — ответил Юрка. — К отцу приехал, — не удержавшись, сообщил он.

— Пашет там? — осведомился лысый, сворачивая на мост.

— Хозяин... его это казино, — буркнул Юрка и вдруг — странное дело — впервые ощутил некое подобие гордости за то, что его родной отец — крутой воротила, владелец казино. Сказав лысому толстяку об отце, он с удивлением ощутил, как внутри разливается приятное тепло. Бред какой-то! В торец надо давать таким отцам, а не гордиться их грязными мафиозными бабками...

Юрка двадцать лет прожил без отца. Была только мама, и это не вызывало в нем никаких комплексов. Хотя порой, особенно в детстве, было до слез обидно и ужасно завидно, когда кто-то из дворовых пацанов говорил: «А вот мой папа научил меня водить машину и обещал взять с собой в Магадан мыть золото!» Жил себе спокойно, и вдруг все встало с ног на голову. Мамы, любимой и единственной, больше нет и никогда не будет. Зато возник он, беглец долбаный, ком с горы...

— Повезло тебе, — недоверчиво покосившись на загорелого веснушчатого парня, проговорил таксист. — Давно не виделись? Предки в разводе?

— Давно, — кивнул Юрка. — Никогда не виделись. Вот еду знакомиться...

— Чё-то я не врубился, — наморщил лоб толстяк. — Пургу гонишь или правда?

— Какая тут пурга! — фыркнул Юрка. — Бросил мать, когда меня еще на свете не было, один проект. Надо же когда-то поглядеть ему в светлы очи...

— Во даешь! — покачал головой таксист, ощерившись в улыбке. — Ну, хорошо хоть так... Теперь, если повезет, круто поднимешься. У меня вон вообще никаких родителей не было, все в войну погибли. Детдом. Зато сейчас трое детей и пятеро внуков! Сам-то, наверное, из Вологды?

— Как догадался? — с подозрением посмотрел на лысого Юрка.

— Ха! Так я третий год у вокзала банкую, расписание поездов наизусть выучил — когда прибытие, когда отправление, — протяжно, с ленцой сказал таксист, сворачивая в тихий переулок и прижимая «Волгу» к высокому бордюру. — Все, земеля, приехали. Вон твое казино. Здесь тебе и полюс, и звезды в одном флаконе! — лысый ткнул пальцем в роскошный, облицованный вишневым гранитом фасад старинного трехэтажного особняка.

— Слушай, так тут от вокзала двадцать минут пешком, — прищурился Юрка, внимательно посмотрев на бульдожьи щеки и заплывшие глазки толстяка. Тот лишь неопределенно хмыкнул и полез за сигаретой.

— Дык работа у меня такая, земляк. Кстати, это еще по-божески, мужики могли взять и триста, — сказал он, щелкнув зажигалкой. — Ничего, тебе папаша с лихвой компенсирует. Будешь как сыр в масле кататься!

— Это мы еще поглядим, кто кому и за что компенсирует, — открывая дверцу и выпрыгивая на выложенный декоративной плиткой тротуар, обронил на прощание Юрка. — Бывай, дед Мазай...

— Погоди, слышишь! На-ка, возьми, — таксист протянул визитную карточку. — Если понадобится тачка, можешь звонить в любое время. Или диспетчеру, или мне, на трубу.

— Ладно, — машинально беря визитку и пряча ее в нагрудный карман, сказал Юра и захлопнул дверь. Взревев мотором, желтая «Волга» умчалась, оставив его перед входом в казино.

Огромная неоновая реклама на парадном козырьке, несмотря на ранний час, причудливо переливающаяся всеми цветами радуги. Массивные колонны в виде мускулистых атлантов. Высокие вращающиеся двери с чуть тонированными стеклами в золотистом профиле. А за ними — выстеленный зеленым ковролином цвета травы просторный холл с раскидистыми декоративными пальмами, картинами и зеркалами на стенах, журчащим в углу фонтаном с мраморной русалкой, несколькими лакированными дверьми где-то на заднем плане и — точно в центре — широкой мраморной лестницей, ведущей на второй этаж. И — ни души. Только возле фонтана, за пальмой и пузатым кожаным диваном, сноровисто управляясь с большим пылесосом, чистила ковер молоденькая девушка в передничке...

От великолепия интерьера у Юрки захватило дух. Он стоял у парадного входа, между безмолвно взирающими на него свысока атлантами, не зная, что ему делать — прорываться внутрь сейчас или подождать до вечера, когда казино откроется для посетителей, и тогда уже войти и спросить у кого-нибудь из персонала, где можно найти хозяина.

В груди недавнего морпеха что-то неуклюже заворочалось, мешая дышать. По спине пробежали мурашки. Вход в шикарное казино казался вкусившему войны сержанту укрепленным бастионом боевиков в чеченском селе, который до захода солнца нужно во что бы то ни стало взять штурмом. Стремновато, конечно, но — куда денешься. Чечня долбаная уже в прошлом, а здесь, на гражданке, он сам себе командир...

Однако откладывать визит на вечер не хотелось. Юрка взглянул на часы. Без семи минут десять. Даже самые стойкие из игроков к этому утреннему часу, напившись и проигравшись в дым, успели разъехаться на своих модных иномарках и такси по домам, персонал тоже рассосался. Вряд ли в такое мертвое для увеселительных заведений время в особняке есть кто-нибудь, кроме уборщиц и дежурной охраны. Но, как говорится, попытка — не пытка! Зря, что ли, приехал?

Забросив сумку на плечо, Юрка на ватных ногах подошел вплотную к закрытой двери и поочередно нажал на все кнопки полированной панели, продолжая с любопытством разглядывать холл и суетящуюся там миловидную девушку с короткими белыми волосами, маленькой упругой грудкой и стройными, магнитом притягивающими взгляд, ножками в мягких теннисных туфлях. А ведь они с ней, похоже, ровесники... Помимо воли в Юрке начало просыпаться, наливаясь силой, мужское начало. Вот так дела! Хорошо, что в джинсах, а не в спортивном костюме!..

Обернувшись, девушка посмотрела сквозь стеклянные двери на нежданного гостя — видимо, одна из кнопок приводила в действие звонок. Юрка поймал ее взгляд и жестом попросил подойти к двери. Но в эту секунду что-то щелкнуло и из динамика донесся недовольный, заспанный мужской голос. Только сейчас, подняв голову, Юрка заметил над входом видеокамеру.

— Вас слушают, — пробасил голос.

— Утро доброе, — как можно решительнее, стараясь, чтобы голос звучал твердо, а не просительно, сказал в невидимый микрофон Юрка. — Мне нужен господин Флоренский, Леонид Александрович. Срочно.

— По какому вопросу? — после паузы с явной усмешкой осведомились с той стороны.

— По личному...

— Ты кто такой? — уже с откровенным вызовом процедил голос.

— Дед Мороз, — в тон собеседнику сухо ответил Юрка. Уступать, уходить от этих дверей несолоно хлебавши он не собирался. — Мне нужен твой хозяин. Он на месте?

— Ты от кого, парень?! — начал выходить из себя охранник.

— Сам от себя. Если тебе интересно, балда, то меня зовут Юра. А как тебя зовут, мне совершенно наплевать. Мне нужен Флоренский, и, если ты не хочешь вылететь с работы, в темпе скажешь, как его найти.

Эта перепалка с толстолобым охранником начинала Юрке надоедать, и он умышленно пошел на обострение, заставляя секьюрити потерять терпение и раскрыться.

— Слушай, ты, мудило с Нижнего Тагила, проваливай отсюда, пока тебе ноги не выдернули!!! — чеканя слова, угрожающе пробасил голос. — У тебя пять секунд на то, чтобы сдернуть с этого места!!! Потом — не обижайся...

— Может, не будем ждать пять секунд? Ты скажешь, как мне переговорить с хозяином, и я уйду. А не скажешь — тогда выйди сам, потолкуем...

Разговаривая с охранником, Юрка заметил, что симпатичная девушка за стеклянными дверями казино, не прекращая пылесосить ворсистый ковер, то и дело кидает на него взгляды, и приветливо помахал ей рукой. А потом, улыбнувшись и вопросительно приподняв брови, изобразил жестом, дескать, я тебе позвоню вечерком, а?.. Блондинка снисходительно улыбнулась в ответ, покачала отрицательно головой, перекатила пылесос в другую часть холла и с удвоенной энергией стала наводить там чистоту. Юрка невольно залюбовался ее складной фигуркой и даже тем, как она управляется с техникой...

— Леонид Саныча сейчас нет, — видимо, уверенный тон собеседника, его манера держаться и полное отсутствие страха перед охраной произвели на секьюрити должное впечатление, и вышибала на всякий случай решил более не накалять атмосферу. — Когда будет — неизвестно. Что передать, если объявится?

— Передай ему привет из Вологды. Я зайду вечером, часиков в семь...

Поняв, что большего от охранника не добиться и на всякий случай заинтриговав господина Флоренского упоминанием о городе, где он некогда оставил свой неизгладимый след, Юрка в последний раз взглянул на симпатяшку со свисающей на лоб челкой и пошел по переулку в сторону оживленного Невского проспекта. Впрочем, о том, что это именно воспетый классиками старик Невский, по которому прогуливались персонажи Гоголя, он пока даже не догадывался. Просто урчащий желудок настойчиво требовал еды, пора было найти какое-нибудь не очень дорогое и приличное кафе и перекусить...

Забегаловка отыскалась прямо на перекрестке, в полуподвале. Уютный и почти пустой кафешник, бармен в белой рубашке с галстуком-бабочкой и сонно плавающие в аквариуме за его спиной разноцветные рыбки. Спустившись по ступенькам, Юрка подошел к стойке, бросил на пол сумку, взгромоздился на высокий табурет, заказал кофе со сливками, двойной салат, две булочки. Достал сигареты, прикурил от протянутой барменом зажигалки и, слегка расслабившись после дороги, в ожидании завтрака незаметно погрузился в размышления о предстоящей встрече с отцом...

Как-то она пройдет? Как отреагирует бизнесмен Флоренский на неожиданный сюрприз из далекой молодости в виде рослого, метр восемьдесят восемь, голубоглазого, невероятно похожего на свою мать недавно дембельнувшегося сержанта морской пехоты? Эх, папа, папа, хер моржовый, прах тебя подери... Не свали ты тогда, в семьдесят восьмом, испугавшись известия о предстоящем внеплановом отцовстве, и все могло быть совсем по-другому...

После поездки с лысым таксистом и вполне продуктивной перепалки с охранником ночного клуба, незнакомое до сегодняшнего утра ощущение принадлежности, пусть призрачной, к замкнутому клану хозяев нынешней жизни, сильных мира сего, «новых русских», вцепилось в Юркину душу железными когтями и не отпускало. Вот зараза! Но — приятно...

Да плевать он хотел на отца! Подумаешь, заделал его когда-то, половой кудесник!!! Тут много ума не надо!

А вот ведь, погляди, как крепко зацепило. Сын владельца казино — это вам не отпрыск сантехника. На циничных весах жизни весит совсем по-другому. И звучит неплохо.

— Ваш кофе, пожалуйста, — промурлыкал с дежурной улыбкой бармен. — Салатики будут чуть попозже. Что-нибудь еще желаете?

— Нет, браток, спасибо, — покачал головой Юрка, затушил сигарету и с жадностью впился зубами в румяную булочку с творожным кремом. — Уютно тут у вас.

— Заходите почаще, — резиновая улыбка бармена стала еще шире. — Вечером здесь значительно интересней. Тихая музыка, девочки...

«Интересно, — равнодушно кивнув, вдруг подумал Юрка, отхлебывая ароматный, сваренный по-турецки на песке кофе и разглядывая длинные ряды бутылок на зеркальной стойке, — как вела бы себя та симпатяшка в белом передничке, будь я не незнакомым Васей Пупкиным, а швыряющимся пачками зеленых баксов наследником своего преуспевающего отца, разъезжающим на каком-нибудь навороченном джипе или ярко-красном «порше»? Как ответила бы, пригласи я ее на свидание и последующий ужин при свечах, с французским шампиком, корзиной роз и ванной-джакузи? Уж наверняка не так снисходительно-холодно, как десять минут назад... А все-таки смазливенькая куколка, спасу нет!»

Глава 7

Проблемы, как убить время до открытия казино, у Юрки даже не возникло. Впервые оказавшись в Питере, он, романтик по натуре, с удовольствием прогулялся по историческому центру от Дворцовой площади до Марсова поля, на канале Грибоедова нашел знакомый по многим фильмам горбатый мост со златокрылыми собаками, постоял на набережной у Зимнего дворца, любуясь хрестоматийной панорамой Петропавловской крепости и стрелки Васильевского острова... Одним словом, вкусил всего того — пусть не всегда ухоженного — великолепия, которое ежегодно притягивает в город на Неве сотни тысяч туристов из разных стран мира и самой России. Величественный город, не идущий ни в какое сравнение с унылой провинциальной Вологдой, буквально очаровал Юру, и в какой-то момент, присев на скамейку среди скульптур Летнего сада, чтобы дать отдых гудящим ногам, он неожиданно признался самому себе, что очень хотел бы остаться здесь навсегда... Только как это сделать без связей, без постоянной работы и своего угла?

И в этом контексте снова пришли в голову мысли об отце. Собственно, они с утра никуда и не исчезали, их лишь отодвинули на второй план питерские впечатления. Иначе и быть не могло, если разобраться. Разве не для встречи с отцом приехал он в Питер?..

До вечера Юрка успел обойти почти весь центр, постричься, купить себе приличный костюм, рубашку и ботинки и надеть их прямо в магазине вместо потертой, пропахшей потом и плацкартным вагоном джинсовки, прокатиться на метро, оставить сумку с вещами в камере хранения Финляндского вокзала, а напоследок, вконец измотавшись и устав, купить билет в случайно подвернувшийся кинотеатр, где под аккомпанемент выстрелов, любовных стонов, воя полицейских сирен и душераздирающих кровавых разборок между двумя бандами чернокожих он с большим удовольствием проспал около часа в полупустом последнем ряду. А когда фильм закончился и зрители потянулись к выходу, было уже начало восьмого и Юрка прямым ходом направился в ночной клуб «Полярная звезда». Благо достаточно быстро научился ориентироваться в центральной части мегаполиса...

На этот раз двери казино, разумеется, были открыты. Возле них топтался забавный негритос в красной униформе с аксельбантами и высокой шляпе, почтительно приветствуя подъезжающих клиентов белозубой улыбкой и поклоном. Его губастая физиономия так сильно напомнила Юрке одного из увешанных золотыми цепями персонажей только что краем глаза увиденного фильма, что, проходя мимо швейцара, он кинул беззлобно:

— Чао, Лумумба! Клёвый у тебя прикид. — На что чернокожий ответил оскалом с рекламы «бленд-а-меда» и плебейским поклоном. За это ему, клоуну, Флоренский деньги и платил. Чтобы входя в казино, клиенты уже с порога ощущали себя полубогами, для которых, за их денежки, здесь возможно исполнение любых желаний...

В холле у подножия мраморной лестницы стоял гориллоподобный охранник, от его уха уходил под воротник черного пиджака тонкий проводок. Юрка сразу подошел к громиле и решительно произнес:

— Мне нужен шеф. Я договаривался утром...

— Как вас представить? — Было видно, что слово «вы» далось надменно оглядевшему посетителя свиноподобному бритому секьюрити с большим усилием. Не иначе как наслышан уже об утреннем госте, хряк...

— Скажи — Юра, — без тени робости ответил Юрка и, давая понять, что беседа окончена, отошел к журчащему фонтану. В его кристально прозрачной воде, как выяснилось, плавала маленькая, но самая настоящая остроносая стерлядка.

Бугай тем временем, не спуская глаз с гостя, достал крохотную рацию и вполголоса пробурчал в нее несколько слов. Выслушал ответ, кивнул в пустоту, убрал рацию и застыл в прежней позе, со сложенными спереди волосатыми ручищами, напоминая выстраивающегося в «стенку» футболиста, который опасается получить по шарам.

Вскоре открылась одна из выходящих в холл боковых дверей, и оттуда появился подтянутый невысокий мужчина лет пятидесяти. Охранник дернул подбородком в сторону дерзкого гостя, и мужчина неспешной походкой подошел к Юрке.

— Здравствуйте, я Борис Антонович Лакин, начальник службы безопасности казино, — представился он. — Дежурный передал, что вы... э-э... приходили утром... Для чего вы хотели видеть Леонида Александровича?

— Для того чтобы передать ему привет из Вологды, — оглядев мужика, с достоинством ответил Юрка. — И не только... Дело в том, уважаемый Борис Антонович, что я — его сын.

— Простите? — удивленно приподнял брови Лакин. — Я не ослышался?! Вы сказали...

— Я сказал, что я — сын Флоренского, — твердо повторил Юрка. — Моя мама и ваш хозяин когда-то очень давно, двадцать один год назад, имели близкие отношения, потом расстались, а позже родился я.

О том, что у меня есть отец в Питере, я узнал совсем недавно и решил, что личная встреча нам совсем не помешает... Теперь вам все ясно, Борис Антонович?

— Пожалуй, что... да, — ошеломленно пробормотал шеф охраны казино. — А как, если не секрет, зовут вашу маму?

— Надежда Величко. На всякий случай... — сунув руку в карман пиджака, Юрка достал бумажник, вытащил черно-белую фотографию — единственную, где были запечатлены улыбающиеся отец и мать, стоящие в обнимку на фоне березовой рощи, и протянул ее Лакину. Фото было необычное — его, похоже, разорвали, а потом бережно склеили.

— Передайте господину Флоренскому. Надеюсь, эта карточка освежит его память.

Взяв снимок, Лакин не без интереса изучил его, сдвинув к переносице тронутые сединой брови и поджав губы, потом промычал нечто неопределенное. Снова поднял глаза на Юрку и вдруг совсем другим, более благожелательным тоном поинтересовался:

— Кстати, юноша, вы сегодня ужинали? Не хотите перекусить, пока я доложу о вашем визите Леонид Санычу? — Главный секьюрити ткнул рукой в сторону мраморной лестницы.

— Боюсь, тогда придется оставить в этом кабаке последние деньги, — хмыкнул Юрка, прислушиваясь к недовольно бурчащему животу. Он не ел с самого утра, много гулял на свежем воздухе и впрямь заметно проголодался. — В заведениях вроде вашего бокал разливного пива стоит десять баксов, а горячее — всю сотню. Я прав?

— Ну, в некотором роде, — с иронической улыбкой подтвердил Лакин. — Клуб «Полярная звезда» действительно ориентирован на весьма состоятельную публику. Но, думаю, в данном конкретном случае проблемы со счетом не возникнет. Прошу вас, — пригласил секьюрити, первым шагнув к лестнице.

Юрке ничего не оставалось, как пойти следом. На втором этаже в огромном, но потрясающе уютном овальном зале с высоченным потолком располагались игровые столы казино, бар и эстрада для артистов. Начальник охраны провел гостя еще выше — на подковой изогнувшийся вдоль стены балкон-террасу, где стояли накрытые вишневым бархатом столики, и указал на один из них, расположенный чуть в стороне, на выступающей, словно театральная ложа, площадке. С этого места открывалась вся панорама игорного зала. Посетителей в восьмом часу вечера было еще мало, сцена терялась в едва подсвеченном разноцветными софитами полумраке, игра шла всего за тремя столами — за одним в рулетку и за двумя в «блэк-джек». Возле полированной стойки бара парочка вызывающе одетых молодых девиц с ярким, похожим на боевую раскраску индейцев макияжем посасывала коктейли и с тоскующим любопытством поглядывала по сторонам в поисках прибашленных одиноких самцов.

— Сейчас я приглашу официантку, — Лакин достал из кармана модного пиджака золотую бензиновую зажигалку и, щелкнув, зажег стоящую в центре столика витую фиолетовую свечу в медном подсвечнике. — Заказывайте, не стесняйтесь и, пожалуйста, никуда не торопитесь... Юра, — предупредил, уходя, впервые назвавший его по имени шеф охраны.

«Что ж, подождем. Да и перекусить не мешает...» Поудобнее устроившись на мягком кожаном диванчике, Юрка закурил, вытянул ноги и, даже не заглянув в меню, стал с интересом рассматривать овальный зал казино. А посмотреть было на что! То сверкающее, волнующее и сдержанно-респектабельное великолепие элитного игорного дома, что предстало перед глазами Юрки, больше походило на яркую картинку из западного журнала для миллионеров, чем на реальность. Но ведь это не сон, а самая настоящая правда!

«Наверное, в старые времена, до революции, пол был выложен инкрустированным дубовым паркетом, здесь проходили званые балы и пары кружились в вальсе, — разглядывая покрытые зеленым сукном столы и суетящихся возле них крупье, отстраненно подумал Юрка. — Интересно, кому принадлежал этот огромный трехэтажный дом раньше? Какому-нибудь князю...»

— Добрый вечер! — раздался над ухом мелодичный, словно перезвон колокольчика, голосок. — Рады видеть вас у нас в гостях! Что будете заказывать?

Юрка обернулся. Рядом со столиком стояла высокая брюнетка в красной мини-юбочке, с ногами от ушей, рвущимся из выреза белой блузки крутым бюстом и блокнотиком в руках. От нее пахло дорогими духами и готовностью исполнить любое пожелание богатенького клиента. На которого, к слову сказать, расположившийся за отдельным столиком молодой парень после покупки модного прикида и посещения парикмахерской был очень даже похож. Как говорится, лохи здесь не ходят. Официантка, игриво посверкивая глазами и хлопая длинными ресницами, терпеливо ждала заказа.

— Светлого пива, похолоднее... — неуверенно начал Юрка.

— Какое желаете? — мягко перебила девушка. — «Холстен», «Туборг», «Кофф», «Лёвенбрю»? У нас пятнадцать сортов разливного пива.

— А «Балтики» нет?

— К сожалению, — надув пухлые губки, пожала плечами официантка, при этом ее коричневый от искусственного солнца бюст угрожающе закачался и подался вперед, норовя и вовсе выскочить из полупрозрачной блузки. — Только фирменное. Но, если очень хотите, я могу попросить девочек и они сходят...

— Не нужно, я здесь ненадолго, — махнул рукой Юра, и тут его словно прорвало: — Значит, так, золотце. Тащи бокал пивка, любого. Орешки лесные. Буженины с зеленью и хреном, креветки и жульен из боровиков.

— Это все? — быстро черканув в блокноте, мурлыкнула красотка. — А пить ничего не будете? Коньяк? Виски? Есть коллекционные марки...

— Нет. Все, иди, не отсвечивай, — по-барски взмахнул ладонью Юра, пыхнул сигаретой и отвернулся к лакированным балясинам балкона.

И тут снова на него накатило поганенькое ощущение принадлежности к тем, кто заказывает свою музыку, а не пляшет под чужую. Вот он, простой вологодский парень, недавний морпех, в тельняшке под модной итальянской рубашкой и пиджаком, сидит в одном из лучших в Питере, да что там — во всей России! — казино и, небрежно цедя слова, заказывает блюда, названия которых случайно запомнил по одному из отечественных телесериалов о ментах и бандитах. Там такой же в точности заказ делал в московском ресторане «Славянский базар» крестный отец сибирской братвы Треф, приехавший в столицу на переговоры с местными криминалами, бомбанувшими его фуру с наркотой... А он, Юра Величко, вдруг возьми да и повтори то же самое! Что за наваждение такое! Ты что, сержант, крышей поехал?! Сладкой жизни северной столицы на халяву захотелось? За чужие денежки? Кем ты себя возомнил, ноль без палочки?! А как же мама, растившая тебя одна, без помощи сделавшего ноги папаши и в две смены вкалывавшая на вредном производстве ради крохотной комнаты в коммуналке и места в детсаду?! Ты ведь сейчас ее светлую память за тридцать сребреников, за халявный ужин в дорогом отцовском кабаке продаешь, брат... Что, исчезло желание раскрыть Флоренскому глазки, собраться с духом и по-мужски врезать в челюсть, а потом развернуться и уйти из его сытой жизни навсегда?

Юрке вдруг стало так погано, так стыдно за свои попугайские слова, подачкой лениво слетевшие с губ в разговоре с пышногрудой официанткой, что он, глядя вслед ее вихляющейся попке, с досадой стукнул кулаком по столу и вслух отматерил себя последними словами.

— Все, баста, наигрался в крутого мэна, — процедил тихо. — Кретин... Давись теперь своим жульеном, — и подумал мимоходом: «Знать бы еще, что это такое, жульен, и с чем его едят! А то выхлебаешь, как у Задорнова, пиалу с персиком, поданную для мытья рук после омара...»

Нет, никакой халявы он не допустит. Ужинать за счет заведения — значит, с ходу встать перед отцом-подонком на задние лапки, как выпрашивающий конфетку и плебейски виляющий хвостом Тузик.

Юрка твердо решил, что по счету заплатит сам. От взятых с собой в дорогу денег после покупок осталось пять с половиной тысяч рублей, этого должно хватить с лихвой. Пусть Флоренский не думает, что объявившийся великовозрастный сыночек приехал к богатому папочке, чтобы сесть ему на шею и свесить ножки! «Не-ет, такой номер не пройдет. У нас еще гордость мужская имеется. Обязательно потребую принести счет!..»

Решение самому заплатить за ужин вернуло Юрке утерянное было чувство собственной значимости. Он перестал ощущать себя бедным родственником, чужаком на празднике этой «сладкой жизни». Сержант Величко честно, не прячась за чужие спины, воевал с «духами» в Чечне, получил от государства свои заслуженные боевые рубли и теперь имеет полное право тратить их так, как считает нужным!

От таких самоутверждающих мыслей и без того волчий аппетит разыгрался еще сильнее. Когда официантка принесла поднос с закусками и Юрка увидел, что заказанный им таинственный жульен есть не что иное, как запеченные в сметане с луком грибы под корочкой расплавленного сыра, к тому же в крохотной металлической кастрюльке «на два зуба», то впридачу попросил шашлык из лососины и столичный салат. И с огромным удовольствием приступил к поглощению деликатесов, запивая их кисловатым, явственно отдающим дрожжами бледным импортным пивом. Если верить наклейке на бокале и эмблеме на подложенном под него картонном кружочке, пойло называлось «Гролш» и стоило оно уйму денег. Впрочем, на Юркином аппетите это нисколько не сказалось...

Увлеченный ужином, он не забывал поглядывать вокруг в поисках наверняка наблюдающего за ним со стороны папаши. Но ни мордоворотов-охранников, ни самого Флоренского, насколько Юрка мог судить по разорванной, а позже склеенной матерью старой фотографии, на балконе не наблюдалось. Уже сорок минут, как ушел Лакин, а он все торчит здесь, за особым столиком, совсем один...

«Если через десять минут не появится, лось сохатый, расплачиваюсь по счету и на хрен уезжаю на вокзал!» — с раздражением решил Юрка, в очередной раз взглянув на подаренные комбатом «командирские» часы.

На стенах казино, как уже отметил Юрка, часов не было вообще. Не было и дневного света — на высоких окнах зала непреодолимой для него преградой висели тяжелые бархатные шторы. Хитро придумано! Чем незаметнее летит время, тем дольше клиент торчит за игровым столом. А чем больше играет — больше проигрывает... Неужели все те, кто приходит сюда по вечерам с карманами, набитыми бабками, об этом не знают? Знают ведь! А все равно идут. У богатых, как известно, свои привычки...

Прикурив последнюю, как он решил, сигарету и холодно скользнув взглядом по узкой винтовой лестнице, ведущей из зала на балкон, Юрка заметил быстро поднимающегося по ней человека. Он еще не мог разглядеть его лица, но сердце предательски защемило, а по спине, от затылка до поясницы, пробежала ледяная волна. На секунду стало трудно дышать...

Это был отец, вне всякого сомнения. Он чуть погрузнел, чуть полысел, но оказался вполне узнаваем. На нем были белые хлопковые брюки, легкая рубашка с расстегнутым воротником и свободный бежевый пиджак в мелкую клетку. На шее поблескивала не особенно толстая золотая цепочка, а на брючном ремне висел мобильный телефон в кожаном чехле. В целом Флоренский производил впечатление средней руки торговца, зашедшего расслабиться и проиграть пару сотен долларов, и уж никак не походил на хозяина казино. Юрка представлял себе его в строгом черном костюме, с бриллиантом в два карата на безымянном пальце, с холодным равнодушным взглядом и неизменной сигарой в зубах.

Ничего подобного не было и в помине! Хозяин «Полярной звезды» Леонид Александрович Флоренский на вид ничем не отличался от обычного крепкого коммерсанта, каких и в Вологде пруд пруди. Где-то в глубине души Юрка даже был немного разорчарован, подсознательно ему хотелось увидеть отца в образе этакого Майкла Корлеоне, неспешно шествующего мимо игровых столов в сопровождении двух мордатых амбалов в черных очках. А тут такой облом! Иные клиенты казино, как успел заметить со своего наблюдательного пункта Юрка, смотрелись не в пример круче его папаши.

Господин Флоренский подошел к столику.

Ну, вот и свиделись. Мать твою...

Не поднимая глаз, Леонид Александрович выдвинул стул, сел, вытащил из кармана и бросил на бархат скатерти пачку «Мальборо» и зажигалку, прикурил, жадно вдохнул дым и лишь затем, подперев ладонью гладко выбритый раздвоенный подбородок, посмотрел сыну в глаза долгим взглядом. Пару раз Юре казалось, что отец хочет заговорить, но тот лишь на мгновение приоткрывал рот, набирая в легкие воздух, и продолжал молча разглядывать его.

Тогда Юрка первым нарушил тишину и, уставившись на мерцающий огонек свечи, тихо проговорил:

— Ну, здравствуй, что ли... отец, — и тут же поразился, как робко и придушенно прозвучал его обычно твердый и уверенный голос. — А ты совсем не изменился, такой же, как на снимке двадцатилетней давности. Я бы тебя в толпе узнал.

— Здравствуй, парень, — выдохнул наконец Флоренский. Бросив сигарету в пепельницу, он, сопя, медленно провел ладонями по лицу, словно смывая остатки затянувшегося сна. А может, сбрасывая с себя наваждение. — Ты очень похож на Надю... на свою мать, — прошептал, медленно отнимая ладони от лица, коммерсант. — Прости ради Бога, что спрашиваю об этом, но... когда ты родился? Месяц, день? — Флоренский замолчал, напряженно ожидая ответа и не спуская с сына изучающего взгляда.

— Я понимаю, — кивнул Юрка. — Я родился двадцать третьего февраля семьдесят девятого года в пять часов сорок минут утра. Аккурат в день Советской Армии и Военно-Морского Флота. Из которого я, между прочим, всего две недели назад дембельнулся.

— Все сходится, — словно оглашая приговор суда, торжественно произнес бизнесмен. — Значит, ты действительно мой... сын.

— А ты думал, я шучу? — горько усмехнулся Юрка. — Мыльный сериал разыгрываю — «Моя вторая папа»?!

— Ничего я не думал. У меня не было на это времени. Лакин меня своим известием чуть не угробил. Думал, что для одного из нас дурку вызывать придется. Но я рад тебя видеть, — эти слова прозвучали как-то не слишком убедительно. — Как там... мать? Наверное, кроет меня, подонка трусливого, на чем свет стоит. Заслуженно, наверно... — Флоренский пожал плечами. — Но ведь я даже понятия не имел, что Надежда ждет ребенка! Впрочем, если бы и знал... По правде говоря, парень, у нас с твоей матерью не было очень уж близких отношений и тем более — пылкой любви. Хотя, прости за подробности, я был ее первым мужчиной... История довольно банальная. Познакомились двое молодых людей на танцах, встречались, гуляли, спали вместе, смеялись, а потом все закончилось... Ты уже взрослый мужик и должен понять: нельзя жениться на каждой девчонке, с которой переспал! Что ты на меня так смотришь? Цинично, да?.. Возможно, но лишь в нашем конкретном случае и если смотреть с высоты прошедших лет. Но жизнь — вообще штука циничная. Романтики в джунглях не выживают и до гробовой доски собирают крошки с чужого стола, — сухо процедил Леонид Александрович и, жадно глотнув дыма, хотел сказать что-то еще, но Юрка не дал ему этого сделать.

— Да знал ты все, знал! — выкрикнул он чуть ли не с яростью, но тут же взял себя в руки и прошептал: — Только теперь это уже не имеет значения. Мама умерла...

Окинув невидящими повлажневшими глазами игорный зал, где копошились у столов безликие посетители, Юрка снова в упор взглянул на отца и удивился той перемене, которая произошла с Флоренским за две промелькнувшие секунды.

Лицо хозяина казино побелело, словно угодило в жидкий азот. Юрка подумал, что сыграть такое невозможно, и, слегка оттаяв сердцем, продолжал уже спокойно:

— Две недели назад... От рака. Она на асбестовом заводе работала. Когда ее в больницу положили, соседка телеграмму у главврача завизировала и в часть отправила. Но наш бат тогда не в базе был... Пока телеграмма до Гудермеса окольными путями дошла, пока в штабе рассмотрели и уволили с боевых на три недели раньше срока, пока из Чечни доехал — успел как раз на похороны... На следующий день дома тетрадку нашел. А там — письмо для меня, неотправленное. И фотография ваша. Видно, чувствовала мама, что больше не увидимся...

Дрогнувшей рукой Юрка достал сигарету из пачки «Петра Первого», прикурил. Закусив нижнюю губу, долго глядел на огонек свечи. Сглотнул подступивший к горлу ком и закончил:

— Она тебя случайно по телевизору узнала, на открытии казино. Вот я и подумал, что неплохо хоть разок увидеть своего настоящего отца. Погибшего, блин, летчика! Мать выдавала за тебя своего двоюродного брата, дядю Георгия. Тот на самом деле был испытателем, только погиб, как выяснилось, еще в семьдесят пятом, в Казахстане, подняв в небо новый МиГ...

— Надя рассказывала, помню, — кивнул бизнесмен. — Мне очень жаль, что она... такая молодая. А ты, значит, служил морпехом и воевал в Чечне? — Флоренский с новым интересом разглядывал сына. — У Лакина в охране есть один «краповый берет», тоже там побывал, только в прошлую кампанию... Ладно, шут с ним, давай лучше поговорим о тебе. Чем на гражданке думаешь заняться?

— Пока не решил, — пожал плечами Юра, снова ощутив то самое мерзкое щекотание в груди, как при разговоре с лысым таксистом. Взял себя в руки и добавил: —Домой вернусь. Пойду в ОМОН служить. Вакансии есть, я узнавал. После Чечни меня сразу возьмут.

— Куда пойдешь?! — глаза коммерсанта округлились, на лбу нарисовались три глубокие морщины. — В ОМОН?! — Флоренский даже не пытался скрыть неприязненную усмешку. — Здрасьте, жопа, Новый год! Значит, так, Юрок, оставь эту бредовую идею с ментовкой пробитым отморозкам от сохи, понял?! Молодец, что приехал. Лучше поздно, чем никогда. Теперь, когда ты здесь, рядом, у тебя проблем не будет. Я обо всем позабочусь.

Не дождавшись ответа, покончивший с сантиментами Флоренский с явным облегчением перешел на более привычный ему сухой деловой тон.

— Кстати, в Вологде, дыре этой, тебе тоже делать нечего! Сюда переберешься. Я все устрою, квартира будет уже сегодня, остальное — завтра. Ты когда приехал?

— Сегодня утром, — чувствуя себя бильярдным шаром, стремительно летящим в лузу по заданной кем-то траектории, бесцветно отозвался Юрка. — Я уже приходил. Тебе, наверное, передавали...

— Разумеется. Клоунада у нашего входа — явление не частое. Где остановился? — продолжал напирать отец, уже сняв с пояса сотовый телефон и набирая номер.

— Пока нигде, — пожал плечами Юрка. — Собирался с тобой повидаться, сесть сегодня же на поезд, и назад.

— Забудь, я сказал! Здесь жить будешь, а вещи свои из Вологды позже заберешь! — Прижав трубку к уху и услышав сообщение, что вызываемый абонент вне зоны досягаемости, Леонид Александрович тихо ругнулся сквозь зубы и бросил мобильник на стол. Снова посмотрел на Юрку, в лице которого не нашел ни малейшего признака ликования от полученного предложения. Парень выглядел серьезным и даже суровым.

— Я не понял. В чем дело, сынок? — спросил Флоренский на полтона тише. — Ты не хочешь, чтобы я помог тебе и дал возможность жить по-человечески. Тебе не придется унижаться за грошовую подачку и непонятно за каким лешим рисковать своей жизнью в ОМОНе. Или тебе не нравится старик Питер и ты хочешь назад в глухомань? Так сказать, ближе к земле и народу?!

— Нет, мне очень нравится этот город, — выдержав испытующий отцовский взгляд, ответил Юрка. — И, разумеется, я хочу жить нормально...

— Ну, так в чем проблема?! Ты свое лицо в зеркале видел? — с вызовом спросил Леонид Александрович. — Посмотри!

— Мне кажется, ты кое о чем забыл, отец, — все с тем же напряженным выражением лица и металлом в голосе выдавил Юрка. — Ты забыл попросить у меня прощения. И у мамы, хотя ее больше нет... Или ты считаешь, что ни в чем перед нами не виноват? Если так, то нам вообще не о чем разговаривать... Чего же ты замолчал? Считаешь себя кругом правым? А мое рождение и жизнь без отца — это просто досадное недоразумение, не стоящее выеденного яйца?! Или гордость миллионера не позволяет просить прощения...

— Я действительно виноват, — с трудом выдавил из себя Флоренский. — Но все это было так давно! С тех пор прошла целая жизнь! Сейчас я могу круто изменить твою судьбу, начиная прямо с этой минуты. Короче, — он устало ударил ладонью по столу, — если можешь, прости, и давай не будем смотреть друг на друга волками... Ты — мой родной сын, Юра, и я действительно рад, что ты ко мне приехал. Что еще я могу сказать?! А если совсем уж по-мужски... не заставляй меня унижаться, парень, я этого не люблю. Просто больше не расстаемся и точка, о'кей? Юрий свет Леонидович! Надо же, блин...

— Я прощаю тебя, папа, — дрогнувшим голосом проговорил Юрка. — И если ты действительно этого хочешь, я останусь здесь. С тобой...

Повинуясь внезапному порыву, Юрка встал из-за столика и шагнул навстречу пружинисто поднявшемуся сразу вслед за ним, сдержанно улыбавшемуся Флоренскому.

Крепкое мужское рукопожатие сменилось не менее крепкими объятиями. Хлопая отца по спине, Юрка вдруг подумал, что еще никогда в жизни не чувствовал себя таким счастливым. Есть, есть на свете Бог! Забрав к себе мать, он тут же вернул ему потерянного когда-то отца. Стискивая в объятиях этого совсем незнакомого, пахнущего горьковатым парфюмом и большими деньгами нувориша, сумевший не сломаться в аду чеченской мясорубки Юрка вдруг понял, что плачет, и — странное дело — нисколько этого не устыдился...

Глава 8

— Знаешь что, сынок, пошли лучше ко мне в кабинет. Нечего тут шоу устраивать, — отстранившись от Юрки и зыркнув по сторонам, чуть сконфуженно предложил Леонид Александрович, сгребая со столика телефон, сигареты и зажигалку.

— Я тут всякого назаказывал, надо рассчитаться, — уже без прежней твердости, больше для порядка, пробормотал Юрка.

— Еще раз скажешь что-нибудь в этом роде, я на тебя обижусь, — строго предупредил Флоренский, легонько подталкивая сына прочь от столика. — Лакин сказал официантке, что ты — мой гость. А с гостей, как известно, за угощение денег не берут... Тем более что ты даже не гость — ты мой ближайший родственник!

— Чего это мы все обо мне, сам что-нибудь расскажи, — уже немного освоившись с непривычной для себя ролью папиного сына, попросил Юрка, когда они бок о бок спускались в игровой зал. — Мне тоже интересно, как ты жил последние двадцать лет...

— Так почти нечего рассказывать, Юра, — вполголоса пробормотал Флоренский, на ходу кивком головы поздоровавшись с сидевшим за рулеточным столом худощавым типом явно бандитского вида с двумя синими наколками в виде перстней на пальцах жилистых рук. — Я сам родом из Карелии, поселок Лахденпохья. Глушь несусветная! Свинтил оттуда сразу после школы. В Питере учился в университете, на историческом факультете, потом в Вологде был два месяца на стажировке у профессора одного дурковатого. С матерью твоей роман закрутил...

Открыв дверь за стойкой бара, хозяин казино пропустил Юрку в короткий коридор, который заканчивался ведущей наверх узкой деревянной лестницей.

— А в самом начале восьмидесятых понял, что история и пыльные архивы — это не для меня, и занялся фарцовкой, — хохотнул Флоренский. — Специализировался на видеотехнике и предметах антиквариата. Короче, на две-три «Волги» в месяц зарабатывал, — заметил не без гордости.

— Не хило! — присвистнул Юрка, первым поднимаясь по двухпролетной лестнице и входя в небольшой, со вкусом декорированный холл. Здоровенный, как и все секьюрити «Полярной звезды», охранник при виде босса вскочил со стула и выпятил грудь, а Юрку окинул настороженным взглядом бультерьера. — А дальше, па? Люблю такие истории!

— Погоди-ка, — умерил Юркино любопытство Флоренский и обратился к охраннику: — Значит, так, Игорь. Вот этот молодой человек, с которым ты говорил утром, мой сын. Зовут его Юра. Для него я всегда на месте, — и, подумав, добавил сухо: — Разумеется, за исключением случаев, когда меня нет ни для кого. Понял?

— Понял, Леонид Саныч, — кивнул амбал, еще раз, словно запоминая, с головы до ног оглядев Юрку. — Я ведь не знал, что у вас есть еще один сын...

— Теперь знаешь, — отрезал Флоренский. — Между прочим, Юра тоже воевал в Чечне, как и ты, только уже в эту войну.

— Понял, — повторил коротко стриженный громила и уже с иным интересом поглядел на Юрку. — Как там сейчас, братан, жарко? Или при новом Хозяине прижали бородатых к ногтю? Нас, блин, по три раза на один аул кидали. Только войдем — сразу объявляют перемирие...

— Один чеченец — пастух, два чечена — базар, три чечена — уже банда. А банду нужно кончать, — припомнил Юрка любимую прискаазку своего комвзвода и вслед за Флоренским вошел в просторный, обставленный дорогой мебелью кабинет. Прикрыл за собой дверь и, повинуясь жесту отца, опустился в одно из белых кожаных кресел, стоявших возле журнального столика. Помолчав, глухо спросил:

— Значит, у тебя есть еще один сын? И, как я понимаю, жена?

— Есть, Юра, — кивнул Леонид Александрович, доставая из стенного бара бутылку виски и два пузатых стакана с толстым дном. — Хотел тебе сразу сказать, но потом решил, что лучше вы сами позже познакомитесь... — Открутив пробку, разлил в стаканы тягучую маслянистую жидкость и сел в кресло напротив. — В общем, мы поженились с Катериной еще на первом курсе, задолго до знакомства с твоей матерью. Потом родился Руслан. Потом разругались, она с малым уехала к себе в Новгород, она родом оттуда, а я — в Вологду... Лет пять жили отдельно, я пару раз приезжал, но эта сука на пару с каргой тещей даже на порог дома не пускали. Пацана только издали видел... Потом, когда старуха откинула копыта, Катька узнала от своей питерской подруги, что я фарцую, купил квартиру в центре, у Пяти углов, дачу на побережье, иномарку, бабок хватает. Продала дом и однажды утром вместе с сыном притащилась ко мне с чемоданами...

Не дожидаясь поддержки, Флоренский залпом опрокинул в себя виски, закурил и, разогнав рукой дым, налил себе снова.

— Я знал, что она, тварь, там, в Новгороде, работала официанткой в кабаке, где постоянно ошивались рыночные фруктовые заправилы! Честных целок-недавалок ни в какие времена в такого рода заведениях не держали, а стало быть, Катька пихалась с черными — за презенты всякие и так, удовольствия ради.

Ненасытная была, сучка... Но на нее мне тогда было плевать, я думал только о Руслане. Короче, пустил их назад. Стали снова жить вместе... Только спали с той поры хоть и в одной спальне, но на разных кроватях. Я не из тех, кто заходит отлить в подворотню, где мочатся все шелудивые кобели подряд!

Слушая неожиданные откровения Флоренского и пригубляя из стакана заморскую янтарную самогонку, Юрка старался переваривать мысль, что этот летний день дал ему не только родного отца, но еще и старшего единокровного брата. Чудна́я штука — жизнь. Иные ее повороты и зигзаги куда невероятнее выдуманных латиноамериканских страстей.

— Через полгода я скорешился с одним тертым типом, без пяти минут законником, и, оставив Катьку с Русланом в Питере, уехал сначала в Польшу, а потом — нелегалом — во Францию, где была серьезная тема для бизнеса, — продолжал увлекшийся Флоренский. Игорный воротила неожиданно нашел собеседника, которому можно было без риска излить душу, говорить как с самим собой. — Поначалу дела круто пошли в гору, но французские компаньоны меня подставили, и я едва не подсел в торбу по полной программе, лет на двадцать. Чужую мокруху хотели на меня повесить, сволочи... Адвокат-проныра выручил. Правда, за это пришлось через оставшихся на свободе дружков отстегнуть ему треть всего заработанного!

— Свобода бесценна, без нее все теряет смысл, — вставил Юрка. — Главное — выпутался, а деньги — дело наживное.

— Да уж, — осклабился бизнесмен. — В общем, депортировали меня назад в Союз, а тут уже полным ходом перестройка, еще тридцать штук деревянных нужному человеку сунул, и отвязались. Ну, а дальше — по традиционной схеме! Кооператив, фирма, и вот в конце концов открыл этот ночной клуб. Может, через годик-другой еще один организуем. Как карта ляжет... Ну, вопросы есть, Юрий Леонидович?

— Вроде нет, — пожал плечами Юрка. — Только ты не сказал насчет жены и Руслана. Где они сейчас?

— Жены больше нет, — нахмурившись, сообщил Флоренский. — То есть она, конечно, есть, жива-здорова, но... Пока я был в Европах и регулярно через корешей засылал ей дорогие шмотки, чтоб продавала и жила по-людски, эта тварь сбросила парня в интернат, а сама спелась с одним картежником-альфонсом. Когда я вернулся в Питер, она была с ним в Сочи, помогала кидать богатых лохов в катранах... Пацана я из интерната забрал, а ее, когда с юга прикатила (хахаля ее сочинские воры на перо посадили), отмудохал, как Бог черепаху, и вышвырнул пинком под зад. Сейчас живет где-то на Гражданке, курва, сидит без работы. Есть у меня подозрение, что Руслик ее иногда навещает, денег дает, но мне он ничего не говорит... Плевать я на нее хотел!

— А где Руслан живет, с тобой?

— На фига ему это нужно, двадцать шесть лет амбалу?! — хмыкнул коммерсант. — У него свой коттедж за городом, квартира в центре, девки всякие. У меня работает. Оперативный уполномоченный по особым поручениям, — хитро прищурился Леонид Александрович, смерив Юрку оценивающим взглядом. Словно решая, подходит тот или нет? Помолчав, сказал осторожно:

— Вот отдохнешь чуток, обживешься, и я тебя к нему на стажировку пристрою. На таких важных местах, Юрик, надо держать только тех, в ком ты уверен на все сто, кто не продаст тебя предложившему больше... А разве есть кто-нибудь ближе родного сына?

— Разумеется, нет, — согласился Юра. — Только... если не секрет, в чем заключается работа?

— Не секрет. Решать возникающие в процессе ведения бизнеса проблемы, — серьезно ответил Флоренский. — Серьезная работа для настоящих мужиков со стальными нервами. В бизнесе разные заморочки возможны, и люди попадаются разные. Иногда приходится перегибать палку, но иначе нельзя. Словами сейчас не запугаешь и не заставишь вернуть просроченные долги... Теперь понятно, почему чужих, для которых важны только деньги, опасно ставить на такое дело? Даже таких проверенных несгибаемых дзержинцев, как подполковник Борька Лакин. Случись что, тут же подожмет хвост. Наемники запросто сдадут с потрохами...

— Опасные игры смутного времени, — философски подытожил Юра, чуть нахмурившись.

— Жизнь вообще штука опасная. Говорят, от нее умирают, — усмехнулся Флоренский. — Один мудрый человек сказал: «Государство, которое не хочет кормить свою армию, будет кормить чужую». Я это понимаю так: лучше свои проблемы решать самостоятельно, иначе за тебя это сделают другие. Согласен?

В словах отца, безусловно, был смысл, и Юрка, не задумываясь, кивнул. Хотел было открыть рот, но Флоренский его опередил:

— Впрочем, если не хочешь составить компанию брату, подыщу тебе в клубе место поспокойнее. Нет проблем. Только, сынок, если мне не изменяет память, полчаса назад ты вообще готов был идти в ОМОН и подставлять голову под пулю за триста баксов в месяц... Вот я и подумал, что решать вопросы вместе с Русланом и его ребятами будет для тебя самое подходящее... Работать на свою семью, на себя самого — не то же самое, что на государство. Оно, случись с тобой беда, никогда не поможет! Я не прав?! Хотя, как говорится, хозяин — барин...

— Прав. Не надо ничего искать, я согласен.

Когда отец чуть было не назвал его трусом, Юрка отбросил колебания. Не нужна ему тихая, сытая и непыльная работа под папиным крылышком. Хотя стоит сказать всего одно слово, и отец тут же подыщет ему теплое местечко. Подучит чуток и поставит его, бывшего морпеха, присматривать за работой крупье или еще за кем из персонала казино... Но как это будет выглядеть со стороны? В то время, когда твой крутой старший брат, правая рука отца, решает возникающие у казино проблемы?! Мужская работа за правильные деньги — это именно то, что ему надо!

— Ну, честно говоря, я и не сомневался, — полуулыбнулся Флоренский и поинтересовался: — Кстати, Юрий Леонидович... Какое имя-отчество стоит в вашем паспорте?

— Отчество твое, не переживай, — ответил Юрка. — А фамилия мамина, Величко. Я понимаю, к чему ты клонишь, отец, только давай пока не будем трогать эту тему? Ради маминой памяти. Может, когда-нибудь потом...

— Дело твое, — примирительно пробормотал Леонид Александрович. — Ладно, давай займемся твоей квартирой, — он загасил окурок, снова взял в руки сотовый телефон и быстро набрал номер. На сей раз послышались длинные гудки. Юрка отчетливо слышал их в тишине кабинета.

— Руслан, где тебя черти носят?! — рявкнул Флоренский, услышав короткое «слушаю». — Звонил тебе трижды за последний час, а там эта овца со своей шарманкой: вне зоны и тыры-пыры. Ты что, в Гондурасе?

— Хуже. В Боливии. Батарея на мобиле села, — долетел ответ до Юркиных ушей. — А штекер для прикуривателя не фурычит, контакта нет. Пришлось заехать в магазин за новым. Что у тебя случилось, па? Опять этот долбаный Гитлер приходил?! Я ж ему, козлу, русским языком объяснил! Урою пидера!!!

— Стоп, земеля, нажми-ка на ручник. В общем так, подъезжай в клуб, захвати с собой ключи от квартиры на Богатырском проспекте. Познакомлю тебя с одним нашим близким родственником, приехал сегодня утром. Будет у нас в фирме работать. Нужно определить его на недельку-другую на Богатырский. Потом квартиру поприличнее подыщем... Короче, на сегодняшний вечер пока ничего не планируй, сюрприз с продолжением я тебе гарантирую, — подмигнув Юрке, заверил старшего сына Флоренский.

— Ладно, буду через полчаса, — сухо ответил Руслан и отключился.

— Надеюсь, вы поладите, — бросая телефон на столик, сказал Флоренский. — Руслан парень компанейский. Может, рванете куда-нибудь, отметите это дело. В приятной компании, — лукаво ухмыльнулся бизнесмен. — Только на всякий случай хочу тебя предупредить, сынок... Пока ты в нашем городе человек новый, во всем слушайся брата. Он не только старше, но и опытнее, в особенности это касается той стороны жизни Питера, про которую в газетах не пишут. А если и пишут, то сказки. Со временем сам узнаешь, кто есть кто, кто кого держит, кто под кем ходит и прочее. Усёк?

— Вполне.

— И еще несколько моментов, — постукивая пальцами по краю стеклянной крышки журнального столика, продолжал наставлять Флоренский. — Следи за каждым своим словом, оно иногда ценнее золота. Попусту не болтай и в драки со всякими выскочками не лезь. Если вдруг возникнут проблемы или начнут доставать всякие уроды... хотя я уверен, что ничего подобного не произойдет, — немедленно связывайся со мной или братом! На крайний случай — с Лакиным. Номера телефонов, по которым нас можно найти в любое время дня и ночи, я тебе напишу прямо сейчас, выучишь их наизусть как «Отче наш». Пока Руслан не ввел тебя в курс дела, не свел с нужными людьми, пока тебе не оформили ксиву на ношение пушки, для всех посторонних ты — не мой сын и не его брат. Ты просто Юра Величко из Вологды, который приехал в Питер в поисках работы, снял у тусующегося на вокзале незнакомого мужика квартиру и никого в этом городе не знаешь. Друзья армейские в Питере есть?

— Нет. У меня всего один, да и тот в Архангельске. Не волнуйся, па, я буду осторожен, — успокоил Юрка. — А насчет болтовни... я вообще просто так никогда не треплюсь. Не мужское это дело.

— С девчонками, которых будешь снимать, тоже держи ухо востро. Шлюхи — народ ненадежный, многие на крючке у ментов. Погуляли, расслабились, деньги в зубы и пинком под зад. И будет лучше, если в течение ближайших месяцев, пока не встанешь на ноги, никаких серьезных отношений с бабами у тебя не завяжется... Ты хорошо меня понял?!

— Да, папа.

— В первую очередь ты должен понять главное — теперь ты член семьи и должен подчиняться тем правилам, которые обеспечивают нашу безопасность — как личную, так и коммерческую! Ставя под удар себя, ты тем самым создаешь проблемы всем нам, которым придется тебя выручать. Запомнишь, сынок?

— На меня можешь положиться, — еще раз заверил Юрка. — Ты никогда не пожалеешь, что взял меня к себе.

— Ну, дай Бог, — кивнул Флоренский. — Может, еще виски?

— Честно говоря, я не любитель выпивки, — отказался Юрка. — Курить — курю, а вот бухáть не тянет. Кружку пива выпью с удовольствием, сотку под хорошую закуску, но не больше. Не прикалывают меня эти игры. Голова должна быть трезвой.

— Тебя послушать да на тебя посмотреть — ну просто супермен! — рассмеялся Леонид Александрович, плеснув себе в стакан немного «Хенесси» и выпив его залпом. — Рост под два метра, водку не пьешь, не болтаешь, в Чечне воевал. Морду отморозку невоспитанному набить тоже, поди, способен. По глазам вижу... Вы с Русланом в этом очень похожи. Нет, не внешне, — покачал головой Флоренский. — Тут как раз совсем наоборот — вы оба пошли в матерей. Я имею в виду характер, уверенность в себе, отсутствие страха, манеру держаться на людях. Я смотрел видеозапись твоей утренней пикировки с охранником. Молодец! Дожал Игорька по полной программе. Но, честно говоря, как раз это меня и беспокоит...

В глазах Флоренского на долю секунды вспыхнула искра тревоги.

— Ты это о чем? — не понял Юрка.

— Двум сильным мужикам бывает сложно найти общий язык. Пока вы еще не привыкли к мысли, что вы — родные братья, постарайся не обращать внимания на некоторые его закидоны. Руслан очень импульсивный, любит командовать и терпеть не может, когда ему перечат. К тому же иногда, я знаю, балуется «травой», и тогда ему в голову приходят безумные затеи, на которые лучше не покупаться. На твоем месте я бы был поосмотрительней... Но в целом он отличный парень, скоро ты сам в этом убедишься!

— Я знаю, как положено младшему брату вести себя по отношению к старшему. Днем буду пытаться во всем походить на него, а ночью — класть ему в кровать крапиву и ржавыми гвоздями прибивать к полу ботинки, — рассмеявшись, пообещал Юрка, а про себя подумал: «Вот тебя и приняли в клан самого настоящего «нового русского»... Радуйся, ты ведь этого хотел... И, ради Бога, не ври сам себе, что это не так!»

— Ну-ну, — ощерился Флоренский и нажал скрытую под столом кнопку вызова охраны.

Дверь кабинета тут же распахнулась, и на пороге возник секьюрити, всем своим видом демонстрируя готовность немедленно исполнить любой приказ хозяина.

— У меня важный телефонный разговор с Москвой, Игорь, минут на двадцать. Чтобы Юра не скучал, проводи его в зал к игровым столам и скажи Норе

Альбертовне, что я распорядился выдать фишек на пятьсот баксов.

— Хорошо, Леонид Саныч, — кивнул охранник и перевел взгляд на слегка ошарашенного младшего наследника.

— По правде говоря, па, я до сегодняшнего дня еще ни разу не был в казино, — поспешил сообщить отцу Юрка, но Флоренский, снисходительно улыбнувшись, небрежно махнул рукой в сторону двери:

— Ничего, крупье введет тебя в курс игры. Надоест рулетка, садись на «блэк-джек». Я-то предпочитаю покер, он значительно интересней и дает возможность думать головой. Так что рекомендую. В общем, отдыхай пока, а я, уж извини, должен прямо сейчас созвониться с одним человеком в столице, — постучав пальцем по циферблату наручных часов, сообщил бизнесмен. — Когда закончу, как раз и Руслан подъедет. Иди, отвлекись немного, у тебя сегодня действительно сумасшедший день...

Когда Юрка и секьюрити скрылись за дверью, Леонид Александрович снял с лица фальшивую улыбку, некоторое время задумчиво постоял посреди кабинета, глядя в пол и покусывая губы, а потом вернулся к столику, взял телефон и набрал номер Руслана. Тот ответил сразу же, словно в момент звонка держал мобильник в руке.

— Ты где сейчас? — поинтересовался Флоренский.

— В машине, в трех кварталах от клуба. Буду через пять минут.

— Давай, приезжай. Есть о чем поговорить без посторонних ушей.

— А...

— Он в зале, пусть поиграет.

— Слушай, отец, — сказал небрежно Руслан. — Кто же это такой, а?!

— Твой брат, — сухо ответил хозяин «Полярной звезды». — Короче, я тебя жду...

Глава 9

Руслан выслушал Флоренского молча, ни разу не перебив и не задав ни одного вопроса. Бизнесмен был четок, конкретен и лаконичен и сумел коротко обрисовать сыну ситуацию со свалившимся как снег на голову Юрой Величко, плодом его мимолетного романа с давно забытой Надеждой из Вологды.

— Ну ты даешь! — покачал головой Руслан и с интересом взглянул на отца, словно желая найти в знакомом до мельчайших подробностей лице родителя новые, неизвестные до сей поры черты. — И много у тебя таких... Юриков по всей матушке России разбросано?

— Надеюсь, что только один, — недовольно пробурчал в ответ Леонид Александрович. — Во Франции я всех баб драл только с резиной. У них уже тогда, в восьмидесятых, СПИДа было — как грязи. А все наркота и ниггеры...

Повертев в руках склеенную из обрывков черно-белую фотографию, запечатлевшую отца в обнимку с незнакомой молодой девушкой в коротком ситцевом платье, Руслан вернул ее Флоренскому и заметил:

— Красивая была девчонка, грудка, ножки ровненькие, личико... Знаешь, я тебя понимаю! Так ты говоришь, умерла... А мой братец похож на нее как две капли воды?

Флоренский кивнул, пряча снимок в карман пиджака.

— Тогда почему ты уверен, что этот парень действительно твой сын? На тебя-то ведь он не похож. Ты паспорт его видел?

— Мы тогда четыре месяца практически не расставались, у Надежды не было возможности переспать с кем-то другим, — по-деловому конкретно ответил Леонид Александрович, отметая возможность ошибки или обмана. — Так что прошу любить и жаловать. Что, не рад братану? По глазам ведь вижу...

— Да как сказать... — уклончиво ответил Руслан. — Слишком неожиданно он объявился.

— Мне, как ты, наверное, понимаешь, его визит тоже стоил пары седых волос. Только не гнать же его, в натуре, пинком под зад. Не по-людски это, как-никак родная кровь... Да и на первый взгляд малец толковый, не фраер и не трепло. Морпех из Североморска... В Чечне воевал... Их батальон, я смотрел хронику, конкретно по душманам отметился. Как ты смотришь на то, чтобы проверить его в деле?

— Легко, — пожал плечами Руслан. — Я его враз раскушу, можно даже комбинацию разыграть — для проверки нервов. Только, отец... Если ты Юрику этому на сто процентов доверяешь, уверен, что подставы нет, то почему решил поселить его в хате на Богатырском? С прослушкой и видеонаблюдением? Играет очко, па, чую, ох играет!

— Береженого Бог бережет, — сухо ответил Флоренский. — Скажи Классику, пусть поживет в соседней квартире с недельку, понаблюдает за парнем, а если что интересное обнаружится — запишет на видео или хоть на аудио. Если повезет, узнаем, что у него на уме и с какими мыслями он в Питер приехал. Меня повидать или задвинуть пургу типа «рад встрече» и с ходу к кормушке присосаться... Иногда даже самые крутые мужики в постели с правильной бабой языком молотят не хуже любого Жириновского, —

добавил Леонид Александрович и вопросительно посмотрел на сына.

— Хочешь, чтобы я ему биксу сладкую в кроватку подложил? — Руслан с ходу понял, что́ от него требуется. — Толковая мысль. Тут Клеопатра нужна, с ней любой Джеймс Бонд запоет на манер группы «Ласковый май». Она сейчас в «Прибалтийской» вахту несет, под Саввой. Заеду ближе к ночи, перетрем с сутером этот вопрос. Спектакли разыгрывать — на это она мастерица. Помнишь, как Гиви Ростовского после минета на откровенность о кидке раскрутила?! Если бы не она — втюхались бы мы с тобой по самые гланды. На сто семьдесят кусков.

— Знаешь, мне Юрка действительно понравился, но на всякий случай лучше за ним присмотреть и прокачать по всем направлениям, — прикурив сигарету, выдохнул Флоренский. — Кое-какая капуста у него после Чечни есть, как я понял, но это — слезы. Я дам ему для начала тонн десять баксов и тачку поприличнее. Да вот хоть ту красную «супру», которую твои амбалы у Бати на прошлой неделе забрали. Позвони капитану, пусть к утру в ГАИ техпаспорт на его имя оформят, чтобы прочувствовал пацан тему и с ходу ощутил себя в с е м ь е. Если я в нем не ошибся — голова у Юрки от халявы не поедет, язык будет держать за зубами, да и в деле себя нормальным мужиком покажет.

— А если нет? — резко бросил Руслан, и его темно-карие, почти черные глаза под разлетистыми бровями недобро заблестели.

— Тогда... — вздохнул Флоренский, — мы с тобой ни о каком Юре Величко из Вологды никогда в жизни не слышали. Только смотри не переусердствуй, когда на нервишки его проверять станешь! — строго предупредил старшего сына Флоренский. Заметив ленивый дежурный кивок, уточнил: — Я не в смысле невинно пострадавшего, здесь как раз чем жестче, тем нутро виднее. А к тому, что парень он хоть и молодой, но смерть уже видел. Силой от него на расстоянии пахнет. Случись что — в торец даст, не отдышишься. Не тебе, так кому-нибудь из твоих архаровцев...

— Это мы еще поглядим, — процедил сквозь зубы явно задетый за живое Руслан. — Ты только не дергайся понапрасну, па, меня внезапное появление братана само по себе не грузит. Окажется правильным пацаном, так это еще и лучше. Будет у меня младший братила, конкретный чувачок, из наших. Но если лажанется, завоняет, тогда... Сам помнишь, как я того вице-чемпиона по боям без правил по стенке размазал. По мне хоть «афганец», хоть «чеченец», хоть сам Чак Норрис! На худой конец, пулю в башку и — под асфальт. Или на дно свежевырытой могилки на Южном.

— Слишком-то не распаляйся, — пресек залихватский монолог Руслана Леонид Александрович. — Мне от тебя и Классика конкретный результат нужен, а не разборка, кто из вас двоих круче! Вы еще хуями померьтесь, мать вашу!

— А что, неплохая мысль, — рассмеялся Руслан. — Надо будет у сучки Клио после того, как с ним перепихнется, спросить, у кого в объеме больше и стоит дольше! Я ее на прошлой неделе в «Прибалтийской» по кумарке драл, должна помнить! В раскоряку до ванны добиралась...

— Слушай ты, половой гигант, — недобро прищурился Флоренский, наблюдая за суетливыми взмахами рук развалившегося в кресле напротив сына. — Что-то мне сегодня глазки твои блестящие не нравятся. Опять дурь смолишь? На Шанхая посмотри! Каким он был три года назад и каким стал сейчас! Тоже с травки начинал и заверял, что марихуана совершенно безвредна! И где он сейчас?! В жопе!!!

— Не наезжай, — поморщился Руслан, отводя бегающий влажный взгляд в сторону. — Сам знаю, что мне делать. Ты мне дебила этого в пример не ставь, у него, узкоглазого, наследственность гнилая — одни наркаши. Я на кокс и герыч с травы не соскочу, не ссы. Это так, расслабиться слегка...

— Значит, так! — Флоренский хлопнул ладонью по столу. — Последнее тебе китайское предупреждение. Потом не обижайся. Еще раз увижу обдолбанным, вызову бригаду с Приозерска. Там в психушке жлобы конкретные, им твоя крутость по херу. Скрутят, швырнут в клетку и загонят в вену «карлика». От одного запаха конопли целый год будешь блевать до посинения и в штаны гадить. Не можешь сам отказаться от дури, поможет добрый доктор Айболит. Мне наркоман в семье не нужен. Лови тему.

— Ладно, кончай грузить, — огрызнулся, доставая сигарету, Руслан. — Пошли лучше с брательником знакомиться. Новичкам, говорят, в азартных играх везет. Вот узнаешь, на сколько он крупье опустил, будешь репу чесать: на фига только фишки дал!

— Он и должен выиграть, — пропустив подначку сына мимо ушей, серьезно ответил хозяин казино, вставая из-за стола. — Я тебе, кажется, говорил, что подкину ему десять тонн наличными. Но не из рук в руки... Несколько золотых фишек — сущая ерунда, а трижды подряд сорвать банк на покере ему, везунчику, удалось уже самостоятельно. Пусть Малыш подержит в руках настоящие, честно выигранные им в папином казино деньги...

— Малыш?! — расхохотался Руслан. — О’кей, папа, пускай будет Малыш! Но тогда кто ты?

— Разве не догадываешься, сынок, — удивленно поднял брови Флоренский, покидая кабинет. — Я — тот самый толстяк Карлсон, который живет под собственной «крышей» и никому не платит...

Глава 10

Весь следующий день я провел в Троицком храме. До начала утренней службы мне удалось немного вздремнуть в комнате протоиерея на диванчике, так что бессонная ночь уже не так сильно сказывалась на моем физическом состоянии. Чего нельзя было сказать о душевном. Даже когда я читал молитвы перед ликом Спасителя и по просьбе прихворнувшего отца Сергия крестил младенцев, постоянно ловил себя на том, что мои мысли находятся далеко отсюда и обращены, увы, совсем к иным делам.

Я дал милиции и спецслужбам такой материал, что не найти сатанистов было бы просто преступно. В течение нескольких часов отыскать бокс, куда отогнали для ремонта помятый джип, среди тысяч официальных и кустарных автомастерских действительно не так-то просто даже для целой армии участковых. Куда проще, не забывая о джипе, идти по другому пути: раз в городе существует ночной клуб, в котором «выступала» рок-группа с тошнотворным названием, менеджер этого заведения должен знать как минимум контактный телефон продюсера! И если перед клубом замаячит реальная перспектива закрытия, вряд ли менеджер будет молчать... Ночных клубов, рискнувших предоставить свою сцену для сатанинского шоу, даже в таком огромном городе, как Питер, вряд ли наберется более десятка.

Одним словом, я ждал самых скорых результатов и думал только о спасении девочки. И когда баба Маша, работающая в церковной лавке, подошла ко мне и осторожно тронула за локоть, я не сразу понял, чего она хочет от меня.

— Батюшка Павел... Тут один мужчина опять вас спрашивает... Он еще до вашего приезда несколько раз приходил, все интересовался, когда будете. Говорит, что хочет исповедаться лично у вас! Странный какой-то...

— Вот как? — очнувшись, я поставил в серебряный шандал свечу за упокой души Вики, перекрестился и, обернувшись, стал глазами искать человека, который меня спрашивал. — Где же он?

— Эвон, возле лика Архистратига Михаила стоит, в куртке замшевой. Небритый, как басурманин. Подойдете али как? — спросила баба Маша с любопытством.

В моей груди что-то ворохнулось. Примерно такое же ощущение я испытал несколько лет назад, когда генерал Корнач пришел сюда в пасмурный дождливый день и предложил мне, в прошлом офицеру ВДВ, стать протоиереем церкви на острове Каменном...

— Обязательно, — ответил я на вопрос бабы Маши и направился через весь храм к высокому широкоплечему незнакомцу лет сорока пяти, неподвижно застывшему перед иконой Предводителя небесного воинства. К ее окладу кто-то из прихожан прикрепил, желая освятить, фотографию двадцатилетнего юноши, о котором рассказал в день моего приезда отец Сергий. Этот паренек погиб в Чечне — погиб за веру, приняв мученическую смерть от боевиков-наемников. Он отказался добровольно снять с себя православный крест, отречься от Бога и принять мусульманство. «Воины ислама», озверевшие от такой стойкости русского солдата-разведчика, поочередно отстрелили ему все пальцы на руках, выкололи глаза, после чего прибили к кресту и с еще живого сняли кожу. Распятый мученик умирал несколько часов...

Мне почему-то сразу показалось не случайным, что пришедший на исповедь мужчина стоит именно у этой иконы.

— Здравствуйте, — я остановился рядом и с интересом разглядывал этого странного человека, задаваясь вопросом, почему он пожелал исповедаться у священника, который давно не служит в этом храме и приехал в Петербург всего на несколько дней. — Мне передали, что вы хотели исповедаться в грехах своих и получить прощение Господне?

— Мне трудно рассчитывать на прощение, — не отрывая взгляда от фотографии, надломленным голосом произнес мужчина. — Я-то не могу простить тех, кто лишил меня моей прошлой жизни... Хотя все они уже давно мертвы и убил их я, вот этими руками... Знаете, отец Павел, а ведь мой сын воевал вместе с этим парнем в Чечне, — глухо проговорил незнакомец.

— Ваш сын — военный? Он... погиб?

— К счастью, нет, — тонкие бескровные губы мужчины чуть заметно дрогнули. — Он жив, как и мы с вами... И завтра у него свадьба... Вас, отец Павел, наверное, больше всего интересует, почему я хотел поговорить именно с вами? — незнакомец наконец обернулся и пристально посмотрел мне в глаза. И у меня в груди снова что-то шевельнулось, хотя я был совершенно уверен, что прежде мы никогда не встречались.

— Я знаю, кто вы, — четко произнес мужчина. — А точнее — кем вы были до тех пор, как стали священником... Откуда знаю — не скажу, это не суть важно. Главное, что вам... только вам одному я доверяю полностью и хочу рассказать историю своей жизни. Сейчас у меня такое чувство, что я дошел до глухой кирпичной стены, за которой ничего нет...

— Многие приходят в храм, чтобы вновь обрести себя, впустить в сердце истинную веру и начать жить заново. Я готов выслушать вас, — кивнул я, выдержав его тяжелый, испытующий взгляд. Это был скорее взгляд дикого зверя, хищника, а не раскаявшегося грешника! В глубине этих некогда голубых, а ныне словно выцветших глаз, окруженных сетью мелких морщин, я видел лишь пустоту и холод. От них веяло смертью.

Я провел незнакомца в ту часть храма, где нам никто не мог помешать, и спросил:

— Как ваше имя?

— У меня было много имен, — будничным тоном ответил незнакомец. — Когда-то крестили Сергеем.

— Каждому есть в чем покаяться перед Господом нашим. Вы должны быть искренни, Сергей, и помнить, что тайна исповеди священна и ни под каким предлогом не будет оглашена. — Понимая, что рассказ незнакомца будет длинным, я предложил ему присесть, и мы сели на скамью, стоявшую у стены.

— Вам я верю, отец Павел. В чем-то наши с вами судьбы очень похожи. Я много знаю о вас, так получилось... В прошлой жизни и вы, и я были кадровыми военными, офицерами. Держали в руках оружие, убивали врагов и при этом искренне верили в то, что выполняем свой долг перед Родиной. А потом вдруг поняли, что многие наши святыни на самом деле не более чем химеры... Отчасти по стечению обстоятельств, отчасти из-за ранений мы оба перестали носить погоны и вернулись на гражданку. Мы и не подозревали, что в так называемом мирном тылу уже давно идет своя война. Необъявленная, беспощадная и не менее кровопролитная. Когда сын ради денег вдруг стреляет в отца, брат — в брата, а близкий друг в любой момент может продать тебя куда дешевле, чем за тридцать сребреников... Мы вернулись с войны домой и увидели, что за те годы, пока мы воевали за интересы Родины, дома многое изменилось... Не только в политике, но и в людях...

Сергей замолчал. Некоторое время он глядел на меня в упор, словно ждал подтверждения своим словам, а потом опустил глаза, вздохнул, покачал головой и, понизив голос почти до шепота, продолжал:

— Вот здесь-то наши с вами судьбы и разошлись. Вы, хватив через край лиха, обратились к Богу, приняли сан, а я... Я уже не мог жить без войны. Подлечившись, прошел медкомиссию и поступил на службу в милицию, очень быстро стал командиром спецподразделения. Теперь у меня снова была война. Только я уже не думал об интересах Родины, а бил всякую уголовную бандитскую нечисть ради своей жены, своей дочурки, своего почти взрослого сына. Как оказалось, на этой войне куда труднее, опаснее, страшнее... Там, за горами, все было понятно: вот мы, вот они. Ошибиться невозможно. А здесь врагом мог оказаться любой из твоих бывших приятелей, однокашников, великовозрастных балбесов—друзей сына, служащего в армии, а то и кто-нибудь из милых старичков-соседей, с которыми каждое утро выгуливаешь собаку в парке возле дома, — бескровные губы Сергея вытянулись в прямую линию. — Одним словом, я был ментом, командиром боеспособного подразделения, которое запросто могло бы совершить государственный переворот в какой-нибудь банановой республике. Я захватывал бандитов, убийц, насильников и воров в законе, вытаскивал их за шиворот из ресторанов и притонов, крошил зубы, бросал мордой об асфальт. Но как выяснилось вскоре — только для того, чтобы спустя сутки-другие продажная прокуратура отпустила их на свободу! Я видел, как эти фиксатые ухмыляющиеся рожи, победители, хозяева жизни, окруженные челядью и телохранителями, с торжествующе-наглым видом неспешно выходили из КПЗ, садились в дорогие автомобили и прямо с нар отправлялись смывать пот в сауны!

В тишине опустевшего храма было отчетливо слышно, как скрипнули зубы Сергея, как участилось его дыхание.

— В мой адрес десятки раз поступали угрозы, на которые я мало обращал внимания. Погибнуть в перестрелке, в рукопашной схватке во время очередной операции по освобождению заложников или взятию наркоцеха я не боялся. Это могло случиться в любой день с любым из нас, и это была наша работа. — На небритом лице Сергея перекатывались желваки. — По-другому они не могли достать меня, только лицом к лицу. Взяток я не брал, с крестными отцами водку не пил, любовниц не имел, кокаин не нюхал, а все телефоны, адреса и имена сотрудников спецназа засекречены. Доступ к базе данных имеет очень ограниченный круг лиц, и каждого из них ведет служба собственной безопасности МВД. Моим единственным слабым местом была семья, но я верил, что режим секретности надежно защищает семью командира отряда от возможной мести бандитов... Как оказалось, ошибался. Они раскрутили одного из посвященных кадровиков, вычислили мой адрес и нанесли ответный удар! Это произошло в день двенадцатилетия дочурки. Сына, недавно вернувшегося со срочной службы, не было дома. Он неожиданно для меня поступил на службу в транспортную милицию и в тот день «прописывался» в кругу коллег... Трое бандитов во главе с одним известным питерским авторитетом, которому мой отряд едва не сломал хребет, уничтожив десятки килограммов героина, ворвались в квартиру, захватили жену с дочкой, дождались, когда я вернусь с дежурства домой, и под пушкой заставили жену открыть дверь. Любая женщина на ее месте... она не могла допустить, чтобы дочку... Я не вправе винить ее. Хотя дай она знак, крикни — и расклад мог быть совсем другим! С седьмого этажа не убежишь!.. Ослепленные жаждой мести, уверенные в удаче, эти козлы сами загнали себя в ловушку...

Судорога исказила скуластое лицо Сергея. Я понимал, как тяжело ему вспоминать об этом кошмаре.

Единственное, что я мог для него сделать, — это спокойно выслушать исповедь до конца.

— Когда я вошел в прихожую, меня сзади оглушили рукояткой пистолета, пристегнули наручниками к батарее и заставили смотреть, как насилуют, а потом и убивают двух самых близких мне людей... Братки не скрывали своих лиц — зачем?! Ведь покойники, даже бывшие офицеры спецназа, не умеют разговаривать... Я был от жены и дочурки на расстоянии чуть больше вытянутой руки, но ничем не мог им помочь! Даже согласившись на любое условие этих скотов, я не спас бы их. Даже начни я ползать на коленях, пускать слюни и молить о пощаде. Они пришли не для вербовки, а только чтобы всласть поглумиться. Завершив расправу, бросили к моим ногам истерзанные тела, открыли на кухне краны газовой плиты и водрузили на стол в комнате, где я находился, подсвечник с тремя горящими свечами. А потом ушли, заперев дверь на ключ... Я как мог боролся с угарным сном, сначала пробовал освободиться от наручников, затем решился зубами перегрызть себе руку, но тут стал стремительно терять сознание. Меня спас сын... Иван вернулся домой, когда до взрыва оставались считанные минуты. Увидел страшную картину, понял, что произошло, сумел перебороть шок и, выключив газ, распахнул все окна в квартире. Только после этого упал на колени перед изуродованными телами матери и сестренки, закрыл ладонями лицо и зарыдал...

Сергей замолчал и долго глядел мимо меня в пространство, по щеке его скатилась слеза — след незаживающей душевной раны. Я понял: в тот кошмарный вечер начался для Сергея отсчет другого времени. В душе его не осталось ничего, кроме жажды мести. И, судя по вскользь оброненной им фразе, в конце концов он свершил свой суд, что не дано было мне, когда я потерял Вику и неродившегося сына...

Он нашел и уничтожил убийц.

— Когда я попросил командира РУБОПа доверить мне розыск, меня, от греха подальше, вообще отстранили от службы и посоветовали пройти психологическую реабилитацию! И я поклялся, что отомщу сам, в одиночку, — хриплым голосом продолжал бывший командир спецназа. — Я бросил удостоверение в толстую рожу подполковника, хлопнул дверью и навсегда ушел из органов. У меня оставались кое-какие сбережения, амуниция, несколько «чистых» не зарегистрированных стволов, так что голодать и искать оружие возмездия не пришлось... В течение нескольких месяцев жил нелегалом, выслеживая убийц жены и дочурки. Потом расправился с ними со всеми... Но не ощутил ни малейшего облегчения. Наоборот. Вся эта жирующая, ворующая и быкующая на свободе мразь и раньше мозолила мне глаза, а теперь один вид бритой башки и висящей на шее «голды» вызывал у меня желание убивать голыми руками! Убивать и убивать, пока хватит сил... Мне стоило огромных усилий держать себя в руках... Однажды мне позвонил знакомый банкир и сообщил, что боевики одного вора в законе, приговоренного сходняком к смерти, решили по-легкому срубить кучу баксов и вместе с бугром скрыться за границей. Эти гады убили парня-охранника, гувернантку и похитили дочку банкира, требуют выкуп... Я поднял свои связи, поднапрягся и, разделавшись с похитителями, спас девочку... Когда все закончилось, отец ребенка в качестве гонорара передал мне «дипломат» с деньгами, чего я вовсе не ожидал. Это была огромная сумма — двести пятьдесят тысяч долларов. Первые деньги, полученные за чужую жизнь...

— Значит, так вы стали наемным убийцей? — скорее утвердительно, чем вопросительно произнес я. — И тем самым из жертвы превратились в преступника... Возможно, более кровавого, чем те, кто лишил вас семьи...

Пока он говорил, меня не покидало ощущение, что всю эту историю я где-то уже слышал. Но где именно — никак не мог вспомнить.

— Я не наемный убийца, — покачал головой Сергей, щелкнув костяшками пальцев. — Во всяком случае, я не считаю себя наемником... Я убивал не ради денег. Закон против мафии бессилен, опухоль уже давно перешла в стадию раковой, и лечить ее можно только скальпелем. Несколько лет подряд я уничтожал паразитов, которым, я уверен, не должно быть места на земле! Абсолютное большинство ликвидаций вообще не оплачивались, заказчиком и исполнителем выступал я сам. Мишенью всегда были только самые гнусные твари, отбросы рода человеческого. Я судил их своим личным судом и приговорил к смерти.

— И все же вы получали деньги за выпущенную в человека пулю, — напомнил я тихо. — С точки зрения и Церкви, и закона этого достаточно, чтобы поставить вас в один ряд с теми, кого вы так люто ненавидите... Сколько смертных грехов на счету ваших жертв — не имеет никакого значения. С каждым новым убитым вы все больше и больше уничтожали свою собственную душу. И то, что вы все-таки решились прийти в храм Божий на исповедь, свидетельствует, что душа ваша устала от крови, ее силы на исходе, а жажда убивать исчерпана без остатка. Ваша душа жаждет очищения, а путь к нему один — покаяние. Вы сами сказали: впереди только стена, за ней — пустота... Но вы здесь, в храме, а это уже первый шаг к искуплению грехов. Все мы в руках Господа...

— Стена — образное выражение, батюшка. Просто, наверное, каждому человеку иногда полезно остановиться и оглянуться назад. Если совсем честно, я не могу однозначно ответить, зачем я хотел встречи с вами. Возможно, потому, что только вам я могу рассказывать о себе всю правду и услышать такой же правдивый ответ... Я — не киллер, отец Павел. Мне приходилось иногда брать деньги. Но ведь жизнь нелегала в большом городе — очень недешевое занятие. Чтобы стать невидимкой, мне пришлось инсценировать свою смерть, при жизни увидеть собственную могилу, обзавестись парой легенд и новыми документами, связями. Наконец, сделать сложную пластическую операцию... Но деньги как таковые меня не интересуют. Они всего лишь средство к достижению конечного результата.

— Какого? — с металлом в голосе спросил я. — Убивать, мстить за смерть близких до последнего вздоха? До тех пор, пока рука держит оружие? Или до тех пор, пока не погибнете? В этом ваша цель? Чем больше трупов — тем лучше?!

— Не знаю, — помолчав, вздохнул мститель. — Может, хоть таким способом мне удастся сделать воздух в родном городе чище. Неужели вы, пастырь, не видите, что происходит вокруг? Самой престижной профессией среди пацанов стала профессия бандита! Каждый третий школьник — будущий наркоман! Каждый десятый — сектант! Через двадцать лет в стране не останется ни одного здорового русского парня, способного произвести на свет нормальных детей...

Почувствовав, что заводится и перестает себя контролировать, Сергей замолчал, несколько раз глубоко вздохнул и продолжал уже гораздо спокойнее:

— Я уже говорил, отец Павел, меня тоже когда-то крестили, несмотря на времена воинствующего атеизма. Но с тех пор я был в церкви всего пару раз. Когда узнал, что есть священник, прошлое которого очень похоже на мое собственное... Хотите знать, почему? Потому что никогда не верил в Божий суд и слышал, что половина попов — стукачи КГБ! И хоть это я пришел к вам на исповедь, а не вы — ко мне, все же ответьте: неужели вы действительно так наивны, что верите в посмертное воздаяние каждому по делам его?!

И если даже так, то сколько еще ждать этого суда? Год? Пять? Тысячу лет?! Зачем вообще нужна такая дрянная жизнь, когда любой бандит, любая чиновничья тварь, сексуальный маньяк и вор живут как хотят, в свое удовольствие, а все остальные должны служить им, работать на них, воевать за них и при этом молчать в тряпочку и тешиться мыслью, что вот после смерти Васька Фиксатый и Боря-алкаш попадут в ад, где черти их сварят в котле с кипящей смолой? Почему нельзя еще при жизни стереть с лица земли всю эту погань?!

— Потому что вершить чужие людские судьбы не вправе никто из смертных. Я никогда и нигде не утверждал, что преступники должны наслаждаться свободой. И ни один священник вам этого не скажет, — уверенно произнес я, выдержав пристальный взгляд киллера. — Я всегда говорил и говорить буду, что человек не вправе лишать другого человека жизни, кроме тех случаев, когда существует реальная угроза его собственной безопасности. Если ночью в подъезде к вам пристали двое едва стоящих на ногах безоружных подростков-наркоманов в ломке и потребовали сто рублей, это не значит, что их нужно убивать. Достаточно хорошего пинка. Но если грабитель явно сильнее вас, если он приставил вам нож к горлу или пистолет к затылку, вы имеете полное право обороняться всеми доступными способами, адекватными угрозе. Но, обезопасив себя, не опускайтесь до унизительной мести... Если бандит совершил преступление, за которое раньше полагалась смертная казнь, то его однозначно необходимо до конца жизни изолировать от остального мира, чтобы он больше не представлял опасности для нормальных людей. Никогда. То, что его не расстреляют, а поместят на Каменный, — не столь важно... Еще не известно, что для убийцы лучше: мгновенно умереть от пули или медленно, год за годом, гнить в каменном склепе. Я не открою чужой тайны, если скажу вам, что как минимум двое из трех узников тюрьмы для пожизненно заключенных после нескольких месяцев несвободы умоляют, чтобы им вернули прежний приговор — расстрел. А был случай... — Я на секунду замолк — прихлынувший к груди холод сковал дыхание. — В тюрьме на Каменном острове я встретился с человеком, обвиненным в убийстве и изнасиловании семерых женщин. До принятия моратория на расстрелы он сидел в камере смертников, каждую минуту ожидая, что за ним придут для приведения приговора в исполнение. И только спустя годы, уже на острове, выяснилось, что он — абсолютно невиновен.

— И что с ним сейчас? — В бесцветных глазах Сергея промелькнуло скептическое любопытство.

— Он вышел на свободу, — ответил я. — Может быть, единственный из десятков невинно осужденных, которому удалось избежать смерти благодаря замене смертного приговора пожизненным заключением.

— Я понимаю, к чему вы клоните, отец Павел, — поморщился, словно от зубной боли, киллер. — Все, что вы сейчас сказали, верно. Но у меня роковые ошибки исключены: подонки получали то, что заслуживали! А если следовать вашей логике в реалиях сегодняшней России, то нормальному человеку остается лишь покорно ждать, когда на него нападут в темной подворотне наркоманы с ножом, когда в отместку за отказ платить дань бритым уродам у него отберут все деньги, взорвут квартиру и изнасилуют жену, когда какие-нибудь поклонники сатаны для проведения своих жутких ритуалов похитят у него ребенка и перережут ему горло на дьявольском алтаре! И только после этого можно со спокойной душой ждать возмездия, написав заявление в милицию!.. Если, конечно, жив останешься и крыша от пережитого не уедет...

При упоминании о сатанистах и похищении ребенка мое сердце сжалось. Лицо Сергея поплыло перед глазами. Я задержал дыхание и опустил веки.

— Вам плохо?.. Отец Павел? — мой необычный посетитель подался вперед и крепко схватил меня за локоть.

Но я уже открыл глаза. Ничего страшного, обычное нервное переутомление. Такое уже случалось три года назад, после истории с подземным тайником, гонок по лесу на уазике и освобождения заключенного Скопцова из тюрьмы...

— Простите Бога ради, я не хотел причинить вам боль, — виновато проговорил Сергей, отпустив мою руку. — Вы сами настаивали на полной откровенности, так что...

Мой взгляд машинально успел уловить под распахнувшейся на мгновение просторной замшевой курткой Сергея матовый блеск рукоятки пистолета, втиснутого в компактную кобуру. Кажется, это был браунинг. Но я мог и ошибиться...

— Все в порядке, вы здесь ни при чем, — поспешил успокоить я. — Вот вы сейчас вспомнили сатанистов, их черные мессы и жертвоприношения... Вам приходилось с ними сталкиваться? Или даже... устранять кого-нибудь?

— К сожалению, пока еще наши пути не пересекались, — покачал головой Сергей, и его лицо выразило надменную брезгливость. В том, что православный священник заговорил о сатанистах, он не видел ничего необычного. — Хотя я уверен, если взяться за этих нелюдей всерьез, можно много чего накопать... Иногда глазастые старушки, весь день просиживающие у окна, знают о происходящем в районе гораздо больше, чем участковый со всеми его стукачами. Примерно с полгода назад была у меня информация про одну квартиру, где эти лохматые регулярно собираются, но больше ничего, одни домыслы... Да и некогда мне слухи всякие проверять, отец Павел. Даже касающиеся такой нечисти. Слишком много людей в этом замечательном городе мечтает о встрече со мной! Авторитеты бандитские, к слову сказать, вчера вечером на общем сходняке меня заочно к закланию приговорили... Даже банк, говорят, положили — лимон баксов. За меткий выстрел. Ну и дяди в погонах из Большого дома на Литейном тоже не отстают. Спят и видят, как бы особо опасного преступника изловить да звездный дождь на погоны заработать... А я вот он — чего меня искать? Исповедуюсь в грехах своих тяжких...

— Сдается мне, не на исповедь вы в храм Божий пришли, а чтобы выговориться, — сказал я. Желание узнать подробнее о квартире, где происходят сборища сатанистов, прочно сидело в моем сознании. — Нет в ваших словах истинного покаяния, а значит, и в душе нет. Не готовы вы от убивающей вашу душу мести навсегда отказаться. Бог вам судья...

— Наверное, вы правы, батюшка. Я еще не готов, — помолчав немного, угрюмо согласился Сергей. Тряхнул головой, вроде как наваждение или сон дурной с себя сбрасывал. Расправив плечи, совсем по-военному, пружинисто поднялся на ноги.

— Простите, что отнял у вас столько времени и что говорил о вашем прошлом, не имея на то права. Нет в моей информированности никакого секрета. Случайно услышал о вас через знакомого человека, имеющего допуск к документам ФСБ... И сразу захотел встретиться, сам не знаю зачем... А вот пришел — верите или нет — легче стало... Спасибо, что выслушали, отец Павел. Вряд ли мы еще когда увидимся. Прощайте.

Он развернулся излишне торопливо и зашагал к выходу.

— Подождите, прошу вас, — остановил его я. — Всего одну минуту.

— В чем дело, батюшка? — обернулся Сергей и, нахмурившись, посмотрел на меня. В считанные секунды его лицо, выражение глаз изменились. Лицо снова стало восковым, холодным, а глаза помертвели и светили из-под надбровных дуг осколками голубого льда. Было видно, что этому человеку уже невмоготу находиться в храме. С некоторыми людьми такое случается...

— Мне нужна ваша помощь. У моих хороших знакомых, семьи молодых журналистов, три дня назад похитили дочь. Ей всего два года. И возникли серьезные подозрения, что похищение организовали сатанисты. Есть показания свидетеля и косвенные улики... За дело, разумеется, взялась милиция и даже люди из спецслужб, но у меня нет уверености, что им удастся освободить девочку...

— Я понял, отец Павел, — как мне показалось, с облегчением выдохнул Сергей. — Вы хотите, чтобы я дал вам хоть какую-нибудь зацепку. А точнее — адрес квартиры, где происходят сборища?

— Лучше хоть что-то делать, чем сидеть сложа руки и ждать...

— Конечно. Вода камень точит. Квартира эта находится на Васильевском острове, Десятая линия, — бывший офицер спецназа назвал номер дома и квартиры. — Пятый этаж, последний... Окна выходят во двор, почти всегда зашторены, но, видимо, не очень тщательно. Во всяком случае, одна особо любопытная одинокая дама, регулярно проходящая курс лечения в больнице на Пряжке, неоднократно видела в окно — оно у нее как раз напротив, на другой стороне двора, — как по той квартире шастают странные типы в черных балахонах со свечами. А еще эти ужасные люди будто бы на ее глазах зарезали живого козла, слили кровь в чашу и по очереди пили. И после каждого сборища обязательно занимаются групповым сексом... Всегда — по пятницам, после захода солнца.

Бабулька так расчувствовалась, что даже заявление в милицию накатала. Но, учитывая ее историю болезни и страсть к кляузам, в милиции на сигнал благополучно закрыли глаза. Бабульке с редким именем Августина сообщили, что, мол, изложенные в заявлении факты при проверке не подтвердились... Вот такая информация, батюшка. Добавить мне нечего. Кстати, какой сегодня день? Завтра, в субботу, у моего сына свадьба. Значит, сегодня как раз пятница... И солнце, судя по часам, уже упрямо клонится к горизонту.

— Да, вечереет... — тихо пробормотал я.

— Надеюсь, что дочурка ваших знакомых жива и здорова и кое-кто с Литейного не зря ест свой хлеб. А может, байки про сборища в той квартире — просто бред пожилой пациентки психушки. Прощайте, батюшка...

Сергей ушел так стремительно, что я даже не успел поблагодарить его за информацию.

— Храни тебя Бог, — только и успел я пробормотать вслед. Мои мысли были уже далеко от храма.

Я зашел в «офис» к отцу Сергию, взглянул на часы и сверился с настольным перекидным календарем. Сегодня была ночь полнолуния. До захода солнца оставалось четыре часа семнадцать минут...

Глава 11

Я не забыл утренней телефонной беседы с капитаном Томанцевым, который мягко, но недвусмысленно посоветовал мне более не мешать следствию и отчаливать обратно на остров. Было бы верхом опрометчивости звонить после этого в милицию и сообщать, как некий киллер, которого усиленно разыскивают и бандиты и менты, рассказал мне на исповеди о том, что одна пожилая шизофреничка видела принесение в жертву козла и групповой секс в квартире напротив. Сыщик просто послал бы меня подальше, повесил трубку и покрутил пальцем у виска. Мол, у этого попа-отшельника на почве детективной деятельности вообще крыша поехала. Пора вызывать бригаду амбалов в белых халатах, надевать поверх рясы смирительную рубашку и везти в санаторий с решетками на окнах.

В любом случае, рассудил я, информацию стоит проверить. Если в квартире на Васильевском острове действительно обнаружатся сектанты, устраивающие гнусные ритуалы, я смогу воспользоваться ближайшим уличным телефоном и по горячим следам вызвать группу захвата. Для начала нужно провести рекогносцировку на месте, определить, куда выходят окна подозреваемой квартиры, найти подходящую точку и попытаться скрытно понаблюдать за происходящим за шторами. Если, конечно, они и правда задернуты неплотно и если вход в подъезд напротив не прегражден кодовым замком. А может, вообще вся эта история от начала до конца является лишь плодом больного воображения. Короче, в моем распоряжении лишь ничем не подтвержденная наводка случайного человека и немало всевозможных «если», которые могут свести на нет все мои усилия.

Перед тем как покинуть храм, я взял на себя грех немного слукавить — сославшись на желание поснимать на память православные храмы Санкт-Петербурга, попросил у отца Сергия замеченный мной в его комнатке на книжной полке японский фотоаппарат. На пленке, отснятой кем-то из участников паломнической поездки в Пюхтицкий монастырь, оставалось еще пять чистых кадров. Если я стану свидетелем шабаша сектантов, даже не очень четкие фотографии вполне сгодятся в качестве вещественного доказательства капитану Томанцеву или генералу Корначу, если тот все-таки объявится и подключится к розыску...

— Не красотой храмов идешь ты любоваться, неужто я не вижу! — протягивая фотоаппарат, угрюмо произнес проницательный протоиерей. — Ну да Господь с тобой, отец Павел. Не из корысти решил ты меня, старика, не посвящать в дела предстоящие. Видно, неймется тебе... Бог в помощь. Иди...

Дом в старой части Васильевского острова, где находилась «нехорошая квартира», оказался, как и многие здешние постройки, облезлой пятиэтажкой с грязно-серыми стенами в разводах, высокими окнами с облупившимися рамами и пропахшим мочой и кошками обшарпанным подъездом. Не воспользовавшись допотопным лифтом в сетчатой шахте, я поднялся по широкой, выбитой ногами лестнице на последний этаж. Двери большинства квартир в подъезде были заколочены; в одной, судя по доносившимся изнутри звукам дрели и следам мела на полу, полным ходом шел ремонт. На третьем, единственном ярко освещенном этаже вместо двух замурованных дверей справа и слева появилась одна в центре, неприступная даже на вид, с вмонтированным в сталь панорамным глазком. Короче, типичная для расселенных старинных коммуналок картина — бывшие барские апартаменты в ожидании новых хозяев.

На верхней площадке я огляделся. Забранная решеткой лестница, ведущая к обитой железом чердачной двери с тяжелым навесным замком. Две ничем не примечательные деревянные двери квартир. Одна, искомая, обита старым дерматином с торчащими из прорех клочьями утеплителя. На косяке каждой двери по три захватанных пальцами звонка, рядом наклеены бумажки с фамилиями жильцов... Свисающая с потолка пыльная лампочка без плафона. Похоже, самые обычные коммуналки, в которых до сих пор живут люди. У стены — стеклянная банка с окурками и смятой пачкой «Беломора»... Поколебавшись, я все-таки прижался ухом поочередно к каждой из дверей. За одной — полная тишина. За обитой дерматином едва слышны приглушенные звуки. Слов не разобрать, но очень смахивает на кухонный скандал. Видно, у старушки действительно богатое воображение...

Постояв немного на площадке, я спустился вниз, решив на всякий случай немного понаблюдать за окнами квартиры из дома напротив. Вышел через черный ход в глухой двор-колодец с выходящей на соседнюю улицу мрачной аркой, нырнул в подъезд и снова окунулся в годами настаивавшуюся вонь. Прикрыл ладонью нос, поднялся наверх почти на ощупь — горела только лампочка между первым и вторым этажами. На тесной площадке между пятым этажом и дверью на чердак я остановился у низкого полукруглого окна. Солнце, которое скрывали дома, судя по стрелкам наручных часов, уже вот-вот должно было скрыться за свинцовой гладью Финского залива. На двор-колодец стремительно опускались короткие летние сумерки.

Я присел на подоконник и попробовал определить, какие окна принадлежат той квартире...

Кажется, вон те четыре, из которых одно кухонное. Два крайних светятся и действительно занавешены тяжелыми шторами. Через крохотную щель между шторами в одном из окон можно рассмотреть... Стоп!

Мне на мгновение показалось, что в тускло освещенной красным ночником комнате промелькнула фигура грузного мужчины. Он размахивал руками, словно делал зарядку или чересчур оживленно с кем-то беседовал. А чуть позже я разглядел... еще одного человека, высокого роста.

Шагнув из глубины комнаты в полосу тусклого света, он словно специально остановился прямо напротив меня. Ни его лица, ни фигуры я не разглядел по одной очень объективной причине.

На человеке был длинный черный балахон с накинутым на голову капюшоном!

Я похолодел. Вот вам и байки слабой на голову бабули...

Не слишком надеясь, что с такого большого расстояния, практически в темноте фотоаппарат без объектива, заряженный обычной «двухсоткой», способен запечатлеть эту сюрреалистическую фигуру, я все же сделал снимок. И для подстраховки — еще один. В сгустившейся темноте причердачного закутка две фотовспышки показались необычно яркими. И вне всякого сомнения, они были хорошо заметны с противоположной стороны двора — блики отразились в темных окнах дома напротив.

Практически одновременно со второй вспышкой человек в балахоне вдруг резко обернулся в сторону окна и стремительно задернул шторы, тем самым лишив меня возможности наблюдать за происходящим в квартире. Но и того, что я уже увидел, было вполне достаточно.

Я увидел на миг показавшееся в окне лицо.

Это был длинноволосый мужчина со впалыми щеками и сильно выступающим вперед подбородком. Неужели... Люцифер?! А второй, толстяк... Порос?!

И что теперь делать? Ведь что-то обязательно нужно делать!.. Бежать на улицу, в телефонную будку на углу Малого проспекта, набрать ноль-два и убедить милиционеров ворваться в квартиру на том лишь основании, что там бродит человек в темном балахоне? Бред! А если добавить, что этот человек — главный подозреваемый по делу о похищении ребенка?.. Нет, нужно сразу звонить не в Василеостровский райотдел, до которого отсюда рукой подать, а капитану Томанцеву. И услышать его первый вопрос: как я здесь, в потемках, оказался с фотоаппаратом в руках? Значит, придется все-таки рассказывать про пришедшего на исповедь киллера и про наблюдательную даму-хроника, находящуюся под медицинским наблюдением... Кто в это поверит? Кстати о старушке... Она ведь, скорее всего, живет вот в этой квартире, номер десять. В нескольких шагах от окна, возле которого в растерянности топчусь я...

Фотовспышки заметили, это плохо. Тот тип в балахоне понятия не имеет, кто следил за квартирой и был ли у фотоаппарата дальнобойный объектив. Зато точно знает, что его подловили в более чем необычном наряде... Если предположить, что именно он с подельниками похитил Лизочку, то что из этого следует? Он и его толстый дружок наверняка постараются как можно скорее смыться из квартиры и какое-то время в нее даже носа не казать. Никаких оргий и шабашей с закланием козла больше здесь не будет!

Надо немедленно что-то делать, нельзя терять ни секунды. Возможно, они уже спускаются вниз... Нельзя дать им уйти, другого такого шанса одним махом расставить все точки над «i» может уже не представиться. Да и времени бежать и вызывать группу захвата у меня нет. Сейчас бы сотовый телефон, но где его взять?..

Словно в подтверждение моих слов, оба тускло светящихся из-за штор окна квартиры напротив погасли...

Запихнув фотоаппарат в невесомую матерчатую сумку, я закинул ее за плечо и бегом бросился вниз. Скатился по ступеням лестницы, пересек двор, разогнав бросившихся врассыпную кучкующихся возле мусорных баков котов, через черный ход ворвался в подъезд, взлетел на площадку первого этажа, остановился возле почтовых ящиков и прислушался. Гулкие удары сердца отдавались в ушах, мешая уловить другие звуки. Кажется, тихо... Вряд ли они успели так быстро сделать ноги. Вполне могли и затаиться, справедливо рассудив, что уж коли за ними следят и даже фотографируют, то внизу может ждать засада. Что ж, подождем. Вечно так продолжаться не может — или эмир помрет, или ишак сдохнет... Если в течение трех—пяти минут сатанюги не предпримут попытки ретироваться, значит, бегство не входит в их планы. Тогда можно бежать к телефону-автомату, коротко, не вдаваясь в детали, доложить капитану Томанцеву обстановку и ждать прибытия ОМОНа...

Где-то на верхних этажах тишину подъезда нарушил отчетливый щелчок замка, а затем послышался чуть слышный скрип осторожно открываемой двери. Ага! Вот и дождался, не успел даже пот со лба утереть... Что ж, придется встретить беглецов в одиночку.

Вспомнив, что во время нашей предыдущей встречи с Люцифером у того при себе был «бульдог», я ощутил, как не только лицо, но и спина покрываются холодным потом. Отступать в любом случае поздно, а сидеть в темном углу, притаившись как мышь, и дать этим нелюдям спокойно скрыться — ну уж нет! Будь что будет... После рукопашной схватки с убийцей Маховским, когда лишь чудо и приобретенные в армии навыки рукопашного боя спасли мне жизнь, я стал регулярно заглядывать в тюремный спортзал. Похоже, не зря.

По лестнице явно спускались двое, шаги быстро приближались, слышался приглушенный шепот. Вот они миновали последний лестничный пролет, на сером фоне окна между этажами появились два силуэта — один массивный, другой тонкий, с ниспадающими на плечи длинными волосами...

Я беззвучно отделился от холодной стены и шагнул им наперерез.

И тут же мне в лицо ударил яркий луч фонарика, на несколько секунд лишивший меня зрения. Я машинально зажмурился, выбросил перед собой сцепленные крест-накрест руки и отпрыгнул в сторону, стараясь уйти подальше от гибельного для меня в этой ситуации яркого света...

— Ой, Вов, это же священник! — раздался совсем рядом испуганный женский голосок, ошарашивший меня куда больше, чем возможная встреча с направленным в переносицу тяжелым кулаком. — Простите нас, батюшка, мы не хотели вас пугать! Просто в подъезде бомжи вечно лампочки выкручивают, вот мы с мужем по вечерам с фонариком и ходим. Да опусти ты его вниз в конце-то концов!.. — спохватившись, приказала своему спутнику девушка. Луч тотчас перестал слепить мне глаза и заплясал по выщербленной плитке пола гигантским солнечным зайчиком.

— Извините, Бога ради, — пробасил из сгустившейся над оранжевым пятном темноты чуть картавый мужской голос. — Вы к кому, батюшка?

Торопливо опустив руки и проморгавшись, я смог наконец разглядеть прильнувших друг к другу людей. Это были широкоплечий, атлетического сложения мужчина ростом под два метра и длинноволосая блондинка. Он был в хлопковой рубашке, джинсах и кроссовках, она — в трикотажной кофточке с более чем вызывающим декольте, узких облегающих брюках из черной блестящей ткани и мягких теннисных туфлях.

Вот был бы номер, рванись я на эту пару с криком: «Стоять!» И девушка, и ее внушительных габаритов муж наверняка приняли бы меня за грабителя. И прежде чем зажегся фонарик, мы, скорее всего, успели бы обменяться любезностями с занесением в челюсть. Однако самое интересное началось бы позже, когда выяснилось бы, кто есть кто...

Священник с окладистой бородой в рясе до пят вдруг нападает в пустом темном подъезде на супружескую пару с кулаками — та еще картинка!

Слава Богу, фарса с мордобоем удалось избежать.

— Вы тоже меня простите, что я вас напугал. Тут так темно, хоть глаз выколи... Я, собственно... Вы не скажете, десятая квартира в этом подъезде или в следующем? — пробормотал я первое, что пришло на ум. У дома, как я успел заметить, было два подъезда.

— Здесь, на верхнем этаже... — после некоторой паузы слегка озадаченно сообщила девушка. — А зачем она вам, батюшка?!

— Боюсь, не могу ответить на ваш вопрос, — покачал я головой. — Это касается только меня и...

— Видите ли, — вмешался муж, — дело в том, что это наша квартира. Но мы, если память не изменяет, не вызывали православного священника. Мы с женой католики, родом из Нарвы... Вы ничего не перепутали, батюшка?

— Может, вам нужен другой дом? — спросила девушка со снисходительной улыбкой и, приобняв мужа, слегка демонстративно положила голову ему на плечо.

Мне нечего было им ответить. Пришлось пробормотать банальную фразу киношного профессора Плейшнера из «Семнадцати мгновений весны», которую он произнес, прежде чем проглотить цианистый калий:

— Да, я ошибся... Извините.

Я направился к выходу. Выходит, я видел в окне именно этих молодых супругов? Девушка была в домашнем халате с капюшоном, а ее энергично размахивающий руками супруг своими крупными габаритами напомнил мне толстяка Пороса...

Погодите, а где это видано, чтобы женщина, собирающаяся на прогулку, за две минуты до выхода из дома надевала халат поверх кофточки и брюк и набрасывала на тщательно расчесанные волосы капюшон? Нет, это совершенно невозможно.

— А... ваши соседи? — я оглянулся на идущих за мной молодых супругов, пытаясь уловить их реакцию на мои слова. — Может, это кто-нибудь из них мне звонил и просил освятить квартиру?

— У нас нет никаких соседей, батюшка, — безмятежно улыбнулась девушка, покачав головой. — Раньше это действительно была коммуналка, но ее уже давно расселили. И квартиру купили мы с мужем. Кстати, а какой номер дома вам нужен?

— Пятьдесят семь, — не моргнув глазом, соврал я, начиная постепенно соображать, в чем именно подвох. И я, и та дама, что писала заявление в милицию, перепутали окна! Те два крайних, где я только что видел нервно задернувшего шторы мужчину в черном балахоне, наверняка принадлежат квартире в соседнем подъезде!

— Это следующий, — махнул рукой парень. — Внимательней надо быть, батюшка...

— А сколько стоит освящение квартиры? — с любопытством спросила блондинка.

— Простите... Мне некогда...

Нисколько не заботясь о том, что подумает о странном священнике молодая пара, я выскочил на улицу, торопливо огляделся и, не обнаружив вокруг ничего подозрительного, в несколько секунд добежал до следующего подъезда и рванул на себя ручку массивной деревянной двери.

Она оказалась заперта. На обшарпанной стене дома матово поблескивала кнопочная панель новенького кодового замка. Тут же находилось встроенное переговорное устройство. Я не мог попасть внутрь, не зная кода.

А что, если со стороны двора-колодца есть дверь черного хода... И если она не заперта...

Не мешкая, я бросился в сторону ведущей во двор арки, чем в очередной раз немало удивил остановившуюся на тротуаре парочку, уже с подозрением поглядывающую на мечущегося из стороны в сторону священнослужителя в рясе, со свежей царапиной на лице и матерчатой сумкой с фотоаппаратом за плечом.

Влетев во двор, я ринулся к узкой двери черного хода, но внезапный звон разбитого стекла, эхом отразившийся от стен сырого каменного колодца, заставил меня резко остановиться и запрокинуть голову, поскольку звон донесся откуда-то сверху. И тут же я глухо охнул, ощущая, как все тело сковывает обессиливающий шок...

Из окна квартиры на пятом этаже — того самого, за которым я наблюдал из дома напротив и которое фотографировал, беспомощно размахивая руками, с жутким криком камнем падал человек!

Оторопев от ужаса, я даже не отбежал в сторону. Ноги словно приросли к земле.

С чавкающим шлепком человек рухнул на грязный асфальт в метре от меня, рядом с переполненными мусорными баками. Я почувствовал на лице теплые липкие брызги, они разлетелись во все стороны в момент чудовищного удара...

На ватных ногах я приблизился к мертвецу и присел на корточки, вглядываясь в изуродованное одутловатое лицо, вокруг которого расплывалась по асфальту багровая лужа.

Оскаленный приоткрытый рот, вывернутые наизнанку ноздри с вытекающими из них струйками крови, толстые губы и навсегда застывшее в глубоко посаженных маленьких глазках выражение чудовищного удивления. Все-таки я не ошибся. Это была первая четкая мысль после перенесенного шока. Я уже однажды встречался с этим типом и даже знал, как его зовут в определенных кругах... Порос.

Глава 12

Усиленный наряд милиции во главе с молоденьким веснушчатым лейтенантом в штатском был на месте уже через пять минут после трагедии — завидная оперативность! В райотдел позвонил кто-то из жильцов, чьи окна выходили во двор. В луже остывающей крови лежало бесформенной обмякшей грудой тело Пороса. Я, единственный очевидец падения толстяка, не стал вдаваться в объяснение причин моего тут появления, а в двух словах буквально на ходу описал случившееся, при этом «сев на хвост» милиционерам, поднимавшимся по лестнице на пятый этаж. Преграждавшую вход в подъезд массивную дверь с кодовым замком один из плечистых сержантов, разогнавшись, просто высадил плечом...

Трое вооруженных автоматами сержантов, двое оперативников и я, преодолев десять лестничных пролетов, остановились на площадке последнего этажа.

— Отойдите в сторону, батюшка, — строго приказал хмурый сосредоточенный лейтенант. Жестом показав милиционерам, кому и где встать, он достал из-под щегольского пиджака модного серого цвета табельный ПМ, снял предохранитель, прижался к стене сбоку от двери, надавил кнопку звонка и не отпускал ее целых полминуты.

Когда звонок умолк, мы прислушались. В квартире стояла полная тишина. Убийца Пороса затаился за массивной металлической дверью с глазком и явно не собирался открывать.

— Ну что ж... — после нескольких безуспешных попыток достучаться и докричаться до Люцифера (о его присутствии в квартире я упомянул неопределенно, вскользь: мол, показалось, что во время падения человека кто-то выглянул из разбитого окна) опер почесал коротко остриженную макушку и переглянулся с коллегой, чернявым лопоухим молчуном лет тридцати. — Не хотим по-хорошему, придется вызывать Карлыча... Давай, Гена, звони!

Милиционер с хитрой физиономией достал из кармана сотовый телефон — ах, бедная, бедная российская милиция! — торопливо пробежал пальцами по кнопкам и после короткой паузы нарочито бодрым голосом сказал:

— Альберт Карлович? Это вас из милиции беспокоят. Не могли бы вы прямо сейчас подъехать и открыть нам одну дверку? Очень уж ломать не хочется, да и времени жалко... Да, металлическая, с замком типа «паук»... Транспорт?.. — чернявый коротко переглянулся с лейтенантом, получил разрешающий кивок и закончил: — Нет проблем. «Бобик» будет у вашей мастерской через десять минут! Спасибо, Альберт Карлович...

Десять минут туда, десять обратно. Вполне хватит времени дойти до телефона-автомата и позвонить капитану Томанцеву. Предчувствуя целую лавину неизбежных вопросов, я без лишних слов повернулся к милиционерам спиной и стал спускаться вниз.

— Вы далеко не уходите, батюшка! — крикнул мне вдогонку лейтенант. — Еще понадобитесь, для протокола!

— Я пока выйду на свежий воздух. Что-то мне муторно, — вялым голосом пробормотал я, продолжая отсчитывать ногами ступеньки.

...Сказать, что капитан Томанцев обрадовался моему звонку и отнесся к сообщению о гибели Пороса со здоровым профессиональным оптимизмом, значит слишком исказить действительность. А что началось, когда я вкратце, оберегая тайну исповеди, рассказал о случайно полученной информации про логово чертопоклонников и сообщил о сделанных мною на месте событий фотоснимках!..

— Какого черта вы туда полезли со своим фотоаппаратом?! — застонал Томанцев. — Почему сразу же не сообщили мне?

— Не хотел услышать в свой адрес очередную грубость. Без стопроцентных доказательств, что на квартире действительно собираются сатанисты, с одними только предположениями я бы выглядел отнюдь не лучшим образом, — я старался говорить как можно убедительнее. — Зато теперь у вас есть шанс познакомиться с лохматым. Он сейчас, судя по всему, в квартире. Местный оперативник уже послал за специалистом, через пятнадцать минут дверь вскроют...

— Вы... местным что-нибудь уже говорили? — осторожно уточнил капитан.

— Пока я просто свидетель фатального полета.

— И не говорите, ладно?.. Фотоаппарат, надеюсь, при вас?

— Я передам его вам из рук в руки, — пообещал я. — С возвратом пленки, разумеется.

— Хорошо, никуда не уходите, я скоро приеду, — немного оживившись, сказал опер. — И, ради Бога, не лезьте больше на рожон! Хватит мне одного трупа...

— Пока не отыщется девочка, не могу вам этого обещать, — жестко парировал я. — Извините...

— О, черт! — взвился капитан. — И откуда вы только свалились вот такой на мою голову?! Успокойтесь, отец Павел, слышите? Освободили вашу Лизу Нагайцеву, она находится в полной безопасности! Сейчас речь идет только о задержании тех козлов, которые напали на вас на Петергофском шоссе, угрожали стволом, а потом скрылись... Один, выходит, отлетался, осталось повязать остальных... Тачку их, «террано» с битой фарой, тоже отыскали. В Колпине, в боксе. Владелец уже установлен. Так что, как видите, мы тоже кой-чего умеем...

— Что?! Повторите, что вы сейчас сказали!

— Я сказал, что девочка нашлась, — устало вздохнул Томанцев. — О подробностях потом... Короче, ни при чем тут ваши музыканты, за ними остается только инцидент на трассе. Вот накроем их шарашку, обреем наголо и отправим на гастроли в солнечный Магадан. Лет на восемь—десять.

— А как же показания киоскера про джип без запаски и длинноволосого типа с ребенком на руках? — на всякий случай напомнил я.

— Это вполне мог быть какой-нибудь заботливый папаша со своим чадом, — капитан явно торопился закончить разговор. — Вам, батюшка, уже на каждом шагу лохматые похитители мерещатся. У нас тут не Южная Корея, можешь себе хоть уши отрезать — никому дела нет. Короче, ждите меня возле дома, я скоро буду!..

Завершив разговор с капитаном, я попытался дозвониться на квартиру журналистов, хотел разделить с ними радость, но их телефон был прочно занят. Видно, не один я горел желанием поздравить ребят с тем, что беда миновала их семью. Последние трое суток они отныне будут вспоминать лишь как кошмарный сон.

Искренне радуясь за Анжелику и Дмитрия, я вдруг вспомнил разговор с их коллегой из еженедельника Толиком и подумал, что из истории о похищении и возвращении девочки получится по-настоящему сенсационный материал, который еще больше повысит популярность Анжелики Гай и Дмитрия Нагайцева среди читателей. А это в свою очередь вызовет прилив черной зависти некоторых прозябающих в безвестности коллег по редакции. Увы, такова журналистская жизнь...

Мне тогда и в голову не могло прийти, что Томанцев слукавил — похитителей все еще не поймали, а сделал он это с одной-единственной целью: уберечь от смертельной опасности постоянно сующего нос куда не следует священника. На самом деле Лиза нашлась только через неделю после событий на Васильевском. Но об этом я узнал гораздо позже...

Милицейский «бобик» со специалистом по аварийному вскрытию дверей должен был вот-вот вернуться, поэтому я покинул раскуроченную телефонную будку на Малом проспекте и вернулся на Десятую линию. Мне хотелось своими глазами увидеть, как милиционеры ворвутся в квартиру, откуда ушел в последний полет сатанист по кличке Порос.

...Вызванным на подмогу «медвежатником» оказался интеллигентного вида носатый, кучерявый дедок в простеньком клетчатом пиджачке с кожаными нашивками на локтях. Тонкими пальцами пианиста он сжимал ручку объемистого металлического кейса. Выгрузившись из канареечного цвета уазика, Альберт Карлович в сопровождении чернявого опера важно и деловито прошествовал в подъезд, вход в который уже охраняли двое молодых сержантов, отгоняя набежавших, несмотря на поздний час, зевак, местных бабулек и вездесущих мальчишек, норовивших прошмыгнуть через арку во двор и посмотреть на взаправдашнего «жмурика».

Манерой одеваться, держаться и разговаривать Альберт Карлович походил скорее на одинокого, не очень ухоженного и отутюженного, зато плотно «завернутого» на сопромате или квантовой механике преподавателя Техноложки, нежели на профессионального взломщика, этакого коренастого шнифера дядю Васю, за плечами которого три отсидки у «хозяина» и сотни взломанных сейфов. Впрочем, многие по-настоящему увлеченные своим делом люди выглядят одинаково. Они мало обращают внимания на одежду, прическу, целиком погружены в себя, чуть высокомерны и рассеянны. Вспомнить хотя бы известную всему миру фотографию Эйнштейна, запечатлевшую гения с всклокоченными волосами и высунутым языком.

Оказавшись на площадке пятого этажа, специалист не спеша оглядел всех присутствующих. По понятной причине дольше обычного его взгляд задержался на мне. Затем он молча пожал руку второму оперативнику, поставил кейс с инструментом на пол и, пожевав губами, спросил:

— Давно тут кукуете, господа Холмсы? — слова он слегка растягивал.

— С полчаса примерно, — ответил лейтенант. — Вроде как закрылся один человек с той стороны и не открывает. Сволочь.

— А что это лежит там, во дворе, под простыней? Уж не хозяин ли наших апартаментов? — Альберт Карлович кивнул в сторону замызганного окошка между этажами.

— Все зависит от того, пусто в квартире или нет, — стал объяснять веснушчатый опер. — Может, там лежит самоубийца, а может, жертва. Вот отец Павел считает, что бедолагу выбросили, а не сам он решил на скоростном лифте спуститься. Так, батюшка? — с насмешливым прищуром воззрился на меня напористый лейтенант.

— Самоубийцы падают молча и перед этим не разбивают стекол. А тут разбитое окно и отчаянный крик. Так с жизнью не кончают, — высказал я свое мнение.

— А может, он случайно. Сидел на подоконнике и вдруг — бац! Или сначала прыгнул, а потом передумал и испугался, — ухмыльнувшись, понес полную околесицу Альберт Карлович. Он присел на корточки и раскрыл чемоданчик. Помешкав немного, снизу вверх взглянул на опера и поинтересовался:

— Надеюсь, гражданин начальник, моей жизни и здоровью ничего не угрожает, дверка с той стороны не заминирована и стрельбы в упор не ожидается?

— Абсолютную гарантию, Альберт Карлович, у нас в стране может дать только Госстрах и Господь Бог, — улыбнулся парень, лукаво зыркнув в мою сторону. — Одно могу обещать твердо: в случае вашей гибели государство обеспечит лично вам бесплатные похороны, а семье — бесплатный проезд до кладбища и обратно на общественном транспорте один раз в год.

— Спасибо, утешили, бриллиантовый вы мой, — тяжко вздохнул специалист, выуживая из чемоданчика странный предмет, похожий на консервный нож, спаянный с вилкой. — А сейчас, господа хорошие, попрошу тишины... И не стойте, умоляю, у меня за спиной, это отвлекает!

Сержант с автоматом Калашникова в руках скривил губы и, отступив на пару шагов, прислонился к деревянным лестничным перилам.

Полный ощущения собственной значимости и незаменимости Альберт Карлович выпрямился, по-пиратски зажал зубами «открывашку», некоторое время осторожно гладил дверь ладонями, что-то нечленораздельно мыча под нос, потом достал из кейса крохотный фонарик-карандаш, нагнулся, посветил им в замочную скважину и торопливо спрятал фонарик в нагрудный карман пиджачка. Взяв изо рта хитрый инструмент, специалист вставил «вилку» в сейфовый замок и осторожно, миллиметр за миллиметром, принялся поворачивать пристроенный вороточек, целиком обратившись в слух. На площадке воцарилась такая тишина, что был отчетливо слышен каждый из четырех щелчков, прозвучавших с интервалом в минуту внутри тяжелой стальной двери. Все присутствующие, затаив дыхание, наблюдали за священнодействием несомненного профи...

— Ну вот и ладушки, — выпрямившись, пробормотал «медвежатник» и трижды повернул «вилку» против часовой стрелки. Дверь едва заметно отошла от косяка. — Прошу, господа, — шагнув в сторону, Альберт Карлович сделал приглашающий жест, — будьте как дома, но не забывайте, что вы в гостях! — и вытер рукавом пиджака градом струившийся со лба пот.

Видимая легкость, с которой опытный мастер одержал победу над стандартным шестилапым «пауком», таила огромное напряжение и колоссальную концентрацию энергии. Возможно, эти пять минут работы стоили пожилому еврею килограмма потерянного веса и еще одного седого волоса на голове.

— Олег! Гена! — шепотом скомандовал веснушчатый опер, обеими руками зажав в руках пистолет. Чернявый рывком распахнул дверь, а затем оба опера и один сержант мгновенно образовали что-то вроде спецназовской «черепахи» и на счет «три-четыре» с жутким грохотом вломились в прихожую.

— Ни с места! Лежать, суки! Милиция!!!

Слоновый топот трех пар ног прогремел по квартире. А потом как-то неожиданно резко наступила полная тишина.

Я, второй сержант и Альберт Карлович, медлительно вытиравший потное лицо скомканным носовым платком, стояли на площадке и вслушивались в каждый звук, доносившийся из квартиры.

Примерно через полминуты в коридоре возник молодой опер. На его пылающем от азарта лице без труда читалось разочарование. Пистолет в опущенной руке бесполезно болтался у колена. Все сразу стало ясно без слов.

— Нет никого. Пусто, как в кармане у олигарха, — сообщил лейтенант с досадой.

— Здесь тоже... — донесся голос сержанта из кухни, расположенной по правую сторону широкого, освещаемого настенными светильниками и задрапированного бордовой тканью коридора.

— Вы сюда, сюда взгляните! — послышался в конце коридора взволнованный голос чернявого оперативника, которому выпало осматривать две дальние комнаты. — Такого, бля буду, я еще в своей жизни не видел!

Не сговариваясь, мы с «медвежатником» рассудили, что данный призыв касается и нас, и вошли в квартиру, оставив приплясывающего от любопытства долговязого прыщавого сержанта сторожить вход. Продвигаясь по коридору, мы заглянули в кухню, гигантскую ванную и три обставленные с кричащей роскошью комнаты. Скромное обаяние миллионера, упакованное в персидские ковры, кожаную голландскую мебель и старинные хрустальные люстры. Вот только в одной из комнат не хватало оконного стекла. Пол и подоконник были усеяны осколками, свежий ветерок слегка покачивал тяжелые бордовые шторы. Тускло светился ночник в углу. На стеклянном столике-баре мы увидели рассыпанный белый порошок, рядом — пустой бумажный пакетик и нюхательную бамбуковую трубочку для втягивания через нос кокаина...

— Прямо сирота казанская, — спокойно констатировал Альберт Карлович, на ходу раскуривая трубку. — Проехался по ноздре и решил, что он — горный орел в отрогах Кавказа! Что ж, бывает...

Войдя в последнюю комнату — ее правильнее было бы назвать залом, — мы дружно остановились у порога и в изумлении огляделись по сторонам. Чернявый опер тихо матерился сквозь зубы. Лейтенант и сержант, опустив оружие, молча и подавленно озирались...

Мы находились в самом настоящем домовом храме, где чертопоклонники молились своему рогатому божеству. Затянутые черным атласом стены, зеркальный, отражающий предметы в перевернутом виде потолок. Вместо ламп — высокие напольные канделябры из бронзы с четырьмя зажженными свечами в каждом. Прямо напротив двери, под висящим на стене перевернутым распятием, высилась черная, в человеческий рост, статуя дьявола — лохматый сутулый урод с длинным хвостом, ослиными ушами, свиным клыкастым рылом, горящими красными глазами и козлиными копытами. Перед идолом — «алтарь» в форме лежащей в бесстыдной позе нагой женщины, на груди которой стояла золотая чаша-череп со следами засохшей крови внутри. На стенах зловеще поблескивали ритуальные ножи, висели кожаные плетки со свинцовыми ежами на конце, изогнутые ножницы для отрезания ушей и пальцев. Были здесь и картины в черных рамах, все — с изображением дьявола, прославляющие его. Их кощунственные сюжеты вызывали отвращение и ужас. Внизу каждой картины — гнусно искаженные тексты христианских молитв. Окна были плотно задернуты светонепроницаемыми шторами, украшенными вышивкой с древними символами сатаны — пентаграммами. В углу у окна стояла низкая лакированная полочка с книгами. Некоторые на вид казались очень старыми — об этом свидетельствовали потертые кожаные переплеты с потускневшими бронзовыми замками. В воздухе смешались запахи сгоревшего ароматического воска, терпкого человеческого пота, разнузданного секса и свернувшейся крови...

На полу, в самом центре зала, лежал черный балахон!

— Впечатляет, что и говорить... — обрел наконец дар речи низкорослый круглолицый сержант. Явное оканье выдавало в нем уроженца русского Севера. — А я, честно говоря, считал, что сатанисты — это просто лохматые придурки, балдеющие от металла, лакающие пиво и гоняющие по ночам на «харлеях» с бычьими рогами на руле. А тут... вот оно как... целая молельня!

— Сжечь бы тут все к едреней фене! — высказал свое мнение чернявый опер и смачно сплюнул на гладкий коричневый паркет мореного дуба. — А самих этих сволочей за яйца подвесить!

Он подошел к «алтарю», заглянул в череп, провел пальцем по стенкам чаши, растер, понюхал и скрипнул зубами.

— Бля буду, настоящее золото и настоящая кровь, может, и человеческая. Вот уебки! — пробормотал милиционер, но, взглянув на меня, явно смутился. — Извините, батюшка, сорвалось... Ну как тут не материться, коли перед глазами такое блядство!

— Ну так где же ваш убийца, а? — ехидно спросил у меня веснушчатый лейтенант. — Испарился? Или вышел в астрал? А, батюшка?..

Я предпочел промолчать. Люцифера — а я был почти уверен, что именно его скрывал черный балахон, — в квартире не оказалось. Значит, убийца Пороса скрылся буквально за минуту, ту самую, которую я потратил на осмотр тела и приведение в порядок своих задеревеневших мышц. Единственным доказательством, что в квартире в момент гибели толстяка находился еще один человек, могли стать более-менее удачные фотоснимки. Но велика ли надежда, что они получатся качественными? Я поправил висящую на плече матерчатую сумку с фотоаппаратом...

— Ладно тебе, Рома, — чернявый тронул молодого опера за локоть, но тот нервно отдернул руку. — Когда на тебя сверху с воплем летит обдолбавшийся кокса хряк весом сто пятьдесят кило, еще не такое может померещиться. Давай лучше осмотрим все повнимательней...

— До чего докатились, о-о, мама дорогая! — пыхнув ароматным табаком и не вынимая трубки изо рта, театрально всплеснул ухоженными гибкими руками

Альберт Карлович. — Они тут что же, и жертвы этому козлу рогатому приносили? — покосившись на чашу, приподнял кудлатые седые брови специалист по аварийному вскрытию дверей и сейфов.

— Как видите, — буркнул чернявый оперативник, с отвращением разглядывая рогатого идола с горящими угольями глаз. Скорее всего, глаза были сделаны из светонакапливающего материала вроде фосфора. — Сдается мне, что если бы вы, уважаемый Альберт Карлович, стали свидетелем некоторых здешних вакханалий, то ваша гуманная позиция в вопросе об отмене смертной казни сильно пошатнулась бы...

— Боже, до чего дожили!.. — продолжал причитать Альберт Карлович, с жадным любопытством разглядывая развешанное на стенах старинное оружие. — Скоро уже и в синагогу ходить станет небезопасно!.. Ах-ах! Любопытный экземпляр, вы не находите, Геннадий?

Тем временем я не спеша двигался вдоль стены, приподнимая дьявольские картины в поисках тайника. Мою цель тотчас разгадал старый «медвежатник».

— Ищете сейф, батюшка? Правильный ход мысли, смею заметить! В такой богатой и упакованной квартире обязательно должен быть тайничок-с!.. Но, пожалуй, он не здесь, а скорее...

— Я попросил бы вас, отец Павел, до прибытия экспертов ничего руками не трогать, — перебив старика, излишне строго, как мне показалось, сказал веснушчатый опер. В нем ясно угадывался недавний выпускник юрфака. — Они прибудут с минуты на минуту. Кстати, а что вы сами-то делали в этом грязном дворе? Время не слишком подходящее для прогулок по вонючим подворотням...

Этот закономерный и все же неожиданно заданный вопрос заставил и сержанта, и второго оперативника, и даже картинно попыхивавшего трубкой Альберта Карловича переключить внимание на меня.

— Да, действительно, батюшка... вы ведь так и не объяснили, что вы делали во дворе в тот момент, когда этот нанюхавшийся жирдяй выбросился из окна? — куда менее строго поинтересовался чернявый. Подумав, он убрал ненужный теперь пистолет Стечкина в кобуру.

Пауза затягивалась, нужно было отвечать. Три пары глаз пристально буравили меня в ожидании ответа.

— Дело касается тайны исповеди, — вынужден был ответить я. — Я не имею права ее разглашать даже в органах милиции и спецслужб. Это все, что я могу вам сказать.

— Не слишком убедительно. Липа, я бы сказал! — не унимался лейтенант. — Боюсь, батюшка, вам придется проехать с нами в райотдел для более детальной беседы. Сержант, а вы на всякий случай не спускайте с него глаз. Вот так, отец Павел, — подытожил, явно довольный собой и своей властью над чужими судьбами, едва оперившийся оперативник. На вид ему было не больше двадцати трех, но почему-то он чувствовал себя очень крутым и командовал своим явно более опытным коллегой. Уж не сынок ли кого-нибудь из милицейской верхушки? Очень похоже. Именно так — по-хозяйски, бесцеремонно — и ведут себя драгоценные чада. А опытные опера, которым приходится служить в одном райотделе с таким вот выскочкой, матерясь сквозь зубы, предпочитают не лезть в бутылку и продолжают тянуть свою нелегкую ментовскую лямку.

Как скоро выяснилось, моя догадка оказалась верной.

В сатанинский храм, удивленно озираясь, вошел хмурый капитан Томанцев с неизменной сигаретой в зубах.

Глава 13

Небрежно кивнув чернявому, сыщик явно нехотя обменялся рукопожатием с чересчур бойким лейтенантом, торопливо протянувшим ладонь.

— Ну просто картина Репина, — обозрев интерьер, сказал Томанцев. Он даже не взглянул в мою сторону. — Что, Семенов-младший, снова счастье привалило?

— Как видишь, — скривил губы веснушчатый опер. — Хаза сатанинская во всей своей красе. А хозяин во дворе, кокса нюхнул и по асфальту размазался.

— Бывает, — махнул рукой капитан. Тут он обратил внимание на засохшую кровь на стенках золотого черепа и тихо присвистнул. — Ни хрена себе забавы!

— А ты какими судьбами в наши палестины, Михалыч? Ты же сейчас в главке.

— Да вот старого знакомого пришел повидать, Рома, он у нас потерпевшим по одному уголовному делу проходит, — только сейчас окинув меня взглядом, устало проговорил Томанцев. — Здравствуйте еще раз, отец Павел. Интересные у нас с вами встречи получаются. Где вы — там сразу же криминал. Притягиваете вы его, что ли?..

— Ага! — обрадовался лейтенантик, бросая в рот подушечку жевательной резинки и тем нанося сокрушительный удар по подкрадывающемуся кариесу. — То-то я сразу подумал... Подозрительный какой-то батюшка нарисовался у нас на горизонте. Спрашиваю: чего это вы, падре, потеряли в вонючем дворе в первом часу ночи? А он мне с понтом: тайна исповеди не подлежит разглашению! Во фрукт, а, Михалыч?!

— Не торопитесь, лейтенант, делать выводы и давать оценки людям, которых вы видите впервые в жизни, — спокойно осадил лейтенанта Томанцев, разглядывая голую бронзовую женщину. — Отец Павел у нас заслуженный человек, бывший офицер-десантник. Сейчас — настоятель тюремной церкви на Каменном острове. Это где пожизненные гниют, — напомнил капитан. — В отпуск в родной город приехал и сразу же влип в неприятную историю...

— Вот оно что, — сконфуженно пробормотал парень, апломб с него вмиг слетел. — А что за история? Может, расскажешь, Михалыч? Или у тебя тоже тайна исповеди и все такое... Ха-ха!

Смех звучал явно натянуто. Хорошая мина при плохой игре...

— А нам скрывать нечего. Верно, отец Павел? — Томанцев подошел к полке с книгами и стал торопливо листать одну из них. — Попал наш батюшка в аварию на Петергофском шоссе, а в джипе том, что его «Таврию» в кювет снес, сидели трое приметных уродов... Стали нашему отцу Павлу пистолетиком в лицо тыкать, богохульные речи себе позволяли, на куски порубать грозились. А когда порешили обещанное исполнить, батюшка дюже осерчал и так прижал мудаков к ногтю, что те едва не описались от страха. Между прочим, один из них, самый упитанный, сейчас лежит внизу в месиве собственных мозгов и кровищи. И джип злополучный, как сегодня выяснилось, на него, родимого, записан... Не иначе ребятки решили, от греха подальше, подельничка своего грохнуть и тем самым следы замести. Ищи теперь ветра в поле... Вот такая история, Рома. А тебе, я думаю, за подозрения необоснованные и грубость к старшим, тем более к священнослужителю, стоит извиниться перед отцом Павлом. Думаю, что папа твой, генерал-майор милиции Семенов Андрей Андреич, мною лично глубоко уважаемый и по долгу службы, и просто по-человечески, сказал бы тебе то же самое... Как считаешь, Семенов-джуниор?

Томанцев бросил гнусную книжонку обратно на полку и исподлобья глянул на Романа. Лицо лейтенанта покрылось багровыми пятнами, он походил на провинившегося школьника, хотя изо всех сил старался держать грудь колесом. Плохо это у него выходило, совсем по-детски... Да ведь он и был еще желторотым юнцом.

Стоящий в сторонке и не встревающий в разговор чернявый опер чуть заметно улыбался. Круглолицый сержант упорно разглядывал какую-то гнусную картину и делал вид, что ему вообще до фени все эти разборки. Наше, мол, дело маленькое...

— Ладно, батюшка, беру свои слова назад, — надув щеки, конопатый лейтенант торопливо захлопал себя по карманам пиджака в поисках сигарет. — А то... сам посуди, Михалыч... что мог делать поп... то есть священник... в таком месте в такое гиблое время? Тут у любого мента вопросы возникнут!

— Согласен, — сгладил ситуацию Томанцев, не ставший дожимать и без того поставленного на место парня. — Как я понимаю, батюшка наш по своим каналам каким-то образом прознал про эту пакостную квартирку и, прежде чем звонить мне, решил для начала просто понаблюдать за ее обитателями. А тут вдруг такое дело... Верно я излагаю, отец Павел? — почти по-приятельски подмигнул мне капитан.

— Примерно так все и было, — кивнул я. — Только добавьте еще одну деталь. За несколько минут до убийства я успел сфотографировать того, кто выкинул упитанного молодого человека из окна. Я почти уверен, что кокаин здесь ни при чем...

После неожиданных откровений Томанцева — обычно тертые опера не слишком разговорчивы, даже с коллегами, — уже не имело смысла что-либо скрывать. В любом случае сегодняшний эпизод будет прицеплен к инциденту на Петергофском шоссе и делом продолжит заниматься капитан. Несмотря на то что убийство Пороса произошло на территории, которую «держали» местные опера.

— Чудно́, — сокрушенно покачал головой лейтенант Семенов. Щелкнув дорогой зажигалкой, он жадно затянулся и пыхнул дымом в зеркальный потолок. — Я так понимаю, Михалыч, нам можно не напрягаться, дело это все равно вам отфутболят?

— Напрягаются в туалете, джуниор, — беззлобно хмыкнул Томанцев и похлопал лейтенанта по плечу. — А ты, ладно уж, можешь просто расслабиться...

— Расслабляются в постели с девочкой, — не остался в долгу озорно сверкнувший глазами молодой опер.

На прикрытый простыней труп Пороса, лежащий на заплеванном асфальте, с низкого, свинцового, несмотря на белые ночи, питерского неба упали первые тяжелые капли дождя...

— Веселые вы менты, как я погляжу, — сказал, растоптав окурок, нахмурившийся Томанцев уже без толики юмора. — Короче, дело к ночи. Ковыряйтесь тут со своим жмуром, отписывайтесь, шмонайте, а мы с отцом Павлом уходим... проявлять фотографии. Сейчас подойдет мой человечек с видеокамерой, так что вы не пугайтесь — это свой, а не журналюга с телевидения. В общем, бывайте, соседи. Привет отцу, Семенов-младший!

— А показания? — оживился лейтенант.

— Будут тебе показания, парень. Завтра, — успокоил капитан, кивком головы указывая мне на дверь в коридор. — Пойдемте, батюшка. Нас ждут великие дела...

Спустившись вниз, мы вышли из подъезда, в несколько секунд миновали заметно поредевшую, жмущуюся под зонтами толпу зевак на тротуаре и уединились на мягком заднем сиденье черной «Волги» с номером ГУВД.

— Денис, погуляй пока, — коротко бросил капитан сидевшему за рулем парню с бритым затылком. Тот, кряхтя, вылез из машины под дождь, захлопнул дверцу, отошел под прикрытие козырька подъезда и закурил, демонстративно не глядя в нашу сторону.

— Ну, рассказывайте, кто вас навел на квартиру, — сухо потребовал Томанцев. — Только, Бога ради, без этих ваших церковных закидонов! Только факты! Кто?

— Я не знаю этого человека, — сказал я чистую правду. — Я встретился с ним сегодня... точнее, уже вчера вечером впервые в жизни. Он пришел в храм на исповедь. И вскользь упомянул о квартире на Васильевском острове, где, по слухам, собираются типы в черных балахонах, жгут свечи, приносят в жертву животных и устраивают оргии. Их шабаш неоднократно видела одна пожилая дама из дома напротив и даже писала заявление в милицию. Но у нее давно проблемы с головой, так что всерьез к бумажке не отнеслись... Вот и все, что я узнал... Вы понимаете, что я не мог оставить эту информацию без внимания. А звонить вам не стал, чтобы за психа не приняли... Просто взял фотоаппарат и приехал сюда. Вычислил, куда выходят окна квартиры, зашел в подъезд напротив, поднялся наверх и стал ждать... Шторы не были до конца задернуты. Сначала я увидел толстяка, размахивающего руками. Потом к окну подошел тип в балахоне, и я отщелкал два кадра. Он, по всей видимости, заметил вспышку. Задернул шторы, потом погас свет...

— А минуту спустя, зная, что за квартирой наблюдают, вышвырнул из окна этого жирдяя! — нервно выпалил капитан. — Так, что ли?

— Возможно, у него не было другого выхода, — предположил я. — Порос — опасный свидетель, через него вы могли выйти на Люцифера и Воланда.

— Ох уж мне эти ваши предположения! — скрипнул зубами Томанцев. — Ладно, давайте свою пленку.

Я достал из сумки фотоаппарат, вынул кассету и положил в широкую ладонь Томанцева. Пленка тут же исчезла в недрах его куртки.

— Завтра верну в целости и сохранности. Надеюсь, отец Павел, фотограф из вас не хуже, чем частный детектив, — поддел капитан, выуживая из карманов сотовый телефон, авторучку и замусоленную записную книжку. Набрал номер, прижав телефон к уху плечом, раскрыл записную книжку на чистой странице, дождался соединения и, перебрасываясь с собеседником короткими фразами, принялся быстро что-то записывать.

Закончив разговор, убрал телефон в карман и внимательно посмотрел на меня.

— Так... касаемо нашего летающего барана... Похоже, это действительно хозяин квартиры. Некто Посаженников Леонид Вячеславович, тысяча девятьсот семидесятого года рождения, уроженец города Подольска Московской области, холост, проживает в городе на Неве, Десятая линия Васильевского острова, дом, квартира известны.

Томанцев нахмурился и задумчиво почесал колючий подбородок.

— А вот дальше уже интересно! Отец, Посаженников Вячеслав Григорьевич, сотрудник Министерства иностранных дел России, в настоящее время находится с супругой в долгосрочной командировке на Тайване... Сын, по крайней мере официально, безработный, — капитан хмыкнул. — Однако по не проверенной пока агентурной информации владеет частью акций петрозаводского ликеро-водочного завода. Плюс роскошная квартира и автомобиль типа джип марки «ниссан-террано», цвет черный, год выпуска девяносто третий. Данная тачка обнаружена местным участковым в одном из частных автосервисов в Колпине с характерными повреждениями в правой передней части. Разбита фара и видны отчетливые следы белой эмали, предположительно полученные во время столкновения с другим транспортным средством... Какого цвета была «Таврия» вашего протоиерея?

— Белая.

— Что и требовалось доказать, — дернул подбородком опер. — По закону за проделки на Петергофском шоссе, включая ДТП, угрозу ритуального убийства, вооруженное нападение и попытку захвата, а также незаконное хранение пистолета системы «бульдог», кое-кому светит как минимум лет пять—семь зоны. Но с загадочной гибелью гражданина Посаженникова сильно пахнущий фекалиями след, ведущий к его корешам, обрывается... Едем дальше...

Дождь усилился. Казалось, будто на крышу «Волги» сверху непрерывным потоком сыпется сушеный горох. Залитое потоками воды ветровое стекло напоминало об автоматической мойке...

— Факт существования рок-группы «Гниющие внутренности» и ее скандального шоу подтвердился, однако... Никаких следов ее недавнего пребывания в нашем городе не обнаружено! Менеджер ночного клуба «Зевс», в помещении которого полгода назад проходил концерт группы, подтвердил, что лично знаком со всеми ее участниками, включая продюсера. Но музыкантов знает исключительно по кличкам, а продюсера по имени — Самуэль...

— Один из ближайших подручных сатаны, — машинально произнес я.

— Что? — удивленно приподнял брови Томанцев.

— Самуэль — имя одного из тринадцати главных бесов, приближенных врага человеческого, — пояснил я. — Скорее всего, это тоже кличка, как и Воланд...

— Я так и подумал, — помедлив, кивнул Томанцев и снова вернулся к своим каракулям. — За одно трехчасовое шоу клуб выплатил Самуэлю пятьдесят тысяч долларов наличными. Не слабо!.. Но прямых выходов на продюсера у менеджера нет. Есть только номер зарегистрированного на Кипре сотового телефона. Пожалуй, это все, что нам известно на сегодня... Ах, да! — поморщился, словно глотнув уксуса, сыщик. — Мужчину, фоторобот которого был составлен по вашим показаниям, отец Павел, менеджер опознал как одного из участников группы, ударника по кличке Люцифер. Так что не зря вы штудировали подшивку «Невского репортера», поздравляю...

— Вы на сто процентов убеждены, что этот тип не имеет никакого отношения к похищению Лизы Нагайцевой? — спросил я.

— Разумеется, — недовольно сморщился капитан. — Я ведь уже сказал.

— Теперь, когда девочка нашлась и находится вне опасности, вам нужно серьезно поговорить с Анжеликой, — настаивал я. — Возможно, она раскроет источник информации, сообщивший ей о гастролях. На всякий случай необходимо точно выяснить, пересекались ли раньше пути журналистки и кого-либо из участников группы. Может, случайная встреча... незабытое оскорбление... Если Люцифер замешан в похищении, то обязательно должна существовать убедительная причина!

— Если! — предостерегая меня от поспешных выводов, Томанцев поднял указательный палец. — Вот именно — если причастен! Первый, кто мог подтвердить или опровергнуть его причастность к киднепингу, — это Порос. А он мертв!.. Словом, не стоит гадать на кофейной гуще, отец Павел, — отсек возражения оперативник, снова закуривая сигарету.

— А может, мне самому поговорить с Анжеликой? — спросил я, понимая, что на сегодня тема исчерпана.

— Я, кажется, один раз уже предупреждал вас, батюшка, — устало буркнул Томанцев, выпустил через нос дым и пристально посмотрел мне в глаза. — Начиная с этой минуты никакой самодеятельности! Никакой! Не хватало мне еще одного трупа, сбитого не установленной машиной или застреленного на одной из безлюдных улочек частного сектора Стрельны! Денис прямо сейчас отвезет вас домой. Свидетельские показания напишете завтра, я пришлю человека ближе к обеду. Надеюсь, завтра вы будете в храме?

— Да. Я буду там весь день.

— Вот и отлично! — Томанцев взялся за ручку, приоткрыл дверь «Волги» и коротко свистнул. Водитель натянул на стриженый затылок воротник голубой джинсовой куртки и с резвостью пули метнулся к машине. Распахнув дверцу и запрыгнув на сиденье, обернулся, вопросительно взглянул на капитана.

— Денис, завезешь меня на Литейный, а потом подкинешь отца Павла в Стрельну, — сказал Томанцев.

— У меня бензин почти на нуле! — сообщил радостное известие парень и, наткнувшись на тяжелый взгляд Томанцева из-под насупленных бровей, пожал плечами. — До конторы еще хватит, а до Стрельны и обратно — вряд ли.

Чуть слышно чертыхнувшись, оперативник порылся в кармане и достал смятую купюру:

— На, живоглот! Небось слил уже за неделю три канистры для своего «жигуля», а теперь плачешь...

— Не надо, — я остановил руку Томанцева. — Я заплачу.

— Ну, дело ваше, банкуйте, — не стал настаивать сыщик и поспешно убрал деньги. — Все, Копытин, заводи свой «фердинанд», ставь мигалку и погнали!..

Из нависших над городом черных туч продолжал хлестать холодный дождь. По асфальту текли мутные пузырящиеся реки, из-под колес с шумом проносившихся автомобилей вырывались, заливая пустые тротуары, грязные цунами. Улицы Питера казались мрачными и неуютными. А в пропахшем табаком велюровом салоне милицейской «Волги» было тепло и сухо. Урча сильным мотором, машина быстро неслась мимо Ростральных колонн и Биржи к скрывающемуся за пеленой дождя Зимнему дворцу.

Достав из бардачка кассету, Денис вставил ее в магнитофон. Из динамиков у заднего стекла полилась мелодия классического блюза. Чернокожий маэстро Луи Армстронг хриплым голосом тянул свой неподражаемый, узнаваемый с первых аккордов «Чудесный мир».

Это была любимая мелодия моей Вики...

В мокром тонированном стекле автомобильной двери я вдруг увидел ее лицо. Она улыбалась и звала меня за собой. В вечность.

Усилием воли, стиснув зубы, я заставил себя отвернуться от стекла, откинул голову на мягкую спинку сиденья и прикрыл глаза. Каждое напоминание о моей безвозвратно ушедшей прошлой жизни отзывалось в сердце ноющей болью. В этом красивом, величественном и трижды проклятом городе о ней напоминало буквально все. Это было невыносимо. Впервые с момента возвращения в Петербург меня вдруг с невероятной силой потянуло на затерянный в вологодских лесах остров, к его мрачным стенам и пожизненным узникам. Подальше от самого себя.

— Сделай погромче! — тронув водителя за плечо, попросил капитан. — Это моя любимая тема у старика Луи...

Глава 14

Домик моего духовного наставника находился в пятнадцати минутах быстрой ходьбы от станции Стрельна и оживленного шоссе, в тихом глухом уголке поселка. Чисто символическая изгородь с вечно открытой калиткой окружала поросший полуметровой осокой участок, на котором стоял приземистый сруб под серой шиферной крышей; два окошка по фасаду были украшены резными наличниками. Возле дома росли четыре древние яблони с замшелыми стволами и три стройные серебристо-голубые елочки, посаженные отцом Сергием в день моего посвящения в сан. Фасадом дом выходил на узкую малоезженую, раскисающую в непогоду грунтовку. С торцов сруб подпирали два обнесенных высокими кирпичными оградами новеньких особняка — три года назад их здесь не было. Такие дома росли теперь на месте снесенных хибар, как грибы после дождя. Оба коттеджа до сих пор были не заселены и глядели на мир пустыми глазницами окон. Зато позади сруба участок выглядел гораздо живописнее, плавно спускаясь к журчащей ниже по склону речушке Стрелке, за которой пестрым цветочным ковром расстилался заливной луг. Словом, это было далеко не самое плохое место в округе, по крайней мере сейчас, пока не объявились хозяева коттеджей со своими барскими привычками и амбициями...

Подпрыгнув на ухабе, царапнув днищем по гравию и едва не завязнув в очередной глубокой луже, забрызганная грязью милицейская «Волга» остановилась у распахнутой, вросшей в землю калитки. На лице Дениса читалось заметное облегчение: короткое, но изнурительное ралли по чавкающей грунтовке, грозившее обернуться потерей казенного глушителя, осталось позади.

— Всего доброго, батюшка, — парень нетерпеливо зыркнул на меня в зеркало заднего вида, недвусмысленно давая понять, что он меня больше не задерживает. — Приятно было познакомиться...

— До свидания, Денис. Спасибо, что подвез, — попрощался я, вылезая из машины. «Волга» с ревом сорвалась с места, обдав меня бурыми брызгами. Проводив автомобиль взглядом, я вздохнул, поправил висевшую на плече сумку с фотоаппаратом и, спасаясь от дождя, торопливо зашагал по вытоптанной в высокой траве тропинке к крыльцу. Старый дом устало глядел на мир освещенным окошком в комнате отца Сергия, задернутым тюлевой занавесочкой.

В сенях, где тускло горела свисающая с потолка лампочка, я зачерпнул деревянным ковшиком из ведра прохладной родниковой воды и не спеша выпил его до дна. Ни один напиток в мире не может сравниться с настоящей живой водой, пробивающейся к свету из земных недр! Иметь на своей земле журчащий родник — это просто дар Божий. По преданию, еще в языческие времена, когда древние русичи поклонялись Перуну, земля на двадцать локтей вокруг родника считалась обладающей целебной силой, ибо сюда упала слеза божества. Хозяина этой земли объявляли избранником Перуна. На протяжении нескольких столетий в таких местах строили языческие капища...

Сегодня в любом магазине можно купить пластиковый сосуд с отдающей хлоркой «экологически чистой живой водой» из-под крана. А здесь, у отца Сергия, она действительно живая, целебная...

Повесив ковшик на вбитый в стену гвоздь, я отворил дверь и вошел в комнату. На меня приятно пахнуло теплым духом протопленной березовыми дровами русской печки.

Отец Сергий с закрытыми глазами лежал на кровати у стены, укрывшись пледом из верблюжьей шерсти, и, казалось, спал. Я сразу заметил на столике стакан с водой, пузырек с корвалолом и какое-то еще лекарство в броской импортной упаковке. Только этого еще не хватало...

— Батюшка, — тихо позвал я, опустившись на табуретку возле кровати и разглядывая осунувшееся, с заострившимися чертами лицо настоятеля.

Отец Сергий медленно открыл глаза, улыбнулся и нашел слабой рукой мою ладонь.

— Опять сердце? — спросил я, заранее зная ответ. В последний год здоровье старика заметно ухудшилось, это было видно невооруженным глазом. Он уже перенес один инфаркт прошлой осенью, но скрыл это от меня. Об инфаркте я узнал случайно, от бабы Маши. — Может, вызвать врача?!

— Нет, не надо, — устало покачал головой отец Сергий. — Прихватило слегка. Мне уже лучше... Как съездил?

— Нормально, — не кривя душой, ответил я. — Девочка нашлась... Моя помощь не понадобилась.

Я решил, что не стоит сейчас рассказывать отцу Сергию об убийстве Пороса, о сатанинском храме и о том, что милиция все-таки напала на след виновников той злополучной аварии на Петергофском шоссе. Не стоило волновать и без того сильно ослабевшего после сердечного приступа старика. Я обязательно расскажу ему все, но не сейчас... Сейчас ему нужны только покой и доброе слово близкого человека.

Я знал: кроме меня, у отца Сергия не было в этом мире ни единой родной души...

— Слава Богу, — снова улыбнулся настоятель, глубокие морщины на его лице словно разгладились, взгляд просветлел. — Ты приехал на машине? Я слышал звук мотора...

— Да, меня подвезли на милицейской «Волге», — неосторожно ответил я и тут же пожалел об этом. Умиротворенное выражение вмиг исчезло с изможденного лица священника, а пальцы, сжимающие мою ладонь, напряглись.

— Ты не договариваешь, Павел, —после короткого молчания сказал он строго, с трудом шевеля бледными губами. — Не все так уж хорошо, верно? Что случилось?

— Милиция напала на след сатанистов, тех, с трассы, — нехотя ответил я и отвел глаза. — Нашли хозяина джипа, но за несколько минут до задержания он выбросился из окна. Или ему помогли... Но это вряд ли что-то изменит. Личности всех трех установлены, не сегодня завтра их найдут. За разбитый автомобиль по закону полагается компенсация, — улыбнулся я, пытаясь хоть как-то разрядить напряженную тему. — Во сколько, отец, оцениваете вы раскуроченную «Таврию»?

На сей раз протоиерей молчал долго, задумчиво глядя то в потемневший от времени дощатый потолок, то в окно, за которым все еще лил холодный дождь. Наконец он перевел взгляд на меня и сказал:

— Сегодня вечером опять приезжали на «мерседесе» два бритоголовых парня в спортивных костюмах. Глеб и Артур. Близнецы.

— Какие близнецы? Куда приезжали? — спросил я, настороженно вглядываясь в лицо старика.

— Они уже навещали меня здесь за день до твоего приезда, — тихо сообщил настоятель, — предлагали продать дом с участком. За двадцать пять тысяч долларов. Я отказался... — Он сглотнул подступивший к горлу ком. Было видно, что отцу Сергию трудно говорить, а на эту тему — особенно.

— Сегодня они предложили уже тридцать, — продолжал он. — С условием, что я подпишу договор не позднее понедельника. Но я повторил им то же самое — пока я жив, дом не продается. А после моей смерти ты как наследник будешь вправе распоряжаться им по своему усмотрению, отец Павел...

— И что эти... близнецы сказали? Они вам угрожали? — Я пропустил мимо ушей впервые прозвучавшее из уст настоятеля упоминание о наследстве.

— Пообещали, что, если я не подпишу документы к указанному сроку, им будет очень-очень жаль, — глухо произнес старик и закрыл глаза.

Место, куда упала небесная слеза... Исцеляющее и святое... Словно магнитом притягивающее повылазившую изо всех щелей и набившую карманы нечисть. Я сразу подумал о соседних трехэтажных особняках. Возле них нет родника и спуск к реке не такой удобный, как за домиком отца Сергия...

— Этот мир просто сходит с ума, — сказал я вставая. — Попробую еще раз позвонить генералу. Никто не вправе заставить вас продать дом, пока вы сами этого не пожелаете! Телефон у вас работает?

— Сядь, — тихо, но твердо приказал отец Сергий, открыв глаза. Я нехотя повиновался. — Я решил: будь что будет. Не надо никакой милиции и никакого генерала... И не спорь со мной, отец Павел. Это мое окончательное решение. Надеюсь, ты не станешь ничего предпринимать за моей спиной. Ведь так?

Мне стоило немалых усилий выдержать его пристальный взгляд и молча кивнуть в ответ. Я не мог идти против желания моего духовного отца, хотя не хуже его знал, что означает оброненная бритоголовыми близнецами невинная фраза: «Нам будет очень-очень жаль...»

От нее веяло кладбищенским холодом.

Живая вода... Святое место... Ребятишки... Такие же, как те, что бросили в икону Пресвятой Богородицы пакет с бычьей кровью? Да, только старше, нахрапистее и злее.

Господи, что произошло с этим миром, с этой огромной и великой страной всего за какие-то несколько лет?!

— Там, возле печки, горшочек с вареной картошкой, а на столе хлеб и масло, — чуть слышно произнес отец Сергий. — Чайник на печке. Поешь и ложись спать. Прошу тебя. Утро вечера мудренее...

Я послушался — наскоро перекусил, выпил стакан еще теплого чаю и отправился спать в другую комнату. Уснуть мне удалось далеко не сразу.

Мог ли я знать, что утро для нас обоих может и не наступить?..

Глава 15

Прежде мне редко снились плохие сны. Только на службе, вдали от родины, я начал видеть по ночам кошмары. Но самые страшные, от которых просыпаешься в холодном поту, рывком вскакиваешь с кровати и слышишь пронзительный звон в ушах и бешеный стук рвущегося из груди сердца, пришли в первые после гибели Вики недели. Окончательно сломленный и опустошенный, я пытался тогда топить горе в прозрачной огненной воде и стоял буквально в шаге от самоубийства. Меня спас отец Сергий, однажды утром неожиданно позвонивший в дверь моей маленькой питерской квартирки на улице Чапаева...

Сегодня мне снова приснился кошмар. Более того: я впервые в жизни видел себя со стороны, что, говорят, бывает с людьми, перенесшими клиническую смерть.

Вот он я, на ватных ногах вбегающий в пропахший кошками и мусорными контейнерами двор-колодец на Васильевском острове. Откуда-то сверху слышится звон разбитого стекла. Я запрокидываю голову и вижу падающего в брызгах сверкающих осколков Пороса. Его пронзительный, поросячий визг больно бьет по ушам. Грузное студенистое тело сатаниста падает на разбитый асфальт. Я слышу треск лопающейся перезрелой тыквы — это раскалывается пополам от чудовищного удара его череп. Несколько теплых липких капель в момент удара летят мне в лицо. Я приседаю на корточки и заглядываю в мертвые удивленные глаза толстяка. Вдруг они оживают, один из них лукаво подмигивает мне, лицо приходит в движение, и Порос радостно лопочет, хрустя сломанной челюстью:

— Вы думаете, представление уже закончилось, батюшка?! Девчонка сопливая нашлась, и конец?! Ошибаетесь! Шоу живых мертвецов еще только начинается! Добро пожаловать в первый ряд, отец Павел... А-а, вот и актеры подоспели! — булькает Порос, глядя куда-то поверх моего плеча. Изо рта у него начинает сочиться кровавая пена. — Привет, ребята! Буль-буль! Кажись, отлетался...

Я рывком оборачиваюсь, вскакиваю на ноги и вижу двух совершенно одинаковых громил в спортивных костюмах, с обритыми наголо головами и бульдожьими физиономиями.

— Ну что, генералу вздумал звонить, падла?! — размахивая перед моим лицом распальцовочкой, нагло цедит сквозь зубы один из них. — А генерал-то уже давно тю-тю! Гниет вдали от родины, весь уже опарышами изъеден, одни голые кости остались. Хочешь к нему?!

— На, поп, подписывай, — сует мне в лицо какую-то бумагу с гербовой печатью второй браток. — На месте твоего дома мы построим водочный заводик! С такой классной родниковой водичкой отрава получится вку-у-усная! Много людей подохнет!

— Это дом отца Сергия, — чужим хриплым голосом начинаю вдруг объяснять я.

— Ой, уморил! Ой, держите меня! — первый браток падает на пятую точку и начинает дрыгать в воздухе ногами от смеха. — Какой такой отец Сергий?! Ты что, с луны свалился?!

— Помер он уже давно, — лениво сообщает второй близнец. — Как и обещал, не дожив до понедельника. Теперь ты хозяин развалюхи. Подписывай давай, наследничек, у нас спирт прокисает и бутылки пылятся, пора начинать производство...

Я с размаху засвечиваю одному из брательников кулаком в лицо. Но он вдруг исчезает, а я по инерции лечу вперед, натыкаюсь на невидимую стену и оказываюсь в квартире Пороса. Со связанными руками, стоя на коленях. Рогатая и клыкастая статуя сатаны вдруг оживает, сходит со своего места и начинает с воплями и бранью метаться по комнате, сверкая красными глазами и цокая козлиными копытами по паркету. Сквозь разбитое внезапным порывом ветра окно и развевающиеся бордовые шторы с вышитыми золотом пентаграммами в сатанинский храм врывается вихрь сухих листьев, они смерчем крутятся в воздухе и с шорохом, похожим на шепот тысячи голосов, ложатся на пол, выстилая его ковром. Нечистый отпускает очередное проклятие, подбегает ко мне, хватает за горло и начинает душить, злорадно приговаривая:

— Ты думаешь, отмазал дурачка Скопцова от вышки, так теперь все?! А настоящий-то маньяк гуляет на свободе! Это он изнасиловал твою жену и насадил ее на кол, а заодно и твоего зародыша! Жаль, дурику Люциферу не удалось принести тебя в жертву. Ангел-хранитель, блин, помешал... Ну ничего, ничего, скоро мы с тобой снова встретимся... Слышишь этот шелест? Это идет твоя смерть! Она уже пришла! Эй, старуха, забери вот этого клоуна в рясе...

Изо рта рогатого урода начинает капать тягучая слюна. Он продолжает стискивать мою шею железными пальцами и облизывается раздвоенным на конце языком змеи. Шорох кружащих по ритуальному залу листьев переходит в оглушительный треск, он становится все сильнее и сильнее и вскоре заглушает все остальные звуки. Я напрягаю все силы, разрываю стягивающую запястья веревку и, вцепившись в предплечья поросших жесткой свиной щетиной корявых лап, дергаю что есть мочи... Неожиданно легко они отламываются...

...В следующий миг я подпрыгнул на кровати, лихорадочно озираясь по сторонам, и тут же прижал ладони ко рту, забившись в душераздирающем кашле. Инстинктивно сполз с кровати на пол, стянув за собой сбившиеся в комок влажные от пота простыни, и, захлебываясь от кашля и слез, по-пластунски двинулся к двери. За окном полыхали, бросая жуткие отсветы на стены комнаты, оранжевые языки пламени. С трудом я понял, что это уже не сон и бревенчатый дом отца Сергия действительно объят пламенем. По комнате черным вязким туманом стелился проникающий во все щели угарный дым!

— Отец!.. — Я пытался закричать, но изо рта вырвался только сдавленный хрип. Голова раскалывалась, сознание таяло, тошнота подступала к горлу...

Ядовитый воздух обжигал легкие. Свободной от медленно поднимавшегося под потолок дыма оставалась только узкая полоска пространства у самого пола. Припадая лицом к крашеным доскам, я дополз до двери и ударом кулака распахнул ее, почти не ощутив боли, молнией полыхнувшей в разбитых суставах пальцев. Где-то со звоном лопнуло накалившееся от огня оконное стекло...

Отец Сергий, слава Богу, был жив, и это придало мне дополнительные силы, спасло от роковой потери сознания. Протоиерей тоже проснулся от дыма, поднялся с кровати и теперь стоял на коленях возле печи, покачиваясь и держась руками за горло. Его лицо стало землисто-серым, широко открытые глаза были неподвижны, лишенное живительного кислорода тело конвульсивно вздрагивало. Еще чуть-чуть, и изношенное сердце старика не выдержит...

Охвативший уже весь фасад дома огонь свирепо вгрызался в старое сухое дерево. Над головой с грохотом и треском начал взрываться шифер. Внутри дома все окончательно заволокло черным угарным дымом, жар становился все сильнее. У меня оставались считанные секунды, чтобы спасти жизнь старика и свою собственную. На мне уже тихонько начинала тлеть одежда...

Говорить не было сил — в легкие словно залили раскаленный свинец. Поэтому я без лишних слов двумя отчаянными рывками дополз до отца Сергия, схватил его за воротник льняной рубахи и с упорством рвущегося из трясины увязшего в болоте кабана, что есть силы поволок старика в сени. Там каким-то чудом продолжала светить лампочка, хотя уже начинала мигать...

В глухих сенях дышать было еще труднее, чем в комнатах, куда через лопнувшие стекла окон вместе с языками пламени проникал «свежий» воздух с улицы. Однако он же способствовал стремительному распространению пожара, его языки уже начали свой ужасный танец внутри дома, тянулись к киоту с иконами.

Я плохо сознавал, как мне удалось, волоча за собой уже не подающего признаков жизни отца Сергия, ползком преодолеть несколько бесконечно длинных метров, отделявших меня от выхода на улицу. Помню только, как отчаянно, словно в агонии, что есть мочи ударил по двери ногой, срывая щеколду. Еще помню, как легкие жадно глотнули дымного воздуха...

«Теперь одно усилие, самое последнее!» — метрономом стучало в моем отравленном ядовитым газом воспаленном мозгу. Нужно только перетащить старика через высокий порог и вместе с ним кубарем скатиться вниз по трем покосившимся деревянным ступенькам. А там можно упасть лицом в сырую, горько пахнущую обгорелой травой землю и окончательно потерять сознание. Возможно, нас даже спасут... Кто-нибудь из дальних соседей, разбуженных среди ночи громким треском и мерцанием на окнах оранжевых бликов, прибежит равнодушно поглазеть на редкое, холодящее кровь зрелище. Только это могло дать нам шанс не быть погребенными под руинами пожарища. Об ангелах-хранителях без крыльев — в огнеупорных костюмах и масках — в тот миг я даже не думал. При любом раскладе пожарный расчет приехал бы слишком поздно, когда спасать уже некого и нечего. Им осталось бы только размотать шланги и залить пеной высоко взметнувшийся в сумеречное небо факел, доедающий старый приземистый домишко...

Все эти мысли промелькнули у меня в голове за тысячную долю секунды, пока распахивалась просевшая от времени входная дверь.

И тут же в мокрую доску крыльца в нескольких сантиметрах от порога с интервалом в секунду одна за другой вгрызлись две бесшумно вылетевшие из мрака трассирующие пули. Острый кусок дерева просвистел рядом с моей головой, едва не распоров щеку, и его поглотило непроглядное дымовое облако сеней.

Снайпер! Вот этого я никак не ожидал... Притаившийся где-то напротив крыльца в непроглядной от дыма и дождевых туч темени, он терпеливо ждал этого момента, чтобы не дать нам выбраться из дома, ставшего крематорием, где по бесовской задумке оставшегося за кадром сценариста должны были заживо сгореть два человека! Или...

Третья светящаяся пуля, беззвучно ударившая в крыльцо практически на одной линии с двумя предыдущими, отмела все возможные варианты.

Чисто инстинктивно уходя с линии огня, я отпрянул назад, в клубы черного дыма, не менее смертельные для нас, чем летящий в голову со скоростью сотни метров в секунду кусочек раскаленного металла. Лампочка под потолком в последний раз мигнула и погасла...

Глоток уличного воздуха все же немного прояснил сознание, и я с ужасом понял, что нас хотят не п р о с т о убить, а непременно сжечь! Пуля, извлеченная милицейским паталогоанатомом из обгоревшего до неузнаваемости трупа, — слишком очевидная улика! Особенно если оба потерпевших православные священники, один из которых уже замешан в шумном уголовном деле. Волна поднимется нешуточная... Другое дело — банальный, хоть и трагичный, несчастный случай со смертельным исходом. И никакого криминала. Правда, остается вопрос о причине возгорания, но с такой «мелочью» в наше время вряд ли кто-нибудь из следователей станет возиться, если есть возможность списать гибель людей на неосторожное обращение с огнем, на старую проводку, в крайнем случае — на ночную грозу...

На какое-то неуловимое мгновение я растерялся. Врожденный инстинкт самосохранения подсказывал только один вариант спасения: вперед, под пули! Будь что будет! Возможно, о н и не станут рисковать! Сообразят, что замысловатый план не сработал, актеры-камикадзе, подстегиваемые самым сильным человеческим рефлексом — выжить, вышли из-под контроля и предпочли умереть от пули, а не от огня, и ретируются?

Нет! Если я попру напролом, нас обоих просто застрелят, поставив пусть не совсем круглую и гладкую, но все-таки точку. В любом случае нас не оставят в живых. В правилах веселой игры в крематорий такой вариант для жертвы не рассматривался изначально.

Нет человека — нет проблемы. Мы оба, так уж распорядилась лихая судьба, кое для кого представляли проблему. Большую проблему. Но только живые. Кто бы ни стоял за поджогом дома и пулями снайпера — банда сектантов или братья-близнецы, — они стремились таким затейливым образом данную проблему решить раз и навсегда...

Тихий, едва слышный сквозь треск пожара стон лежащего навзничь рядом со мной отца Сергия вывел меня из оцепенения лучше прямой сердечной инъекции адреналина! Он напомнил мне о том, что сейчас от меня зависит не только моя собственная участь, но и жизнь моего духовного отца. Самого близкого для меня человека из ныне живущих на земле. Эта висящая на волоске, едва теплившаяся жизнь взывала о помощи.

Наверное, еще никогда мой мозг не работал в таком бешеном режиме! Почти парализованный токсинами и непонятно как еще функционирующий. Он прогнал за долю секунды десятки самых безумных и фантастических комбинаций и все-таки нашел ту единственную, которая давала нам с отцом Сергием крохотный шанс выжить в этом адском костре!

Я вспомнил о погребе в доме отца Сергия! Глубокий и холодный даже в редкую для хмурого Питера летнюю жару, он исправно служил одинокому старику хранилищем для нехитрых припасов и отчасти заменял холодильник. Спуститься в него можно было через люк под столом в ближней комнате...

Последующие события на девяносто девять процентов стерлись из моей памяти, остались лишь похожие на плохо проявленные фотографии обрывки полубредовых видений.

Я дополз до заветного люка в полу! Практически не дыша, с закрытыми, уже ничего не видящими обожженными глазами, в дыму и пламени я волочил за собой ставшее невероятно тяжелым обмякшее тело старика. Отшвырнул тлеющий от жара плетеный коврик, поднял люк... И провалился в мрачное безвременье. Вязкое, пульсирующее и ледяное...

Я не знал, что несколькими минутами позже на обшитый изнутри металлическим листом, плотно пригнанный к проему в полу люк рухнули пылающие потолочные балки, не ощущал, как сверху на меня теплыми струйками полилась черная от пепла вода, не слышал, как заливалась истошным лаем прибежавшая на пожарище умная соседская дворняга, и, наконец, не видел, как открылся люк погреба и кто-то отчаянно стал звать на помощь...

Я открыл глаза позже, когда свежий, прохладный ветер облизал мое перепачканное сажей лицо, после чего то же самое, но с гораздо большим рвением проделала теплым языком собака — та самая, что отыскала на пожарище заваленный тяжелыми головешками люк погреба.

Открыв глаза, я увидел хмурое, в рваных облаках, бездонное небо и услышал совсем рядом взволнованный мужской голос:

— Смотри, Коль! Кажется, очнулся, ё... твою мать... Слава Богу! Батюшка, вы меня слышите?

И меня со всех сторон снова обступила темнота. А потом на смену ей пришли высокий белый потолок больничной палаты и сдержанная улыбка дежурной медсестры. Только тогда я понял, что остался жив. А через неделю узнал, что практически здоров, если не считать отравления угарным газом, ушиба кисти руки и не слишком страшных ожогов кожи и слизистой оболочки глаз. Словом, мое бренное тело находилось во вполне сносном состоянии...

Глава 16

Во сне Юрку снова преследовали кошмары — память о Чечне. Ему снилось, как его, подорвавшегося на растяжке, окровавленного, без ступней, на грязной чавкающей грязью дороге медленно переезжает траками пылающий танк Т-72 с развороченной ПТУРСом башней, а на броне сидят и молча, с состраданием смотрят на него пятеро погибших ребят-морпехов из сводного батальона Северного флота. Все они изуродованы до неузнаваемости. У кого-то нет руки, у кого-то головы, а в груди Виталика Казанцева из Кировочепецка, балагура и весельчака, зияет, вся в обугленных ошметках, огромная дыра от прямого попадания из подствольного гранатомета. Он, Юрка, не может пошевелиться и пытается закричать, но его никто не слышит, и ползущая прямо на него стальная гусеница потерявшей управление громадины сначала словно зависает над самой головой, а затем с хрустом навсегда вдавливает череп в хлюпающую черную жижу...

Юрка с криком проснулся, рывком вскочил с дивана, мотая головой и жадно заглатывая воздух. Несколько секунд он тупо разглядывал незнакомую мебель и картину на стене комнаты, силясь понять, где он. Наконец вспомнил, что находится в той самой однокомнатной квартире на третьем этаже многоэтажки на Богатырском проспекте, куда его, изрядно уставшего за бесконечный день и пьяного, в третьем часу ночи привез на своем джипе Руслан. Пошарив рукой по полу рядом с диваном, Юра отыскал сигареты с зажигалкой, закурил и, уронив голову на подушку, уставился в потолок.

На его гладкой белой поверхности, то пропадая, то появляясь вновь, играл в клубах медленно поднимающегося вверх дыма бледный мигающий свет уличного фонаря.

...Минувший день круто изменил его дальнейшую жизнь. На этот счет у Юрки не было ни малейших сомнений. Первый проведенный в Петербурге день вместил в себя столько событий, что их с лихвой хватило бы на год размеренной провинциальной жизни. Встреча и откровенная беседа с отцом, неожиданный крупный выигрыш в казино, знакомство со старшим братом Русланом и, наконец, поездка за город, в финскую баню, где он неожиданно для самого себя изрядно напился и, уже слабо ориентируясь во времени и пространстве, занимался сексом с одной из двух девиц, захваченных братом по дороге. Руслан клятвенно заверил брата в том, что обе подруги — студентки выпускного курса факультета журналистики ЛГУ. Сисястая длинноногая студентка трахалась с таким мастерством и остервенением, что намотавшийся за день пьяный Юрка, прежде чем окончательно отрубиться, смог побывать в десятке самых невероятных поз и целых три раза ощутить себя настоящим мужиком...

Потом в Юркиной памяти был глубокий, с короткими видениями, провал. Отоспавшись на заднем сиденье летевшего назад в Санкт-Петербург и громыхавшего тяжелым роком мощного джипа, за рулем которого сидел Руслан, Юрка продрал глаза уже возле этого дома. Он стоял особняком на самой окраине нового спального района. Сразу за домом начиналась сплошная стена непролазного лиственного леса. Проводив брата до квартиры и пообещав, что заедет утром, Руслан всучил ему бутылку с минеральной водой и уехал...

Спать Юрке больше не хотелось. Затушив сигарету, он босиком прошлепал на кухню, достал из плотно забитого упаковками с импортной жратвой холодильника мгновенно покрывшуюся испариной пластиковую торпеду с минералкой и, свинтив пробку, жадно припал губами к горлышку. Выпив треть бутылки, несколько раз глубоко вздохнул, отрыгнул газы и убрал минералку назад в холодильник. Подошел к окну и, постояв немного в нерешительности, сел на табуретку и прижался лбом к прохладному стеклу...

Похмелье медленно отступало, побеждаемое молодым сильным организмом. Самочувствие явно улучшалось, только в висках все еще постукивали чугунные молоточки, да ныл замученный ненасытной журналисткой низ живота. Если бы не Руслан, Юрка ни за что не поверил бы, что она — не проститутка. Хотя... кто их знает. Каждый зарабатывает на жизнь и учебу в вузе как и чем может. Не зря журналистику часто называют второй древнейшей профессией. Что-то общее между журналюгами и шлюхами действительно есть. И те и другие за хорошие деньги отдаются с таким подвижническим энтузиазмом, что, наверное, уже сами начинают верить — одни в то, что любят, другие — в истинность того, что пишут или говорят с экрана телевизора. Взять хотя бы мэтра чернухи Шурика Нервозова или ведущего аналитической программы Сидоренко, прозванных в прессе «информационными киллерами». Такое в кадре вытворяют, что даже итальянской порнозвезде Чиччолине не снилось!

Кажется, та ненасытная блондинка с родинкой в форме звездочки на левой груди оставила ему номер своего сотового телефона...

Юрка вернулся в комнату, взял с кресла мятый пиджак и порылся в карманах. В одном из них нашел толстую пачку долларов и рублей и обрывок картона от сигаретной пачки с нацарапанными на нем губной помадой цифрами и именем — Клио. Так и есть. Понравилось, наверное, девочке, как он ее трахнул. Хочет встретиться еще. Что ж, он не против...

Юрка бросил картонку на письменный стол у окна и провел рукой по лицу. Колючий, как одежная щетка. Да и весь пропах духами и потом. Вот тебе и сауна, блин... Весь вечер курсировал голый, завернутый в простыню, по маршруту банкетный зал — парилка — бассейн — комната отдыха, а до душа так и не добрался! Да и проклятую щетину, так же как любую другую растительность на лице, он с детства терпеть не мог. Еще шкетом сопливым услышал однажды в переполненном автобусе, как две женщины меж собой спорили и одна, с виду явно образованная, сказала спутнице, высокомерно покачав головой: «Нет, Валя, нормальный мужик тем и отличается от обезьяны, что у него лицо с утра гладкое, изо рта пахнет не перегаром, а зубной пастой, да и под мышками псиной не воняет! А твой муж Федор, ты уж прости за прямоту, хуже взопревшего в халате узбека. Меня бы в постели с ним уже через секунду стошнило...» Через секунду тетки прямо в автобусе подрались, как последние базарные торговки. Особенно преуспела интеллигентка — в ответ на звонкую оплеуху она вырвала у супруги оставшегося за кадром Федора рыжий клок волос...

С тех пор десятилетний Юрка стал прямо-таки болезненно чистоплотным. Даже в казарменно-полевых условиях чеченской бойни, с вездесущими вшами и крысами, он старался по ночам договориться с караульными и прошмыгнуть в офицерский душ, а раз в две недели стирал стойкую к грязи черную морпеховскую робу...

Помыться и привести свою физиономию в подобающий вид действительно не помешало бы, вот только незадача — сумка с чистыми шмотками и бритвенным станком осталась в камере хранения Финляндского вокзала...

На всякий случай Юрка зашел в ванную комнату, открыл навесной шкафчик и к своему удивлению обнаружил там не только мыло в упаковке, но и электробритву «браун» со съемной насадкой для подстригания модной в последние годы трехдневной щетины. И тут же вспомнил, что отец называл эту квартиру гостиницей. Видимо, к нему регулярно приезжают из других городов деловые и не совсем деловые гости, которых он на время пребывания в Питере устраивает здесь, на пустынной окраине новостройки. И дешево, и конфиденциально...

Набрав полную ванну горячей воды с хвойной пеной, Юрка принес из комнаты магнитолу и сигареты, отыскал волну со спокойной мелодичной музыкой, щелкнул зажигалкой и, стараясь не намочить сигарету, блаженно погрузился в ароматную воду. Пуская кольца дыма, смотрел на свое отражение в зеркальном потолке и не переставая думал о том, что ждет его впереди. Не считая безобразной пьянки в компании с Русланом — первой и последней, он так решил, — пока все складывалось на редкость хорошо. Даже слишком. Так хорошо, что становилось немного страшно заглядывать хоть на пару шагов в будущее, где за каждым углом может подкарауливать конкретный облом с занесенной над головой дубиной. Таков суровый закон жизни: если сейчас тебе слишком хорошо — готовься к скорой подлянке...

«А вот хрен вам всем, все у меня будет нормалек! — подмигнув своему уже слегка запотевшему отражению, со щенячьим восторгом подумал Юрка и, вконец разморенный, блаженно прикрыл глаза. — Не дождетесь...»

А потом совершенно незаметно для себя провалился в сон. Ровный, спокойный, без кошмаров, что преследовали его уже пять месяцев, без учащенного сердцебиения.

Проснулся он только через два часа, замерзнув в остывшей воде. И сразу услышал звонок надрывающегося телефона. Дрожа от холода, выпрыгнул из ванны и, укутываясь на бегу в махровое полотенце, прошлепал мокрыми босыми ногами в прихожую.

В трубке радиотелефона послышался нарочито бодрый голос Руслана:

— Как самочувствие, братишка?! Чего-то голосок у тебя вроде дрожит! Знобит, что ли? Рогатый после вчерашнего одолел, ха-ха?!

— Тебе показалось, — стараясь не очень громко стучать зубами, сказал Юрка. — Душ холодный принимал для поднятия тонуса.

— А-а, — одобрительно протянул Руслан. — Это другое дело... Слышь-ка, выгляни на секунду из окна.

— Сейчас... — Юрка прошел в комнату и посмотрел вниз. Кроме пустынной дороги, асфальтированной площадки возле дома и бесконечного леса, вокруг ничего не было. — Ну, выглянул...

— Тачку спортивную с тонированными стеклами левее окна видишь? — сдержанно уточнил брат.

— Вижу. — У Юрки в груди вдруг радостно забилось сердце. Он сразу все понял и, глядя сверху вниз на распластавшуюся, словно застывшая перед прыжком пантера, ярко-красную автомашину «тойота-супра», мгновенно позабыл о сковавшем тело ознобе. Не может быть!!!

— Теперь она твоя, Малыш. Ключи в замке, бензин в баке, техпаспорт с твоей ксивой, которую я вчера временно изъял, в кармашке на козырьке. В бардачке найдешь атлас Питера. Ну, как тебе подарок нашего старика?

— У меня нет слов, — выдохнул, зажмурив глаза, обалдевший от столь шикарного презента Юрка. — Честно говоря, даже не ожидал, что он так обрадуется моему приезду...

— Не он один, Малыш, — со значением вставил старший брат. — Только гляди, не разочаруй старика... А тачка ништяк! Девяносто пятый год выпуска, мотор двести лошадок, с места рвет так, что к сиденью прилипаешь! Теперь все биксы твои, братишка!

— Мне Клио вчера свой телефон оставила, — сообщил Юрка. — Слушай, что она вообще за девчонка, а? Кроме того, что красивая и трахается не хуже профи, я ни фига про нее не знаю...

— Нормальная телочка, с понятиями, — поспешил заверить Руслан. — Папа — замдиректора Мурманского торгового порта, а это тебе не болт в стакане! После окончания универа сразу на телевидение мурманское работать пойдет, папашей уже все схвачено! А насчет того, что классно трахается... Так она не девочка давно, скоро двадцать три года, целок в таком возрасте нет. Меня с ней моя Ирка познакомила, они, оказывается, подружки еще со школы, вместе квартиру на Ржевке снимают. А что тебя смущает? Не хочешь трахнуть ее еще разок-другой-третий?!

— Да нет, меня как раз все устраивает, — не отрывая глаз от роскошной иномарки, невозмутимо пожал плечами Юрка, словно они разговаривали по видеотелефону и Руслан мог видеть брата. — Я так, ради спортивного интереса уточнил...

— Вот и пользуйся, пока биксы вроде Клио тебе сами дают. Не с шалавами же сношаться. Она через пару месяцев, как только диплом получит, все равно назад в Мурманск отчалит, — сказал Руслан. — Слушай, а может, ты... того... запал на нее конкретно? А, братишка?! Колись давай!

— Не, — усмехнулся Юрка. — Я на таких любительниц секса не западаю. Исключительно для релаксации тела и поддержания себя в постоянной боевой форме.

— Ладно, мне твои постельные заморочки до фени, — усмехнувшись, закрыл тему Руслан. — Вот что...

До вечера ты свободен, можешь покататься, заодно и город в общих чертах изучить, а к шести жду тебя в офисе. Есть дело. Ты готов?

— Как пионер, — твердо заверил Юрка. — Один вопрос, как к питерскому аборигену...

— Спрашивай.

— Где поблизости от этой хаты можно купить подключенный сотовый телефон?

— О-о, Малыш, я гляжу, мысли у тебя двигаются в правильном направлении! — рассмеялся Руслан. — Короче, слушай и запоминай. Торговый центр «Кубус», в трех кварталах от Богатырского... — И брат толково объяснил, где находится ближайший магазин. — Как только агрегат зацепишь, позвони мне на трубу, чтобы номер высветился. До вечера, Малыш.

— Не называй меня так, мне не нравится, — мягко осадил Юрка.

— Это не я, это отец придумал, — сообщил Руслан. — Надеюсь, с ним ты спорить не будешь?

— Разберемся. Пока! — бросил Юрка и отключил связь.

Через двадцать минут он, уже побритый и перекусивший, сидел, а точнее — полулежал в глубоком кресле за рулем тихо урчавшей мощным мотором «тойоты» и с благоговейным трепетом разглядывал светящиеся зеленым светом ожившие приборы. Для начала, решил Юрка, нужно слетать на Финляндский вокзал и забрать сумку из камеры хранения. А потом можно позвонить Клио и забить на вечер приятную «стрелочку». Теперь, когда у него есть деньги, квартира, крутая тачка и вот-вот появится самый современный сотовый телефон, для полноты картины не хватает лишь сидящей на соседнем сиденье авто длинноногой сексапильной блондинки с распущенными белыми волосами, высокой грудью и алыми чувственными губками, всегда готовыми сделать «папочке» приятное.

Вы хочете девочек? Их есть у меня! На роль дорогой игрушки высокая и стройная секс-бомба Клио подходила безо всяких оговорок. Глядя ей вслед, любой нормальный мужик начнет сглатывать слюни.

Юрка в который раз ощутил себя сыном «нового русского», владельца казино, только теперь уже безо всяких самокопаний и каких-либо угрызений совести. Его признали и приняли в семью. Он — один из клана Флоренского. И пошли все лесом!

Закурив и открыв бардачок, наследник папы-босса достал пухлый атлас Питера и, листая страницы, стал прикидывать, как до минимума срезать дорогу от северо-западной окраины до площади Ленина. Оказалось, маршрут был всего один.

Юрка на полную громкость врубил ударившую по ушам из квадросистемы музыку, опустил стекла на дверях, вырулил со стоянки на дорогу и, умышленно подрезав едва ползущий мимо «москвич» с бесформенными узлами на крыше — очкастый старый пердун испуганно надавил на тормоз, — до отказа втопил педаль акселератора, и «тойота» с нарастающим глухим ревом помчалась по раздолбанной дороге в сторону центра.

Так хорошо, как в эту секунду, Юрка, слившийся в одно целое с летящей словно пуля красавицей «тойотой», не чувствовал себя еще никогда в жизни!

Глава 17

Новость о вдруг появившемся у хозяина «Полярной звезды» младшем сыне уже успела распространиться среди работников казино. Юрка понял это, когда в назначенное Русланом время вошел в полупустой еще ночной клуб. Нельзя было не заметить устремленных на него любопытных, заинтересованных, а подчас и завистливо-неприязненных взглядов прилизанных крупье в бордовой униформе, смазливых официанток, виртуоза бармена и молчаливых истуканов-охранников, которые приветствовали его коротким кивком головы, хотя он видел их впервые в жизни.

В кабинет отца Юрка, поигрывающий новым сотовым телефоном и благоухающий купленным в Пассаже одеколоном «Пако», вошел совершенно беспрепятственно и застал там самого Флоренского, развалившегося в кресле Руслана и еще одного парня. Приземистый, темноволосый, с длинными ручищами и сломанным, с горбинкой, орлиным носом, он смахивал на профессионального боксера, сменившего спортивную форму на зауженные книзу модные брюки, ботинки с тупыми носами и малиновый пиджак, надетый поверх черной битловки.

— Опаздываешь, — укоризненно бросил Леонид Александрович, жестом предлагая Юрке сесть. — В следующий раз задержишься без уважительной причины хоть на минуту, накажу.

Поглядев на непривычно хмурого отца, Юрка понял, что с ним не шутят, и только молча кивнул. Похоже, его стажировка в зондеркоманде старшего брата начнется гораздо раньше, чем предполагалось.

— Познакомьтесь, — мельком взглянув сначала на длиннорукого, а потом на Юрку, Флоренский торопливо представил их друг другу: — Это мой младший сын, Юра. А это Дима, работает вместе с Русланом — по особым поручениям... Теперь ближе к делу, — и без того недовольное лицо бизнесмена стало мрачнее тучи. — Возникла серьезная проблема, которую нужно решить по горячим следам! Руслан и Дима уже в курсе, так что повторяю специально для опоздавших...

Несколько нервозным движением руки Леонид Александрович пододвинул к Юрке лежащий на столе глянцевый каталог ювелирных изделий фирмы «Картье», раскрытый на нужной странице.

— Взгляни на браслет, вон тот, в верхнем углу слева. В нем сорок пять граммов сплава золота и платины и шесть голубых бриллиантов общим весом девять с половиной каратов. Номинальная цена по каталогу — пятьдесят семь кусков «зеленых». У нас, спецзаказом, значительно дороже. Запомнил?!

Юрка кивнул, молча возвращая каталог.

— Теперь главное. Сегодня подруга одного из наших постоянных клиентов, не для посторонних будь сказано — регулярно наезжающего в Питер уральского вора в законе по кличке Крестовый Батя, будучи в состоянии некоторой прострации, потеряла у нас эту вещицу. Предположительно — в начале шестого утра, в холле первого этажа, уже на выходе из клуба... Там, если верить охране, крепко подвыпившая дамочка оступилась и выпала из не слишком твердых рук своего друга, расквасив при этом нос и порвав чулок. Браслет, надо полагать, расстегнулся и отлетел куда-то в сторону, иначе охранники заметили бы его сразу. Такую сверкающую камушками, далеко не крохотную хренотень не заметить просто невозможно... Пропажа обнаружилась только ближе к обеду, когда уснувшая прямо в одежде дамочка слегка очухалась и не увидела на своей нежной ручке рождественского подарка Крестового. Она, понятно, подняла страшный визг. Только вот Батя, вернувшись домой, в Репино, добавил еще пузырь водяры и потому смог понять, что случилось, лишь часом позже, когда приехал вызванный телохранителем врач-нарколог и вколол ему похмельную сыворотку... Врубившись в тему, Крестовый сразу позвонил мне и вежливо попросил вернуть утерянную вещицу. Задание понятно?

— Сделаем, — опустил веки Руслан. — Кое-какие мыслишки у меня уже есть...

— А конкретно?

— Если никто из охраны браслет в глаза не видел, в тачке Крестового его нет, а перед открытием казино, когда стало известно о пропаже, браслет также не обнаружили, хоть исползали на карачках весь игровой зал и холл первого этажа, — значит, остается только прислуга. Та, что убирает клуб по утрам, при закрытых дверях. Пылесосила, нашла в уголке чужую безделушку, смекнула, сколько та приблизительно стоит, и решила оставить себе. И просто так, бля буду, ни за что не сознается и не вернет! Даже если трахнут хором и выкинут с работы пинком под зад, — уверенно процедил сквозь зубы Руслан. Его карие, бегающие глаза хищно заблестели. — За треть стоимости сдать вещицу от «Картье» можно в любую крупную скупку, это не проблема. Серьезный ювелир с выходами на богатых клиентов с руками оторвет. Ясный перец, что коли лох сдает такую дорогую вещь, то она либо краденая, либо кем-то потерянная. В любом случае ее ни за что не выкупят назад. А для нищей уборщицы, получающей пятьдесят баксов в месяц, двенадцать—пятнадцать кусков зеленых — сумасшедшие деньги. До старости пахать. Так что сучка будет стоять на своем — моя хата с краю, ничего не знаю. Убеждением и угрозами тут ничего не добьешься...

Руслан многозначительно посмотрел сначала на Юрку, потом на боксера.

— Придется грузить, — подавив зевок, согласно кивнул длиннорукий. — Сразу по-черному, без сантиментов. Сделаем, Саныч.

— Вот и займитесь! — как показалось Юрке, с заметным облегчением благословил Флоренский. — С Крестовым лучше не шутить, не тот уровень! А вот если найдем браслетик его любимой крали и вернем по-быстрому, он этого до конца своих дней не забудет. На Южном Урале у нас друзей нет, а одно его слово открывает ворота в любой кабинет... В общем, действуйте. К утру браслет должен лежать у меня на столе. Все, идите!

Следуя за молча поднявшимися и направившимися к двери зондеркомандовцами ночного клуба «Полярная звезда», Юрка на секунду задержался перед раскрытой дверью, обернулся и, поймав взгляд Леонида Александровича, сказал:

— Спасибо за машину, папа. Я очень тебе благодарен. За все...

— Спасибо не блестит, парень, — отмахнулся погруженный в мрачные мысли Флоренский. — Покажи, на что ты способен. Принеси этот чертов браслет и тогда можешь считать, что собственная квартира в любом районе города, который ты выберешь, у тебя уже есть! Дружба с Крестовым дорогого стоит. Иди, Юра...

— Эй, младший, где ты там?! — донесся с лестницы нетерпеливый голос Руслана.

— Иду, не ори, — буркнул Юра, еще раз поглядел в глаза отцу и быстрым шагом покинул кабинет, мягко закрыв за собой дверь.

Уже в джипе Руслан достал мини-компьютер размером с электронную записную книжку, быстро нажал несколько крохотных кнопок и, глядя на светящийся экран монитора, прочитал:

— Светлана Никольская, проживает по улице Фурштадтской, дом номер... О, блин, это же совсем рядом с загсом, где ты со своей язвой регистрировался, Душман! Три минуты езды на первой передаче.

— Тем хуже для сучки, — спокойно вставил Дима-Душман, сомнамбулически ковыряясь языком в зубах. — Погнали, чего стоишь? Раньше управимся — раньше премиальные получим. Я не собираюсь с ней долго возиться. Все гениальное просто. Паяльник в очко — и вся песня. В зубах, курва, браслетик заныканный принесет...

— А вы не допускаете мысли, что девчонка здесь ни при чем? — напомнив брату и его подельнику о своем присутствии на заднем сиденье, вмешался в разговор Юрка. Перед его глазами стояла симпатичная мордашка и растрепанная челка девушки с пылесосом, которую он видел вчера утром в холле казино и которую ну просто язык не поворачивался назвать «обслугой». В том, что их лихая троица готовится нанести визит именно ей, а не абстрактной сменщице, Юрка ни капли не сомневался. Света Никольская — такое имя может принадлежать только столь очаровательному созданию! Вчера утром, когда он без малейшей надежды на согласие намекал ей из-за стеклянных дверей на свидание и получил мягкий снисходительный отказ, он даже представить себе не мог, что встреча состоится уже сегодня. Да еще при столь не подходящих для романтических отношений... да что там! — при самых наипоганейших обстоятельствах!

Однако, вспомнив настоятельную просьбу отца и залегшие под его глазами глубокие тени, Юрка взял себя в руки. Он успокаивал себя мыслью, что там, в проклятой всеми богами и отданной на откуп сатане Ичкерии, спецназ тоже выполняет грязную, кровавую работу. Гораздо чаще, чем хотелось бы, перегибая палку в отношении и без того вконец задерганных и нашими и ихними местных, условно считающихся мирным населением. Но иначе просто нельзя, если хочешь добиться результата. Грязные дела не раскрывают в белых перчатках.

— При чем, Малыш, при чем! — усмехнулся, полуобернувшись назад, Руслан. — У нас заведение класса VIP. Никто из охранников и персонала не стал бы ныкать чужую вещь. Чревато проблемами со здоровьем, да и платят им хорошо, за место зубами держатся. Был, правда, один случай крысятничества через пару дней после открытия, так никто до сих пор не знает, куда тот ухарь девался. Пропал, бедолага, с концами. Может, в другой город подался, а может... м-да. У нас в клубе всякое, брат, случалось. Кроме воровства по-крупному. Нажравшись, клиенты не только кредитные карточки с миллионными счетами теряли, но и лопатники, набитые зеленью. Их всегда находили и возвращали — в целости и сохранности. С этим строго. А сучка эта, Никольская, которая по утрам на первом этаже убирает, меньше месяца работает. Ну, ничего, она у меня еще сосать да причмокивать будет, тварь... — злобно процедил сквозь зубы Руслан.

— Эй, тормози! — будто очнувшись ото сна, неожиданно вскрикнул Душман, и Юрка увидел, как его сломанный горбатый нос странным образом зашевелился, словно у напавшего на след охотничьего пса. — Не та ли это честная недавалка, которая тебя на три буквы послала, когда ты ее в прошлые выходные на шашлыки пригласил?! Так-так-так... Чувствую, моя квалифицированная помощь проктолога-надомника не потребуется! — обернувшись, заговорщицки подмигнул Душман сжавшему губы Юрке. — Нас ждет интересное кино! Месть отвергнутого ебаря! Часть первая!

— Заткнись, падло! — глухо рявкнул Руслан, излишне поспешно запуская мотор джипа и рывком трогаясь с места. — Тоже мне, королева Марго нашлась, — процедил злобно. — Пусть пихается с кем хочет, дешевка, и в ножки мне кланяется, что с работы не вышвырнул! Класть я на нее хотел, понятно?! Мы должны до утра вернуть Крестовому утерянный его лахудрой браслет, и мы его вернем.

— Ладно, молчу, отец родной, — сообразив, что позволил себе вольность, примирительно пробурчал Душман. — Дело превыше эмоций. Как говорят в американских фильмах — бизнес, и ничего личного. Только биксе этой ты все равно ни хрена не докажешь...

— Мы с тобой лично ее даже пальцем не коснемся, — вдруг сказал Руслан, поймав в зеркале потускневший взгляд насупившегося Юрки. — Иначе в самом деле решит шалава, что я за отказ ножки раздвинуть решил на ней отыграться... Эй, Малыш? Слышишь меня?!

— Я, кажется, уже говорил. Мне не нравится это дурацкое прозвище, — отвернувшись к стеклу, холодно отчеканил Юрка. Его кулаки непроизвольно сжались.

— Отставить сопли! — скомандовал Руслан. — Никольской сам займешься, понял, стажер? А мы с Духом в сторонке постоим, молча. Расколешь крысу — молодец, наш человек. Ну, а если не сможешь... тогда, делать нечего, придется нам, старикам, засучить рукава и...

— Снять штаны! Гы-гы-гы! — Душман громко заржал, явно считая свою плоскую реплику очень остроумной. — А Малышу вынесем строгий выговор с занесением в торец! Ха-ха!

— Пасть прикрой, дятел. За свой торец лучше беспокойся, — сухо парировал Юрка, тем самым сразу давая понять не на шутку разрезвившемуся отморозку, что не намерен терпеть унизительные приколы в свой адрес. Но отнюдь не как защищенный «иммунитетом» отпрыск клана Флоренского, а в принципе, по жизни.

— Чего?! — мгновенно перестав смеяться, Душман рывком обернулся и угрожающе сдвинул брови к искривленной переносице. — Я не понял, ты чё вякнул?!

— И правда, заткнулся бы ты, Дух, — быстро оценив ситуацию, поддержал Юрку Руслан и сильно дернул напарника за руку. — А ты, Малыш, молодец! Пусть знает, засранец этакий, кто в доме хозяин.

— Да... пошли вы оба... знаете куда?! — оскорбленно дернул плечами Душман, освобождаясь от крепко сдавивших его могучий бицепс пальцев и еще раз недобро зыркнув через плечо на безмятежно развалившегося сзади Юрку.

— Ты, Димыч, мужик здоровый и крутой, — прервал воцарившееся было в салоне джипа молчание Руслан, — но дура-а-к! И шутки у тебя дурацкие... Короче, в следующий раз фильтруй базар. Не на ринге. Не забывай, что Малыш — мой братан. Я за него любому кадык вырву.

— Уже, бля, и поржать нельзя, — заметно расслабившись и признав свое поражение, пошел на попятную боксер. — Спелись против меня, да? Братья Гафс.

— Оба-на! — хлопнул в ладоши Руслан и засмеялся. — Да ты никак мультики по телевизору смотришь? Про терпилу дядюшку Скруджа и племянников-пробитков?! Ой, уморил!

— Это не я, это мелкий мой! — скривив заячьи, не раз заштопанные губы, стал оправдываться Душман. — Кассеты ему принес, целую коробку, вот и гоняет видак каждый день до усеру. А там, бля, среди правильных боевичков всякая мультяшная хрень попадается... Ты, можно подумать, мультяхи не смотришь?! Тогда откуда знаешь про братьев Гафс? — сообразил боксер.

— Я и не отрицаю, — пожал плечами Руслан. — Мне мультики вообще в кайф посмотреть. Особеннно с порнушкой. «Белоснежка и семь гомов», «Большой трах», «Три сутенера».

— Удивил отца долбилом! — осклабился боксер. — Ты еще «Лебединое порево» вспомни!..

— Все, кончай базар, братва, — сбросив скорость, вмиг посерьезнел Руслан. Он притер джип к бордюру и заглушил мотор. — Приехали. Вот ее дом, — кивнул на возвышающуюся рядом серую громадину. — Выходим, и без суеты. Тебя касается, Малыш..

— Я спокоен, — бесцветно ответил Юрка и, открыв дверцу, выпрыгнул на асфальт. Закурил, поглядывая на запертую массивную дверь дореволюционного подъезда с вмонтированным кодовым замком. С лепного карниза над входом оскалились на визитеров львиные морды. Просто так внутрь не попасть. Обычная картина для большинства домов с более-менее состоятельными и привыкшими жить в относительной чистоте жильцами. Иначе алкаши с бомжами все углы загадят, а шпана разрисует стены и подожжет почтовые ящики. Впрочем, все равно умудряются входить, если внутри не дежурит круглосуточно строгая консьержка. Но это — удел самых богатых...

Глава 18

— Придется ждать, пока кто-нибудь из жильцов не покажется, — углядев панель с кнопками, недовольно проворчал Душман и кивнул в сторону дворовой арки соседнего дома. Но Руслан принял другое решение.

— Никого мы ждать не будем! Значит, так, братила, — вполголоса произнес он, положив руку Юрке на плечо. — Раз такое дело и ты у нас первым кидаешься под танки, то поступаем как честные граждане, соблюдающие закон, — усмехнулся собственной циничности Руслан. — Квартира номер пять, третий этаж. Нажимаешь кнопку, ждешь ответа и представляешься: сотрудник службы безопасности ночного клуба «Полярная звезда» Величко, по срочному делу. По голосу Никольской уже будет видно, напугана или нет... Хотя здесь без вариантов — кроме нее, браслет зашхерить некому. Понял?

Юрка, все такой же угрюмый, молча кивнул.

— Заходим, поднимаемся, все вместе заваливаем в квартиру. А дальше — банкуй, покажи, на что способен. Вперед! — И Руслан легонько подтолкнул брата к двери.

Юрка нажал на кнопку с цифрой пять, затем на ту, что с колокольчиком, и прислушался. Руслан и горбоносый стояли рядом.

— Да? — донесся до Юрки искаженный переговорным устройством голос. Он, ни разу не слышавший его, сразу понял, что это и есть Света Никольская.

— Мне нужно поговорить со Светланой, — испытывая противоречивые чувства, сказал Юрка.

— Это я. А вы кто?

— Моя фамилия Величко, я из службы безопасности казино. Вы меня слышите?

— Д-да... Что-нибудь случилось?! — не сразу ответила девушка. Голос ее заметно дрогнул. Краем глаза Юрка увидел, что зондеркомандовцы игорного магната понимающе переглянулись, а Душман даже демонстративно ударил мощным кулаком о ладонь другой руки — мол, попалась, птичка.

— Ничего страшного, не волнуйтесь, просто я должен задать вам пару вопросов конфиденциально, — сказал Юрка, ощущая сковавшую все его тело дурацкую неловкость. — Вы можете открыть мне дверь? Тут кодовый замок...

— А... мы не можем перенести беседу на завтра? — после еще более длительной паузы осторожно спросила Светлана. — Я буду на работе за пятнадцать минут до закрытия клуба, и мы сможем с вами переговорить.

— Боюсь, завтра будет слишком поздно, — сухо сказал Юра. — Не волнуйтесь, мой визит не отнимет у вас больше пяти минут.

— Я не волнуюсь, просто... сейчас не совсем удобно, понимаете? — продолжала упорствовать Никольская. — Я очень занята.

— Мне не хотелось бы давить на вас, Света, но, если вы откажетесь со мной переговорить с глазу на глаз, я буду вынужден сообщить о вашем отказе шефу, Лакину. Извините, у меня не останется другого выхода, я так же, как и вы, выполняю в клубе свою работу.

— Ну хорошо, хорошо! Но только всего на пять минут, — обреченно предупредила Светлана, и дверной замок громко щелкнул, разблокировав вход в подъезд. — Дверь квартиры будет открыта, подождите меня в прихожей, пока я освобожусь, — сказала Никольская и отключила домофон.

— Порядок, братан, теперь в темпе наверх! — похвалил Руслан, и они торопливо вошли в пропахший сыростью и мочой просторный вестибюль с широкими лестницами и гигантскими площадками. Он оказался жалким подобием недавно отреставрированного парадного входа. Последний раз кисть маляра касалась исцарапанных всевозможными похабными надписями стен еще тогда, когда Юрки не было даже в проекте. Некогда респектабельный господский дом сейчас навевал уныние и ощущение обреченности. Эти чувства только усилились, когда Юрка заметил на широком подоконнике между вторым и третьим этажом свернувшегося калачиком оборванного алкаша. На заблеванном полу, рядом со стоптанными штиблетами, валялись пустая бутылка от дрянного пойла и раздавленные папиросные окурки. В углу площадки расплывалась зловонная лужа.

— Убивать надо таких тварей! — проходя мимо похрапывающего, бормочущего во сне забулдыги, с презрением фыркнул Душман и, набрав полный рот слюны, харкнул алкашу на спину. — Я в своем подъезде давно всех передавил, остальные по струнке ходят. Тишь да гладь.

— Некогда сейчас груши околачивать. Назад пойдем — оторвешься, — мимоходом обронил Руслан, хватая за пиджак Духа, уже изготовившегося отвесить бухарику смачный хук слева. — Все, пошла массовка... Работаем! Малыш, твой выход!

Юрка открыл жалобно скрипнувшую высокую дверь квартиры и, заставив себя не останавливаться в коридоре, пошел вперед мимо погруженной в вечерний полумрак, окатившей сладким запахом кипяченого молока кухни. Руслан и Дима-боксер шли по бокам, словно готовые вмешаться при первой же опасности бодигарды.

В обставленной старинной антикварной мебелью просторной и уютной гостиной, большим эркерным окном выступающей на фасадную часть дома, никого не оказалось. Небольшой коридорчик вел из гостиной в две другие комнаты, дверь одной из них была приоткрыта. Из-за нее пробивалась полоса тусклого электрического света от ночника, слышался тихий смех Никольской, скрип пружин и какая-то возня. Внезапно звуки прекратились.

— Это вы? — донесся из-за двери недовольный голос уловившей близкие шаги девушки. — Я же просила вас подождать в прихожей! Зачем вы ходите по чистому ковру в ботинках?!

— Надо же, досада какая, от стручка вероломно оторвали, — с усмешкой процедил остановившийся рядом с Юркой Дух с явным расчетом, что его услышат в спальне. — А трахаль, видать, слабенький попался. Без домкрата не стоит...

Дверь спальни распахнулась, и на пороге появилась Светлана. Та самая симпатичная высокая девушка с непослушной челкой, которую Юрка видел в казино вчерашним утром. Только сейчас на ней не было блузки, юбочки и передника. Униформу обслуги «Полярной звезды» сменил простенький, но не сделавший ее фигурку менее соблазнительной китайский шелковый халатик, перетянутый поясом на хрупкой талии.

Но главным было другое! На руках Светлана держала закутанного в большое махровое полотенце малыша со светлыми, влажными после купания кудряшками. Карапуз, которому едва ли перевалило за годик, нисколько не испугавшись незнакомых дядей, преспокойно сосал палец и с явным интересом разглядывал гостей невинными голубенькими глазками ангелочка.

Светлана же отреагировала на их появление совсем иначе. Увидев, что вместо одного приглашенного со-

рудника службы безопасности казино в квартиру воли сразу трое мужчин и двое из них — хорошо зна-
омые ей разбитной сын хозяина казино и его дружок
перебитым носом, девушка коротко ойкнула и ин-
инктивно крепче прижала к груди ребенка. Однако
на довольно быстро справилась с испугом и, плотно
жав губы и приподняв подбородок, нарочито безраз-
ично оглядела Юрку и сухо спросила:

— Значит, это вы — Величко? Простите, не знала,
то у вас растроение личности.

— Я...

— Вы лгун. Вас в школе не учили, что врать подло?
то вам нужно?!

По голосу Светланы и ее слегка прищурившимся,
споминающим глазам Юрка понял, что и его, неза-
ачливого кавалера, девушка тоже узнала.

— Не волнуйтесь, пожалуйста, мы просто хотим
се-что уточнить, — как можно мягче сказал он, меч-
ая об одном — не сходя с места, с треском провалить-
я сквозь пол. — Может, пока отнесете малыша в ком-
ату?

— Нет, Алеша будет со мной. Вы его и так напуга-
и. Что вам от меня нужно? — стараясь не волновать
ребенка, тихо повторила Светлана.

— Видите ли, — пробормотал Юрка, — у казино
озникла серьезная проблема. Дело в том, что сегодня
тром, незадолго до вашего прихода на работу, в холле
ервого этажа произошел пренеприятнейший случай.
Одна из клиенток, супруга очень уважаемого и изве-
тного... гм... в определенных кругах человека, будучи
ильно выпившей, оступилась, упала и потеряла
чень дорогой браслет с бриллиантами — он слетел
ее руки. К сожалению, в момент падения этого ни-
то не заметил. Досадную пропажу украшения от
фирмы «Картье» стоимостью несколько десятков ты-
яч долларов наша гостья обнаружила только дома.
 вы пришли и начали убирать холл буквально через

четверть часа после ее ухода. Вот мы и подумали, что возможно, браслет случайно отыскался и вы... не зна правил казино... излишне поспешно решили оставит его у себя. Если это так, вынужден буду вас разочаро вать. Браслет придется вернуть. В противном случае.

— Я ничего не находила, — на лице Никольской н дрогнул ни один мускул. — Я знакома с правилам клуба, меня инструктировали при приеме на работ но это даже не важно. Браслет от «Картье» — не деше вая турецкая бижутерия, его пропажа вряд ли долг останется незамеченной для хозяйки, в каком бы свинском состоянии она ни пребывала. Наивно ду мать, что можно, найдя такую дорогую вещь, без про блем оставить ее себе.

— Значит, вы сегодня утром ничего не находи ли? — с некоторым внутренним облегчением пере спросил Юрка. Ему очень не хотелось, чтобы эта оча ровательная молодая мама с карапузом на руках дей ствительно оказалась воровкой. — Вы уверены?

— Абсолютно, — подтвердила Никольская. — Ни сегодня, ни в любой другой день. Лишь окурки, пепел и пустые пачки от сигарет. Только однажды я подняла с пола сопливый носовой платок в пятнах крови и от дала его дежурному администратору. А теперь я по прошу вас выйти из моей квартиры. Мне нужно оде вать и кормить ребенка. Он простужен, у него темпе ратура. Вы меня плохо слышите?

— Да нет, соска, мы тебя слышим очень хорошо, — отодвинув рукой неловко потупившего взгляд, расте рявшегося Юрку, шагнул вперед Руслан. — Только ни куда мы не уйдем до тех пор, пока ты не положишь во сюда, — он вытянул раскрытую ладонь, — заныкан ную тобой побрякушку, принадлежащую, между про чим, подруге крупного криминального авторитета! Ты хоть понимаешь, овца голимая, что, если ты еще раз нам солжешь, мы перевернем к чертовой матери весь твой дом, а тебя... Так что лучше не упрямься, себе дороже выйдет. Короче, я считаю до пяти. И браслетик должен чудесным образом отыскаться. Раз!.. Два!.. Говори, где ты его спрятала, сука!!!

— Если вы немедленно не уберетесь, я вызову милицию, — голос Светланы явственно дрогнул. В глазах появился страх.

— Девочка не догоняет, — прошипел Дух и, повинуясь кивку Руслана, угрожающе подался вперед. — Девочка принимает нас за фраеров, которые купятся на ее лажу и разомлеют при виде этого кудрявенького выблядка! — боксер резко ткнул пальцем в спинку почуявшего опасность, испуганно прижавшегося к матери ребенка. Мальчик вздрогнул и, скривив губки, тихо заплакал, уронив головку на плечо Светланы и обвив ручками ее шею.

— Мы не хотим делать ему больно, но мы это обязательно сделаем, — напирал Душман, вплотную приблизившись к девушке. — Ты ведь не хочешь, блядина, чтобы твой выродок остался калекой?! Говори, куда зашхерила долбаный браслет!!!

— Я ничего не брала! Убирайтесь! Пожалуйста... — на глазах Светланы выступили слезы. Руки крепко обхватили плачущего все громче, испуганно дрожащего сынишку. — Люди вы или звери?!

Вместо ответа Душман размахнулся и ударил девушку кулаком в левую скулу.

Светлана охнула, покачнулась. Из глаз градом покатились слезы, лицо запылало, словно его обварило кипятком. Она хотела уже крикнуть что есть силы в надежде, что кто-нибудь из соседей услышит и придет ей на помощь, но не успела. Все произошло так быстро и четко, словно действия громил заранее отрабатывались на тренировках.

Флоренский-младший сделал бросок влево и, оказавшись сбоку от Светланы, одной рукой накрыл ей рот, а второй обхватил за горло и рывком прижал к себе. Ухмыляющийся горбоносый орангутан сильно ударил ладонями по ушам девушки, а потом резким и неожиданным движением вырвал закатившегося истошным плачем ребенка из ослабевших рук оглушенной матери и огромной волосатой рукой накрыл малышу лицо.

— Последний раз спрашиваю, паскуда! — прижавшись губами к самому уху выгибающейся всем телом, отчаянно рвущейся к сыну Светланы, хриплым замогильным голосом прошептал Руслан. — Что тебе дороже — кусок дерьма со стекляшками или твой свинячий выпердыш?! Колись, лоханка, где браслет, или этот добрый симпатичный дядя, — кивнул на раскрасневшегося подельника Флоренский, — начнет по очереди ломать пацану сначала пальцы, потом руки, потом ноги, а если не подействует — открутит цыпленку шею!..

Видимо, уже плохо соображая от страха, плачущая, бледная как простыня Светлана часто-часто закивала: «Я все скажу, только не трогайте Алешу!»

— Вот видишь, как просто, — расплылся в довольной улыбке отпрыск игорного воротилы. — Сейчас я уберу ладонь, а ты очень тихо, шепотом, скажешь, где спрятан браслет. Договорились?! Вот и славно...

И Руслан осторожно убрал широкую ладонь от лица Светы.

— По-мо-ги-те-е-е!!! — зажмурив мокрые от слез, полные дикого ужаса глаза, что есть мочи закричала девушка. Поняв, что его обманули, Руслан снова накрыл ей рот, протяжно зарычал от ярости и еще сильнее сдавил хрупкую шею Светланы.

— Все, сука, теперь ты у меня покувыркаешься! — рывком развернув рвущуюся к сынишке Светлану лицом к стене, Флоренский дважды крепко приложил ее лбом о дверной косяк. Светлана обмякла, на несколько секунд потеряв сознание. На лбу девушки появился кровоподтек. Довольно оскалив зубы, Руслан подхватил беспомощную жертву под мышки и, тяжело дыша, поволок в спальню. — Сейчас я тебе вставлю, тварь... Вздумала целку из себя строить, дешевка! Малой, помоги мне! — приказал Флоренский, повернув потное раскрасневшееся лицо в сторону каменным истуканом застывшего у стены Юрки. — Оглох, что ли?! Хватай за ноги и держи!..

...На перекошенную физиономию обезумевшего братца Юрке было противно смотреть — сейчас в ней не было ничего человеческого, только всепоглощающая злоба и неприкрытая гнусная похоть отвергнутого самца. Перевести остекленевший взгляд на потерявшую сознание несчастную Светлану он был просто не в состоянии. Внутри Юрки все клокотало, пальцы рук давно сжались в кулаки, сердце ухало, как молот по наковальне. Он вдруг понял, что не выдержит беспредела, вмешается, и тогда произойдет непоправимое...

— А со змеенышем что делать?! — прорычал боксер, наступив грязными ботинками на соскользнувшее с малыша махровое полотенце. Голенький мальчик сучил ножками, задыхаясь от недостатка воздуха. — Так, бля, и держать, пока вы его мамаше долбила свои пихать будете?!

— Так и держи! — сверкнул горящими глазами Руслан, объятый похотью. — Будешь третьим! Малой, чего встал?! Сюда, мать твою!..

И тут произошло то, чего никто из порученцев Флоренского не ждал. Юрка наконец оттаял и разжавшейся стальной пружиной прыгнул к Духу.

Обхватив одной рукой тельце висевшего в руках вышибалы, словно в петле, мальчика, он провел блестящую бойцовскую двухходовку — ударил не ожидавшего нападения боксера двумя сложенными пальцами в кадык, а затем без паузы добавил сокрушительный, чудовищной силы удар кулаком в уже травмированную на ринге переносицу.

Кость громко хрустнула. Казалось, притаившийся где-то рядом человек-невидимка с жадностью надкусил засохший вафельный торт. Захрипев, забулькав и выпучив вылезающие из орбит покрасневшие глаза, Душман разжал руки и тяжело осел на пол, захлебываясь целыми потоками рубиновой крови, брызнувшей из окончательно изуродованного носа.

— Эй! Ты что, охуел, придурок?! — от неожиданности Руслан застыл посреди спальни, в двух шагах от широкой, соблазнительно манившей чистыми белыми простынями старинной дубовой кровати.

— Отпусти ее, сволочь! — приказал Юрка. — Я убью тебя... — Он прижимал к себе перепуганного, жалкого, хватающего губами воздух и снова закатывающегося в крике ребенка и нежно гладил его по кудрявой головке.

Руслан понял, что Юрка не блефует. Он шкурой ощутил, как от холодного, металлического голоса младшего брата пахнуло смертью. Но отступать, признавать себя побежденным этим двадцатилетним щенком, было нельзя. Наоборот — зарвавшегося сентиментального братца следовало проучить и, ткнув рожей в дерьмо, жестко, раз и навсегда, поставить на место.

— Ах вот, значит, как?! — резко отбросив на ковер начинающую приходить в чувство Светлану, угрожающе прошипел Руслан. Сунув руку за отворот расстегнутой спортивной куртки, он выхватил пистолет ТТ с глушителем и, оскалив зубы, медленно двинулся на брата. — Ну, давай! Убивай меня, Малыш! Что это ты вдруг язык проглотил, спецназ?! Куда испарилась твоя храбрость?! Вот он я, давай, бей!

— Разве ты не видишь, что она не виновата, — глухо проговорил Юрка, словно невзначай становясь вполоборота к брату и плавно заводя правую руку за брючный ремень.

— Да?! Это почему же ты так в этом уверен?

— Ни одна мать в мире не станет рисковать жизнью ребенка ради цацек, сколько бы они ни стоили.

Если бы браслет Крестового был у нее, ты уже держал бы его в руках! Но его здесь нет.

— А-а, вот как мы заговорили! — довольно ощерился, нервно облизав губы, Руслан. — Страшно стало, щенок брехливый, что кишки из тебя выпущу?! Думал, испугаюсь, глядя, как лихо ты голыми руками мудака Духа положил? Нет, братила, — укоризненно покачал он головой. Поколебавшись, нарочито медленно опустил пистолет вниз, а затем спрятал его под куртку. Тяжело прислонился плечом к дверному косяку, достал сигарету и закурил. — Не с тех козырей ты пошел, не с тех. Я — пиковый. Со мной такие дешевые понты не проходят. Запомни, Малыш. Сегодня я тебя, дурака, прощаю. Но учти, второго предупреждения не будет...

— Со мной тоже лучше не шутить, — в разогнувшейся руке Юрки сверкнул вороненой сталью трофейный, некогда изъятый у захваченного в плен арабского боевика ствол. Его зияющий черный провал смотрел точно в глаз старшего брата. — И я, кажется, предупреждал, братан, — не называй меня Малышом...

Дымящаяся сигарета прилипла к самому кончику отвисшей губы Руслана. Боясь пошевелиться, Флоренский-младший вдруг с тоской подумал, что позерство с ТТ, которым он решил сбить спесь с новоявленного братишки, может обойтись ему очень дорого. Парень оказался куда круче, чем он думал. Однако...

— Мне плевать на твою масть, братан, я в этом не разбираюсь. Но то, что ты делаешь, — гнусная лажа. Дух прав. Тебе от нее, — ствол трофейной «беретты» качнулся в сторону шевельнувшейся на полу спальни Светланы, — нужен совсем не браслет. Ты не можешь простить ей, что отказалась переспать с тобой, послала хозяйского сынка ко всем чертям! Какой ты после этого мужик?!

— А-а, вот ты о чем... Значит, на самом деле поверил, что я стану ее трахать, а Дух — ломать кости ее сопляка?! — собрав всю волю в кулак, не на шутку перепуганный Руслан заставил себя громко, вызывающе рассмеяться. Приподняв брови, он снисходительно посмотрел на Юрку так, как родители смотрят на малыша, безуспешно пытающегося поймать рукой бегущую из крана прозрачную струю воды.

— Скажи честно, ты и впрямь купился? Только не ври. По глазам вижу, что купился.

— Хочешь сказать, что это только спектакль, игра на нервах? — недоверчиво фыркнул Юрка и покачал головой. — За кого ты меня принимаешь? Я не слепой, братила. Просто так молодых девок лбом о косяк не прикладывают. Вы оба — ты и твой дружок — конченые отморозки. Таких нужно мочить при задержании.

— Знакомая песня. Только не из моей оперы, Малыш. Я-то думал, ты сейчас скажешь, что во мне погиб великий актер, а ты, оказывается, типичный непробиваемый мент, — пренебрежительно хмыкнул Руслан и стряхнул на ковер сигаретный пепел. — Зря отец предложил тебе остаться и поработать со мной. Тут нужно не только кулаками махать, братан. Здесь нужно уметь головой думать. Отморозков у меня и так достаточно, вон валяется один, в луже кровавых соплей!.. Может, тебе и впрямь лучше вернуться в Вологду и пойти служить в ОМОН? В псарне такие деревянные дуболомы на вес золота... Глядишь, лет через пять-семь, после дюжины командировок в Чечню, когда половину ваших родные быки и тамошние абреки замочат, вообще командиром отряда станешь. Если уцелеешь, конечно. Благодать! Чем не работа для того, кто умеет сворачивать чужие носы и не видит дальше собственного носа?!

Бросив окурок, Руслан со злостью раздавил его ботинком.

— Ладно, герой, можешь считать, что сегодня на твоей улице праздник, — сказал он с усмешкой, глядя на Юрку из-под бровей. — Если ты действительно такой идиот, каким хочешь казаться, тогда доставай из кармана мобильник и звони в мусарню. Я даже слова не скажу. А потом, когда нас заберут в торбу, беги собирать шмотки, садись в подаренную коварным варваром отцом «тойоту» и от греха подальше быстренько уёбывай из Питера в свой долбаный Мухосранск! Ох, блядь, глаза б мои тебя не видели!.. — скрипнул зубами Руслан. — Ну, чего стоишь как обрезанный?! Звони ноль-два, закладывай насильников и бандитов. Уверен, эта сучка тебя с радостью поддержит!

Юрка непроизвольно перевел взгляд с брата на девушку и увидел, что, пока они выясняли отношения, Светлана уже пришла в сознание и, видимо, даже слышала финальную часть их более чем странного диалога. Она поднялась на ноги, испуганно посмотрела широко распахнутыми глазами сначала на лежавшего в луже собственной крови неподвижного Душмана, затем — на вооруженного пистолетом нового охранника казино по фамилии Величко. Одной рукой молодой парень бережно прижимал к груди Алешу — тот всхлипывал и тер глазки, другой рукой держал на прицеле напряженно притихшего Руслана.

Быстро оценив ситуацию, Светлана, испуганно косясь на мрачного, потерявшего весь свой апломб Руслана Флоренского и покачиваясь на нетвердых еще ногах, вошла в гостиную, приблизилась к Юрке и забрала у него Алешу, едва слышно прошептав: «Спасибо...» А затем, не переставая гладить по кудрявой головке прильнувшего к ней всем телом малыша, застыла чуть в стороне, у распахнутой двери в гостиную, не в силах что-либо говорить или делать. Она все еще была в шоке — не только от нападения громил, но и от неожиданного поведения Юрки. По всему было видно, что гнусные попытки Руслана устроить групповое изнасилование вызвали у парня отвращение и заставили вмешаться.

— Чего ты ждешь, Малыш? — усмехнулся Руслан, равнодушно глядя на Юрку поверх наведенного на него ствола «беретты». — Не знаешь, где телефон? Спроси у Светочки, она скажет... Эй ты, мадонна с младенцем, принеси моему «красному» братишке трубочку! Он будет звонить ментам. Он, оказывается, и сам — мент...

— Уходите, прошу вас, — стараясь не смотреть ни на кого, кроме сына, и продолжая гладить его по голове, тихо прошептала Светлана и добавила автоматически, полубессознательно: — Мне нужно укладывать ребенка спать. Алеша только из ванны, он простужен...

Карапуз, услышав свое имя, перестал тереть кулачками глаза, позабыл про слезы и, обернувшись к сжимавшему пистолет Юрке, неожиданно улыбнулся.

Это было последней каплей. Юрка понял, что не сможет выстрелить. Закусив губу, он медленно опустил оружие и, процедив что-то сквозь зубы, отвел взгляд от Руслана. Флоренский понял, что угроза получить между бровей пулю окончательно миновала. Стараясь ничем не выдать волной накатившего облегчения, он брезгливо фыркнул, отвалился от дверного косяка и, толкнув, словно случайно, Юрку плечом, подошел к неподвижно лежавшему на ковре Душману. Присел возле него на корточки, положил пальцы на шейную артерию нокаутированного боксера, провел пальцами по вздувшемуся окровавленному носу, покачал головой и обернулся к Юрке:

— Жив мудак, но оклемается не скоро. Сопатку ты ему конкретно размозжил, дышит ртом через раз. К лепиле его нужно, на операцию... Значит, так, соска, слушай сюда! — зыркнув на Светлану, поморщился Руслан. — Никто тебя насиловать и чадо бесценное калечить, разумеется, не собирался! Да только такая у нас, знаешь ли, собачья работа — долги вышибать. Не загрузишь — не получишь... Брательник мой младший, Юрец, первый раз в деле, еще не в курсе наших методов, вот и разыграл комедию. Но в одном он, похоже, прав. Цацку ты действительно не брала. Так что отдыхай... А еще лучше — вообще забудь, что сегодня к тебе приходили гости. Усекла?! Не слышу ответа!..

Светлана промолчала, не удостоив его даже взглядом. Юрка понимал, что девушка не верит ни одному слову отмороженного скота.

— Кровь за ним подотрешь! — не дождавшись ответа, сипло буркнул Руслан и, как охотник — убитого кабана, взвалил на плечо тяжелую тушу гнусаво застонавшего боксера. Держа авторитет главаря и блатную позу, Флоренский-младший первым направился к выходу, не сказав Юрке ни слова.

— Прости, я действительно не знал, как они собираются тебя допрашивать, — задержавшись в квартире, хмуро обронил Юрка, даже не заметив, что перешел на «ты». — Пойми, дело действительно крайне серьезное. Мы должны любой ценой к утру вернуть браслет. И ты — единственная, на кого пало подозрение. А насчет заявы в милицию... решай сама, конечно. Только я...

— Я не буду никуда звонить. А сейчас, пожалуйста, уходите, — смерив Юрку презрительным взглядом, ответила девушка. — Нет, постойте... Передайте менеджеру по персоналу, что с завтрашнего дня я увольняюсь по собственному желанию. За трудовой книжкой и налоговой выпиской зайду позже. Это все. А теперь, Бога ради, убирайтесь вон из моей квартиры!

— Извини еще раз за все, — убрав пистолет за брючный ремень, промямлил Юрка. Быстрым шагом пересек гостиную, миновал длинный коридор и, захлопнув за собой входную дверь, вышел на пропахшую мочой лестничную площадку.

Тяжелое, прерывистое дыхание тащившего неподъемную ношу Руслана доносилось уже двумя этажами ниже. Быстро сбежав по лестнице и даже не взглянув на храпевшего у окна алкаша, Юрка настиг старшего брата.

— Давай помогу.

— Отвали, бля, сам справлюсь, — грубо огрызнулся Руслан, резко и демонстративно сплюнув под ноги. — Ты уже помог, радуйся! Чуть бабуина моего ручного не кончил. Лучше дверь открой и за шухером посмотри, пока я его в тачку грузить буду! Тоже мне, сука, друг детей и беременных женщин нашелся!..

— Хавальник захлопни, братан, плохо пахнет! — не остался в долгу Юрка. — Знаешь, на каком месте я вертел твои методы?! Тоже мне Чикатило нашелся! Да ты сам, без всяких понтов и браслетов, хотел ее трахнуть, понял?! А тут такой удачный повод! И не лепи мне здесь горбатого, я тебе не мальчик-колокольчик!

— Ну ты, Юрец, и дура-а-к... — со вздохом разочарования протяжно простонал Руслан и, скривив губы, пристально посмотрел ему в глаза. — Плевать, считай меня кем угодно. Только напомни, чтобы завтра привез тебе, сопляку желторотому, учебник гэбэшный почитать. Может, хоть потом извилины гладкие заработают. Думаешь, кучу бородатых в Чечне кончил, так сразу крутой стал, как яйцо? Да сопляк ты еще! Всосал?

— Какой, бля, учебник?! — останавливаясь у двери подъезда, машинально спросил Юрка.

— Красивый! — фыркнул Руслан. — Который даже в гэбэшной академии не каждому курсанту дают и за получение которого в секретной части как за ствол боевой расписываться надо! — с чувством собственного превосходства сказал Руслан. — Называется «Пособие по технологии допроса для сотрудника следственных органов Госбезопасности». Там много интересного написано про то, как без оружия и сыворотки правды любого диверсанта-многостаночника расколоть, как грецкий орех. И хитрых баб с сопливыми в подоле — в том числе. Пятьсот страниц текста! Полистаешь, сидя на толчке... Ну надо же, на крик спиногрыза сопливого купился, вот бля! Ха! Дурик ты! Тебя, пацана зеленого, на одних только понтах развести — как два пальца обсосать! — надменно усмехнулся Руслан. — Ну-ка, тачку лучше открой, Макаренко! Ключи в левом кармане! Синяя кнопка...

Глава 19

На улице, к счастью, было пустынно. Запихав едва подающего признаки жизни, перемазанного кровавыми соплями Духа на заднее сиденье джипа, Руслан сел за руль. Зарычав мотором, внедорожник сорвался с места и взял курс на южную часть Питера. Едва джип свернул на Литейный, Руслан взял трубку и позвонил некоему Владилену Бенедиктовичу и предупредил, что через полчаса привезет нуждающегося в срочной операции, пребывающего в отключке кореша с раздробленным в хлам носом. Судя по краткости диалога и быстро достигнутому консенсусу, к услугам частнопрактикующего лепилы Флоренский-младший обращался далеко не впервые.

— И часто ты Айболиту своему работенку подкидываешь? — после длительного напряженного молчания поинтересовался Юрка, закурив сигарету и умышленно глядя в противоположную от брата сторону, на проплывающие за тонированным стеклом автомобиля сырые фасады старинных домов центральной части города.

— Редко, но метко, — по-прежнему недружелюбно отозвался Руслан. — Ты, Малыш, лучше думай, как и где браслет воровской сучки искать будем, — добавил глухо, мельком глянув на часы. — У нас с тобой, если в идеале, времени часов пять осталось...

— А если не уложимся, нас обоих поставят к стенке, намажут лоб зеленкой и высекут отцовским кожаным ремнем, — пошутил Юрка.

— По понятиям, ничего Крестовый отцу не предъявит, не тот случай, — не в пример брату серьезно сказал Руслан. — Телка его упитая сама цацку посеяла, никто ее не грабил и с руки в толкучке не снимал. В «Полярной звезде» карманникам делать нечего. Тут соль в другом. Вор не просто так второй год регулярно в Питер наведывается. Вон даже биксу постоянную себе завел! Поговаривают, Батя уральский общак у нас с выгодой пристраивает, входит в долю с местными авторитетами... Нельзя нам с такими волками ссориться, дрянная перспектива... А вот иметь Крестового должником — совсем другой расклад.

— А кому отец платит? — с места в карьер метнул крючок Юрка.

— Ишь ты, какие у тебя вопросы! — дернул шершавым щетинистым подбородком Руслан. Но, подумав секунду, все-таки ввел Юрку в курс дела: — Мы никому не платим. Отец регулярно зону под Лугой деньгами и продуктами греет... через одного отошедшего от дел старого авторитета. А такие коммерсанты бандитам не отстегивают... Да и собственный вес у отца после тюрьмы серьезный, связи на самом верху, так что на хромой козе не подъедешь! С воровским смотрящим, Сливой, на «ты» разговаривает. А что до проблем с наездами всяких залетных беспредельщиков — такое тоже изредка случается, — их я сам, с бойцами вроде Душмана, решаю. Конкретно и без соплей. Чтобы было тихо, как на кладбище...

— Верю, — сдержанно кивнул Юрка. По его спине от жестких откровений брата прокатилась холодная волна. Собственно, в том, что зондеркоманда Руслана, защищая сверхприбыльный игорный бизнес отца от посягательств со стороны, вынуждена не только доводить до истерики беззащитных женщин с детьми, но и регулярно прибегать к откровенной мокрухе, Юрка не сомневался изначально. Но только сейчас, с нескрываемой неприязнью поглядывая на покрытый черной щетиной раздвоенный подбородок старшего братца, вдруг впервые понял, что рано или поздно ему самому снова придется убивать людей. Не из страха погибнуть самому, не за идею и отечество, как было в Чечне и как могло бы быть в вологодском ОМОНе, а только за деньги. Причем по большей части — чужие. Таковы правила игры. В противном случае рано или поздно его просто вышвырнут из клана. Этот живущий по законам джунглей и питающийся более слабыми особями хищный организм отторгнет его как инородное тело. Как говаривали некогда партийные идеологи, кто не с нами — тот против нас.

— Слушай, я все думаю насчет браслета... — усилием воли отбросив тревожные мысли, обронил Юрка.

— Ну?

— Где гарантия, что цацку потеряли именно в холле, когда подружка Крестового с лестницы гробанулась?

— Такой гарантии нет, — подумав секунду, рассудил Руслан. — Замок мог расстегнуться в любой момент. Просто сразу несколько человек видело, как она красиво растянулась. Потом Крестовый ее поднял, прямо у дверей клуба сели в тачку и — привет. Виллу их двухэтажную и наш кабак комсомольцы уже с лупой обшмонали, но ничего не нашли. Значит, либо браслет заныкал кто-то из охраны или глазастых клиентов, либо... — Руслан многозначительно помолчал — ...мы слишком поспешно свалили из квартиры этой соски, не перевернув там все вверх дном. Другой рабочей версии, кроме ее крысятничества, нет. Точнее — не было... И раз она не выстрелила, тогда — отбой. Вот сдадим Духа на ремонт лепиле, и можно ехать спать. А утром быть готовыми отгребать от папика звездюлей по полной программе.

— Никольская отпадает, забудь, — не желая больше возвращаться к больной теме, отсек Юрка. — Слушай, у тебя есть прямой номер Крестового?

— Ну, есть... На фига тебе лишние проблемы?! — брови Руслана съехались к переносице. — Чего тебе не ясно?!

— Так, хочу уточнить у законника пару моментов, прежде чем поднять лапки кверху и признать свое поражение. Набери мне, если не трудно. — попросил Юрка. — Я сам с ним поговорю. Как его имя-отчество?

— Зови Аркадий Васильевич, не ошибешься. Ну, короче, рискни. Только если что — я тебя отговаривал, — перестраховался Руслан, снял с держателя на панели крохотную янтарную трубку, быстро отыскал в памяти номер уральского вора в законе, нажал кнопку с изображением молнии и сунул гудящий зуммером мобильник сосредоточившемуся, как перед первым в жизни прыжком с парашютом, Юрке.

Крестовый Батя ответил после пятого гудка.

— Слушаю, — послышалось в трубке.

— Добрый вечер, Аркадий Васильевич, — вежливо поздоровался Юрка. — Извините, что так поздно беспокою. Это из службы безопасности казино «Полярная звезда», по поводу потерянного вашей супругой браслета...

— Чё, неужели нашли?!

— В клубе — нет. И думаю, что персонал не причастен к его пропаже, — твердо констатировал Юрка.

— Так какого хуя ты тогда звонишь, на ночь глядя?! — придавленной каблуком гадюкой прошипел вор.

— Аркадий Василич, шеф дал мне задание найти браслет! Если вы мне поможете, ответив на пару вопросов, я надеюсь, что к утру он будет уже у вас в руках! — Юрка даже сам удивился, откуда в нем взялось столько решимости, но в разговоре с криминальным «генералом» он вовсе не чувствовал себя пешкой. — Вспомните, пожалуйста, когда ваша супруга видела украшение на руке в последний раз?

— За столом, во время игры в покер! — недовольно засопел, но все-таки ответил Крестовый. — За часполтора до выхода из казино!

— Когда вы уезжали, вас ждал на стоянке личный автомобиль с водителем? — почуяв, что несмотря на гнев авторитет готов делиться информацией, без паузы спросил Юрка.

— Нет, — последовал неожиданный ответ. — Свой «мерс» и джип с охраной я отпустил еще ночью, была стремная тема, но тебя, комсомолец, это уже не касается. Домой мы уехали на такси. Машину тормознули прямо у ворот. — Помолчав, вор нехотя, словно у следователя на допросе, добавил: — Тачку и руля уже ищут. И если Алина действительно обронила браслет в машине, я ему, хорьку, не завидую!..

Юрка почувствовал, как у него на миг сперло дыхание, а над верхней губой выступила испарина.

О том, что Крестовый и его подружка добирались домой не на личном авто в сопровождении охраны, а на «желтом дьяволе», отец не упоминал! Возможно, потому, что раз и навсегда усвоил: воровские авторитеты передвигаются только на личном «мерсе» в сопровождении вооруженной свиты. Флоренский даже предположить не мог, что как раз сегодня под давлением обстоятельств вор изменил своим привычкам, пренебрег элементарными соображениями безопасности и, будучи сильно пьяным, вместе с любовницей сел в чужую машину. А позже, гневно потребовав возврата утерянного в клубе супердорогого браслета, то ли по забывчивости, то ли умышленно не поставил отца в известность об этом отступлении от правил. Вот так прокол!

— Тогда, может, вы случайно запомнили трафарет на двери, необычный плафон или, скажем, особые приметы водителя? — Юрка на всякий случай задал третий вопрос, интуитивно почувствовав, что он наверняка станет последним в его короткой беседе с Крестовым. По правде говоря, полезного для розыска ответа он не ждал.

— Это была «Волга», такси! На зеркале обзора кубики типа игральных костей! — совсем уже нехотя, как подачку на паперти, бросил, прорычал уральский вор. — Когда водила включал повороты, они моргали!!! Всё!

Связь оборвалась.

Движимый предчувствием близкой разгадки, Юрка торопливо вынул из кармана бумажник и, ничего не объясняя лихо кидавшему джип с полосы на полосу и обгонявшему все подряд попутки Руслану, достал из бумажника визитную карточку лысого таксиста — того самого, что вез его вчера утром от Финляндского вокзала. Торопливо набрал номер мобильного телефона толстого хапуги. Когда тот отозвался, Юрка в двух словах напомнил, кто звонит, убедился, что труженик баранки и геморроя его хорошо помнит, и, пропустив мимо ушей вопрос лысого о результатах встречи с богатым папиком, с ленцой в голосе поинтересовался:

— Слушай, шеф, тут такая тема. Есть у вас в конюшне «волжанка» с моргающими кубиками на панорамном зеркале?

— Так сразу и не вспомнишь, — на всякий случай напустил тумана таксист. — Потерял чего?

— Да понимаешь, лажа какая! — стал на ходу сочинять Юрка. — Я тут с одной биксой вчера вечером познакомился, туда-сюда, короче повез ее в гостиницу «Советская». Натурально, на тачке с кубиками. Больше ни хрена не запомнил, пьяный был конкретно. А в номере полез в карман, гляжу — ключей от моей вологодской хаты нет. Бля буду, выпали в машине, когда я сигареты доставал. Больше негде. Вот я и подумал, вдруг эта тачила из вашей конторы? Прикинь, завтра вечером домой, а замки ломать совсем не хочется. Дверь в квартире стальная, а замки — японские, с секретом. Без ментовского медвежатника не вскроешь. Так есть такая тачка?!

— Не срослось, значит, с батей-миллионщиком, — почмокав губами, совсем как щекастый внук красного командира Гайдара, с фальшивым сочувствием сказал таксист. — В общем так... Не знаю, та ли это «Волга», но одна с похожими висюльками у нас в гараже стоит, — и замолчал, недвусмысленно намекая на магарыч за наводку.

— С меня коньяк, шеф! — с ходу пообещал понятливый Юрка. — Французский!

— Десять лет, как завязал, — небрежно похвастался лысый. — Короче. Три сотенных ставишь, и хватит. Ты где сейчас? В «Советской»?

— Не-а. В маршрутке. Возле Таллинского шоссе. Уже прям на мосту через железку, — прикрыв трубку ладонью и уточнив координаты у брата, ответил Юрка. — Дело у меня тут недалеко! Посылочку родокам от дружка армейского надо завезти...

— Давай тогда вот как сделаем, — предложил лысый, — через два часа подъезжай к перекрестку у проспекта Ветеранов, ты только что его проехал. Рядом еще высотку из красного кирпича строят.

— Ага, видел, — подтвердил Юрка.

— Вот напротив нее, на остановке, и встретимся. Машину мою ты знаешь. Ну, пока.

— Если что, подожди пару минут, лады?! — с трудом сдерживая распиравшее его нетерпение, на всякий случай попросил Юрка напоследок.

В этот миг, когда удача сама плыла в руки, он еще не знал, что задержаться им действительно придется, и гораздо дольше, чем на две минуты...

Пока же, деловито убрав телефон, он с видом победителя хитро покосился на брата.

— Ну, блин, и везет тебе, Юрец! — искренне восхитился Руслан. — Я, признаться, насчет такси даже и не подумал. Ведь такие, как Крестовый, без эскорта даже в сортир не ходят... — Флоренский-младший суеверно постучал себя костяшками пальцев по лбу, заметив серьезно: — Говорят, нужно по дереву постучать, чтобы не сглазить, — и сам же громко, от души, рассмеялся. Оценивающе взглянул на чуть растянувшего в улыбке губы Юрку и примирительно похлопал его по плечу.

— Кончай зуб на меня иметь, Малыш! Ты вспылил, наломал дров по непонятке, я тоже не сдержался, пора подвязывать с обидами. Так мы неизвестно до чего дойдем. Ты, я убедился, мужик правильный, войну видел, даже ствол трофейный с собой привез... Так?

— Так, — подтвердил Юрка. — У араба одного пленного отобрал. За день до дембеля.

— Смотри-ка, не ошибся! — с довольным видом ухмыльнулся Руслан. — Но только здесь, на гражданке, в пока что чужом для тебя Питере, ты многого еще не знаешь, не догоняешь по причине нежного возраста, недостатка информации и опыта. Но, когда рядом такие учителя, как я и отец, — это дело поправимое. Как считаешь, а?

— Ты прав, я действительно здесь новичок, — согласился Юрка, не вдаваясь в детали.

— Вот видишь! Если выгорит с браслетом, достанем руля раньше Крестового, считай, что прописку в семейном спецназе ты уже прошел! Ха-ха! Старик будет доволен... Ну, мир? Держи краба!

Руслан протянул руку. Юрка, в очередной раз подумав, что братан порядочная сволочь и конфликты с ним неизбежны, как снег в январе, вздохнул и все-таки хлопнул по его ладони своей пятерней...

Конечно, хотелось верить, что наводка лысого действительно поможет им раньше боевиков Бати выйти на след водилы, неосмотрительно заныкавшего браслет пьяной пассажирки; что мигающие в унисон сигналам поворота кубики — не кустарный самопал, а серийная китайская мулька. А вот о том, что на панорамных зеркалах, помеченных шашечками «Волг», круглосуточно снующих, как крысы по подвалу, по улицам огромного мегаполиса, таких кубиков может болтаться с десяток, а то и больше, не хотелось даже думать!

...Подумать пришлось о боксере, наконец-то оклемавшемся после нокаута. Несколько раз подряд громко замычав, несостоявшийся король профессионального ринга продрал глаза и с огромным трудом принял вертикальное положение. Откинулся на спинку сиденья и, мотая башкой словно пьяный, с шипением тронул узловатыми пальцами свой невероятно распухший, бесформенный иссиня-багровый нос.

— У-у-у, бля! — словно тряпичный слон из детского мультика, гнусаво промычал бывший боксер, заставив братьев дружно прыснуть — так комично это прозвучало.

— Что, смешно, козлы-ы?! — с трудом выдавливая из себя каждое слово, злобно огрызнулся боевик, буравя взглядом Юркин затылок. Не выдержав, ударил кулаком по спинке его сиденья и пообещал: — А тебя, птенец, я щас вааще раком поставлю и на хер с прокрутом натяну, понял?! И папа не поможет.

Руслан фыркнул, поиграл бровями и, поняв, что настал момент истины, провоцирующе взглянул на брата — дескать, и ты позволяешь всякому баклану обкладывать тебя, сына хозяина, такими унизительными словами?

— Останови-ка, — шумно выдохнув, попросил брата Юрка. — Кажется, одному засранцу действительно пора всерьез ответить за базар.

— Двадцать два — перебор, согласен. — Руслан с готовностью сбросил скорость и остановил джип на раскисшей от дождя обочине, напротив унылого и бесконечно длинного бетонного забора, окружавшего давно закрытый в связи с реформами завод.

— Ты попал, Дух, — обернувшись через плечо, с сожалением сказал Флоренский, незаметно для Юрки лукаво подмигнув одному из лучших боевиков своей команды. — А ведь мы тебя, идиота, к хирургу везли, чтобы шнобак починить. Да видать, не довезли... За такие слова, что ты сейчас, не подумавши, Юрцу вякнул, даже на сучьей зоне на перо садят. Или раком ставят...

— Щас я сам кое-кого пидором сделаю!!! — поняв, что отступать поздно, попер напролом боксер. — Я ему, сявке, должок с процентами верну...

— Отдача замучает, — коротко предупредил сквозь зубы Юрка.

— Чую, теперь вас точно не разнять, гладиаторы, — с иронией заметил Руслан. — Ладно, раз пошла такая пьянка — сходите проветритесь. Только учите, бойцы, — предупредил уже серьезно, — мне жмурики в багажнике не нужны. Так что волыны, на всякий случай, попрошу оставить здесь...

Предстоящая разборка между двадцатилетним парнем и бывшим профессиональным боксером, тридцатичетырехлетним пробитком Димой Ерохиным, более известным в узких кругах как Костолом, оказалась как нельзя более кстати. Для мстительного по натуре, обладавшего извращенным чувством юмора Руслана Флоренского этот конфликт был просто подарком судьбы и давал возможность не только оценить бойцовские возможности младшего братца, но и чужими руками отомстить заносчивому сопляку за испытанные в квартире Никольской страх и унижение. На какие зверства в кулачном бою без правил способен сменивший уже третье погоняло мокрушник Костоломом, Руслан знал не понаслышке. Провоцируя разборку, он не сомневался, что буквально кипящий жаждой мести, стойко переносящий боль от травм отморозок в два счета упакует пацана в глину, надолго пригвоздив того к койке с белыми простынями.

— Не глуши мотор, братан, я приволоку этот кусок дерьма уже через пять минут, — швырнув в углубление на панели «беретту» и спрыгивая в придорожную грязь, сухо пообещал Юрка, чем вызвал в свой адрес новую порцию грязной ругани со стороны Душмана, удивленно отметившего, что серьезное боевое оружие есть и в распоряжении молодого сынка босса. Впрочем, в предстоящей акции это не имело значения...

Достав из кобуры «стечкина», боксер швырнул его на сиденье и толкнул дверцу машины.

Воспользовавшись тем, что Юрка уже отошел от джипа на пару шагов и не может услышать его, Флоренский резко обернулся, схватил за воротник собравшегося было ринуться в бой громилу, рывком притянул его оттопыренное ухо к своему рту и с жаром прошептал:

— Только без серьезных увечий, Костолом! Все-таки этот брехливый щенок мой родственник. Да и отец заколбасит, если поломаешь. Авось сгодится еще фраерок. В качестве «торпеды»...

— Откуда он вообще взялся?! Кончить бы его, падлу! — оскалился Ерохин, движением плеча нервно освобождаясь от руки Руслана. — Ладно, не учи отца ебаться... Рубильник — в фарш, перелом челюсти в двух местах, пара ребер и гематома всей морды лица. На первый раз... Не ссы, через месяц оклемается. Но если еще что-нибудь вякнет — тогда точно кончу!

— Добро, — мстительно посмотрев в спину Юрке, кивнул Руслан. — Кстати, пока ты отдыхал, у нас стрелка на полдвенадцатого скакнула, а тебе, как ни плюй, еще к Канторовичу надо заглянуть. Так что давай гаси пацана в темпе...

— Это не займет много времени, ты меня знаешь, — пообещал громила и вылез из машины, плосконосой длиннорукой обезьяной растворившись в сумерках дождливой летней ночи.

Флоренский подождал, пока брат и вышибала, идущие на почтительном расстоянии друг от друга к огромному пролому в заборе, скроются на территории завода, не спеша достал обтянутый кожей портсигар, прикурил «беломорину» с марихуаной и несколько раз глубоко затянулся травкой, блаженно прикрыв глаза. Потом подался вперед, хитро усмехнулся своему отражению в зеркале и сгреб лапой мобильник.

Пора было перезвонить хирургу Канторовичу и предупредить, что вместо одного пострадавшего в драке боевика со сломанным носом он привезет жадному до денег лепиле сразу двоих. Причем один из них будет в тяжелом состоянии, со множественными переломами лицевых костей, травмами и ушибами мягких тканей. Так что пусть готовит не только перевязочную с операционной, но и стационар. Влетит, конечно, в копеечку, но это ерунда по сравнению с предстоящим наваром. Ведь теперь возвратом почти отыскавшегося браслета он, Руслан, займется без помощников. Найдет и заберет, не забыв вчинить крысе-таксисту штрафные санкции. Придется тому лишиться квартиры и личных сбережений. А ты не воруй! Ништяк тема!

Глава 20

Пребывающий в сладкой наркотической неге главарь зондеркоманды похолодел от неожиданности, когда спустя семь минут дверца джипа медленно приоткрылась и вместо досрочно победившего травматическим нокаутом Костолома на сиденье медленно забрался Юрка. Его остекленевший, неподвижно устремленный в одну точку взгляд испугал Руслана. Он оглядел брата, обильно перепачканного не только своей, сочившейся из разбитой брови и с побагровевших губ, но и чужой кровью. Чьей именно — можно было не спрашивать...

— Звиздец, — еле шевеля рваными губами, хрипло прошептал Юрка, пряча пистолет за брючный ремень и даже не взглянув на побледневшего, переменившегося в лице и на миг потерявшего дар речи брата.

— Где Дух?! — более-менее справившись с эмоциями и собрав волю в кулак, как можно невозмутимей спросил Руслан, во второй раз за вечер получивший сюрприз от младшего братца.

— Там он... — спокойно ответил Юрка, заторможенно мотнув головой в сумеречную промозглую темноту.

Руслан увидел свежую кровь на его руках, костяшки которых были до мяса оббиты о зубы Костолома. Юрка взял лежавшую возле ветрового стекла пачку «Мальборо», вытряхнул последнюю сигарету и прикурил от неожиданно вспыхнувшей гигантским пламенем, опалившим брови, зажигалки. В машине запахло палеными волосами. Но пребывающий в шоке Юрка не чувствовал этого. По-прежнему глядя в одну точку, он сделал несколько глубоких затяжек, повернул к Руслану сильно избитое лицо, внимательно посмотрел на его вытянувшуюся физиономию и едва слышно закончил:

— Мертвый...

— То есть как это мертвый?! — стукнув руками по рулю джипа, громко выкрикнул Флоренский, на редкость быстро выходя из туманившей мозг наркотической нирваны. — Почему мертвый?! Я же предупреждал, падлы!.. Ты хоть представляешь себе, что ты наделал, Малыш?! О-о-й-й-о-о-о! — Руслан закрыл лицо ладонями, сдавленно засопел, пару раз качнулся взад-вперед и медленно опустил руки. Верить чудовищным словам брата не хотелось.

— Сначала он меня крепко отделал. Я, по правде говоря, не ожидал, что этот поломанный гнус может так лихо махать граблями, — Юрка жадно глотал сизый дым. — Никогда не ловил таблом таких страшных ударов...

— А чем ты, бля, думал, забивая ему махаловку?! Он же двукратный чемпион Европы среди профессионалов! Таких пробитых шкафов на куски рвал, что тебе и не снилось!!! Стероиды упаковками жрал! Если бы давление и язва не скрутили, знаешь, где бы он был сейчас?! В Лас-Вегасе, на одном ринге с Тайсоном!!! — морщась, словно от зубной боли, вопил Руслан.

— Говно он спекшееся, а не Тайсон! — с яростью вставил Юрка, потрогав припухшую челюсть. — Но бьет сильно, падла...

— Я хотел тебя предупредить, но куда там! Сначала ты ему сдуру шнобак свернул, потом сам же вызвал на разбор, — с честными глазами законченного подонка убежденно врал Флоренский, еще десять минут назад самолично спровоцировавший драку.

— Я три раза падал, — словно не слыша его, бормотал Юрка. — Боль ужасная... Дыхание сбито, лица не чувствую... Только вкус крови во рту. Думал, все, приплыл! Мне почему-то сразу показалось, что Дух хочет меня кончить. Такая была у него рожа...

— Показалось ему, ну ни хуя себе! — нервно хохотнул Руслан. — У него уже две пластических операции на клюве было, едва слепили, а тут, бля, опять прилетело! Здесь кто угодно взбесится!..

— Я вовремя заметил, что он машется именно как боксер, одними руками, — полубезумная улыбка промелькнула на губах Юрки и сразу же исчезла. — Если б я пропустил еще один удар в голову и опять упал, мне бы уже не встать. Но я нашел его слабое место...

— Поздравляю! — огрызнулся Руслан. — Что, возрадовался и всмятку разбил ему яйца?!

— Я никогда не бью по шарам, — Юрка тупо посмотрел на скуренную до фильтра потухшую сигарету. — Дух поймал маваши в бедро, упал на одно колено, а потом пропустил лай-кик в скулу. Я понял, что все кончено, и предложил ему вернуться в тачку... Он молчал, только зенками зыркал. Всосал, что амбец ему. Ну да я не гордый. Сгреб его за воротник, чтобы оттащить в тачку, но Дух, падла, только этого и ждал. Выхватил из-за щиколотки стилет, улыбнулся так поганенько и ткнул мне в горло. До сих пор не знаю, как успел среагировать... — Юрка бросил обгорелый фильтр на коврик и снова уставился вдаль невидящими глазами.

Руслан машинально пробежал взглядом по груди младшего брата и только сейчас увидел на его плече не опасную для жизни колотую рану. Из нее медленно сочилась, впитываясь в мокрую и без того ткань пиджака, темная густая влага.

— Я не хотел его убивать, случайно вышло, — глухо прошептал Юрка, стиснув зубы. — Когда он меня стилетом ударил, я почти ничего не почувствовал, только клешня сразу отнялась. Чисто машинально перехватил стилет, вывернул запястье и сунул ему точно под кадык. Словно в масло вошел, по самую рукоятку. Опомнился, когда в лицо фонтан крови брызнул. Глаза разлепил, а он хрипит, дергается, глаза навыкате... Я не хотел его мочить, это несчастный случай! Ты-то мне веришь?!

Словно оттаяв, Юрка метнулся к брату — своей единственной в данной ситуации спасительной соломинке — и схватил его за грудки:

— Веришь или нет?! Говори!

— Значит, несчастный случай? Самооборона?! Это ты, Малыш, теперь прокурору доказывать будешь, — процедил Руслан. Он вдруг ощутил, как его желудок предательски сжался и подпрыгнул. Затем снова и снова, уже гораздо сильнее. С омерзением и брезгливой растерянностью Флоренский понял, что сейчас его вывернет наизнанку. То ли от забитой в гильзу забодяженной дрянной «травы», то ли от сочных подробностей Духовой смерти, а может, и от всего вместе.

Отпихнув нависшего над ним с перекошенным лицом брата, Руслан торопливо схватился за хромированную ручку джипа, толчком раскрыл дверцу и, перегнувшись пополам, свесился вниз. В следующую секунду из его чрева с утробным рыком и клокотанием изверглась под колеса густая, скользкая масса, некогда бывшая спагетти с грибным соусом, запитыми бокалом пива.

— Блю-ю-а-а-а!!! — эхом пронеслось над пустырем, отразилось от бетонного забора и затерялось в лабиринте заброшенных заводских ангаров. — Ик!..

Проблевавшись до судорожного кашля, до рези в глазах, Руслан разогнулся, захлопнул дверцу и, тяжело дыша и содрогаясь от икоты, откинулся на сиденье.

— Надеюсь, насчет прокурора ты пошутил, брат, — зловеще прошептал у самого уха Юрка. — Или...

— Ну, разумеется! — Флоренский окинул новоявленного родственника покровительственным взглядом. — Я ведь предупреждал, земеля. Здесь Питер, не Чечня. Бесхозных жмуриков не бывает! Особенно с перерезанным горлом! Да-а, создал ты проблему...

— Скажи, что делать. Принести его сюда...

— Только суеты не надо, понял? — сурово заметил брат. — Ты оставил Духа прямо там, на месте?!

— Да, — кивнул Юрка. — Слева от дыры в заборе, возле кучи мусора, — и с надеждой посмотрел на брата, тыкавшего пальцем в кнопки мобильника. — Куда ты звонишь? Отцу?

— Нет, бля, в Смольный! — осклабился Руслан и тут же переключился на разговор: — Это я, короче... Нет, Никольская не брала... Но Малыш тут случайно кое-что вынюхал. Думаю, до утра цацку добудем. Я вообще не по браслету тебе звоню. Слушай, па, у нас тут жопа приключилась. Костолом гикнулся... Стоп, давай без эмоций!!! Без ментов обойдется, я гарантирую!!! Детали потом, а сейчас нужно срочно вызвать чистильщика... Да, диктуй, я запомню. Так. Какая последняя — семь? Восемь... Ладно, я еще перезвоню. Давай...

— Скажи спасибо отцу, — набирая продиктованный номер, не глядя на Юрку бросил Руслан. — Пока от тебя одни проблемы и убытки. Знаешь, сколько стоят услуги чистильщика?! Двадцать пять кусков!

— Я отработаю, — тихо прошептал Юрка. — Если браслет найдется, не надо мне никакого вознаграждения.

— Конечно, отработаешь. Алло? Это служба быта, я правильно звоню?! Спасибо. Добрый вечер, — поздоровался Руслан. — Наш абонемент 16-058. Скажите, вы цветное белье еще принимаете в стирку? На дому у клиента. Очень хорошо... Нет, без пятен... Желательно прямо сегодня, да. Запишите на наш счет, пожалуйста... Ах, так? Ну, хорошо. Мы заплатим наличными сразу после исполнения заказа. Записывайте адрес. Таллинское шоссе, дом двенадцать. Это ориентир. Дача новая, пока без номера, вы сами не найдете. У ворот вас встретят и проводят... Через сколько? Очень хорошо. Ждем. — Руслан отключил связь и, взглянув на часы, сказал: — Чистильщик будет здесь через сорок пять минут. Вместе не успеваем, придется разделиться. Я останусь тут и буду ждать, а тебе в помощники вызову Лешего. Он тут рядом кантуется, в Сосновой Поляне. Командуй им как хочешь. Леший хоть и пробиток, хуже Духа, но облом исполнительный... Встретитесь с таксистом, узнаете адрес водилы с кубиками и без меня, самостоятельно, заберете у него браслет! Справишься, надеюсь?!

Руслан сделал многозначительную паузу и внимательно посмотрел на Юрку. Тот плотно сжал губы и кивнул.

— Верю, — чуть усмехнувшись, кивнул Флоренский. — С такой рожей, как у тебя, только в фильмах ужасов без грима сниматься. «Восставшие из ада», часть первая. Моторист как вас вдвоем с Лешим увидит, так сам все отдаст, включая сберкнижку. Как себя чувствуешь? — запоздало поинтересовался Руслан, строго оглядев брата.

— Терпимо, — поморщился Юрка. — Только плечо горит.

— Дырка глубокая? Док со швейной иглой нужен?

— Царапина. До свадьбы заживет. Но антисептика не помешает, — сказал наученный кавказским опытом Юрка.

Старший брат просунул руку под сиденье, достал завернутую в кусок чистой ветоши индивидуальную армейскую аптечку.

— Надо же, какие арсеналы мы с собой возим. Не ожидал, — удивился младший.

— А как ты думал? На войне — как на войне! На вот, обработай сывороткой порез и вколи пирамидон, чтобы не лихорадило, — бросив на колени Юрке плоскую оранжевую коробочку, хмуро пробормотал Руслан и принялся сноровисто снимать с себя одежду. — В бардачке бутылка с минеральной водой, там еще осталось. Оботри рожу, переоденься в чистое, свои стремные шмотки сунь в пакет, по дороге выбросишь, — отдав Юрке рубашку и куртку, он остался в одной черной футболке. — И в карманах ничего не забудь! Несколько часов на уколе продержишься, потом заскочим к лепиле, заклеит... Короче, ты все понял? Вопросы есть?!

— Нет, — вытаскивая из аптечки бинт и пузырек, мотнул головой Юрка. — Спасибо, братан...

— Цени, пока я жив. О'кей, я набираю Лешему, через пятнадцать минут он будет здесь. Заодно скажу, чтобы сигарет по дороге прихватил! — вспомнив об отсутствии вожделенного курева, Руслан снова взялся за трубку.

— А... что будет с Душманом? — не удержавшись, осторожно спросил Юрка, обрабатывая рану смоченными тампонами и морщась от боли. — Исчезнет бесследно?

— Обижаешь, братан, — покачал головой Флоренский. — Это называется «мокрая чистка ковров» и для такого лоха, как Костолом, стоит всего-навсего три куска. С подготовительной работой, то бишь самим выстрелом, пять.

— Так мало? — удивился Юрка столь чудовищно низкой цене человеческой жизни. Убедившись, что рана надежно прижжена и кровь остановлена, он снял колпачок с заряженного промедолом мягкого шприца, уверенно воткнул иглу в плечо и вдавил поршень. Однажды ему уже приходилось проводить подобную процедуру, лежа под пулями, в воронке от бронебойного танкового снаряда. Юрка знал, что через минуту-другую наркотик подействует, боль пройдет, уступив место головокружению и холодному погу, а ближе к утру жди лихорадку и температуру под сорок.

— Сейчас в России только жратва, бензин и доллар дорожает, — цинично заметил Руслан. — А людская шкура, за которой не стоят связи, сила и капитал, стоит три копейки в базарный день. Наш покойный Дух — самая что ни на есть пыль, несмотря на завоеванные когда-то кулаками регалии. Несчастный случай, никакого криминала. Скорее всего, найдут бедолагу завтра утром где-нибудь в районе платформы «Пятьдесят седьмой километр» на рельсах, после того как по нему проедут пара товарняков и электричка. Пьяный был, вот и попал под поезд. Пойди разберись в этом фарше, где ножевое ранение, а где триппер... Менты такие тухлые дела, как правило, даже не раскручивают, сразу закрывают за отсутствием состава преступления. Вот это, Малыш, и называется «стиркой цветного белья», и стоит это уже от пятнадцати до двадцати пяти кусков зелени, в зависимости от сложности работы и, так сказать, качества первоначального продукта! Одно ножевое проникающее — это еще ерунда, не так сложно скрыть. Хуже, если бы ты его из автомата изрешетил... Только ты не думай, что отделаешься розыском браслета, — на всякий случай, с дальним прицелом, предупредил сникшего, раздавленного Юрку хитрый братан. — Это максимум половина суммы. У Душмана ведь семья осталась, мать-старуха, жена, спиногрыз девяти лет. Папик их без башлей полюбому не оставит. И похороны оплатит, и на пару лет вперед капусты даст... На круг все пятьдесят тонн наберется! Пойми, отец не жмот, но бросать такие суммы на ветер — это уже слишком. Он даже мне, когда в бизнес брал, всего десять тонн наличными выдал, так сказать на подъем. А дальше — стопроцентная самоокупаемость. А ты как думал? Приехал — и сразу хату, тачку и сладкую жизнь ни за хер собачий получить?! Так не бывает, Малыш. Питер — город жестокий. Деньги нужно зарабатывать кровавыми мозолями. Лучше, конечно, чужими... Кстати, между нами — братанами, ты свои подъемные еще вчера вечером в покер выиграл. Плюс «тойота». Больше халявы не жди. Только я тебе ничего такого не говорил, ты сам догадался...

— Я все отдам, — глухо повторил Юрка. Протерев лицо и руки смоченным водой краем своей футболки, он упаковал пропитанные кровью тряпки в полиэтиленовый пакет, бросил его под ноги и облачился в пришедшиеся точно впору рубашку и ветровку Руслана. — Главное, чтобы отец дал возможность отработать, — прошептал, устало откидываясь на спинку сиденья и прикрывая глаза. Укол начинал действовать. Боль исчезала, в голове слегка шумело, а на лице и спине выступила холодная испарина.

— Пока ты со мной, пособие по безработице тебе не грозит, — хвастливо заявил Руслан. — Да ты не очкуй, братила! Не принимай все так близко к сердцу! Душман хоть и кореш мне был еще с давних времен, но гнилой по жизни мужик, с двойным дном. Разве что морды лучше всех остальных бакланов крошил. Сдох — туда ему и дорога. «Пехота» долго не живет, Малыш... Запомни, твое будущее только в твоих руках! Не облажаешься, покажешь себя бойцом с головой — через год-полтора будешь иметь не только три тачки, но и правильную квартиру в городе с полным евроремонтом, техникой и обстановкой, коттедж на побережье залива и вообще упакован будешь до затылка, как тебе в твоей долбаной Вологде и не снилось! Главное — прикуси язык, забудь про глупые выходки с понтами, вроде той, что ты сегодня на хате у Светочки-минеточки выкинул, во всем слушайся нас с отцом, ну и, понятное дело, сам держи нос по ветру. Не ссы, прорвешься. А долг... Может, оно даже к лучшему. Активнее, нахрапистее будешь. В нашем деле, Малыш, слабаки долго не живут...

Старший брат прервал исполненный пафоса монолог, щелкнул костяшками пальцев и замолчал. После длительного сигнала «занято» его прижатое к телефонной трубке ухо услышало долгожданные длинные гудки.

— С кем ты лясы точишь, урод?! Полчаса тебе набираю! — рявкнул Руслан. И добавил уже мягче: — Это босс, Леший. Слушай сюда и не перебивай. Ты мне нужен с тачкой и волыной, прямо сейчас...

Глава 21

Очнувшись в больнице, в отдельной палате ожогового отделения, я сразу заволновался: как там отец Сергий? Но дежурная медсестра успокоила. Протоиерей жив, состояние его стабильное, однако он еще очень слаб и придется ему полежать две-три недельки на казенных белых простынях. Зато я могу быть свободен уже дней через семь-восемь, с условием регулярно ходить на перевязку и игнорировать телевизор как минимум в течение месяца. Пострадавшие от ядовитого дыма глаза стоило поберечь...

Спустя неделю, когда я встал на ноги, подоспело время подробного «разбора полетов» с капитаном Томанцевым. Я рассказал ему о дружеском визите в дом отца Сергия бритоголовых братьев, недвусмысленном требовании продать дом, не очень безмятежном моем пробуждении среди ночи, снайпере с «бесшумкой» и трассирующими пулями и наконец о спасительном подполе. Как выяснилось, он имел самостоятельную вентиляцию, благодаря чему мы и не задохнулись.

Все мои показания Томанцев скрупулезно записывал, не забыв в конце допроса заверить сей документ моей подписью. Я же с интересом ждал, как он отреагирует на мой рассказ. И ждал новостей.

— Фотограф из вас, отец Павел, вполне сносный... — убрав в кожаную папку лист с показаниями, Томанцев не спеша, с толикой позерства, извлек из нее два снимка большого формата и положил мне на одеяло. — Качество, правда, оставляло желать лучшего, но наши гении-компьютерщики постарались, и вот результат. Вам этот симпатичный молодой человек никого не напоминает?

Я взял снимки и вгляделся в изображение. В первом варианте человек в балахоне был запечатлен в профиль. Второй кадр успел выхватить из глубины капюшона худое скуластое лицо с выпирающим подбородком и длинные лохматые волосы. Да, зрительная память меня не подвела: балахон, обнаруженный на полу в квартире Пороса перед дьявольским алтарем, скрывал Люцифера! Что и требовалось доказать...

— Это он, — коротко резюмировал я, возвращая фотографии Томанцеву. — Никаких сомнений... Теперь вы верите, что толстяк не сам выпрыгнул в окно, а ему помогли?

— Теперь я в этом убедился, — ответил оперативник, пряча снимки в папку. — Дело за малым. Для того чтобы объявить данную телесную субстанцию в федеральный розыск, нужно установить ее личность. Кроме кликухи и портрета лица мы пока ничего не имеем. А этого слишком мало...

— Пока никаких выходов на эти «Гниющие внутренности»? — на всякий случай спросил я, заранее зная ответ, логически вытекающий из предыдущих слов Томанцева.

— Словно сквозь землю провалились, к своему покровителю, — брезгливо скривил губы капитан. — Сотовый продюсера не отвечает. У «конторы» пока тоже глухо...

— Лиза... Удалось выяснить, кто ее похитил?

— Да, — сдвинув брови к переносице, явно нехотя выложил капитан. Пожевав губами, он смерил меня внимательным оценивающим взглядом, словно мы виделись впервые, а я был ни мало ни много Джекомпотрошителем. — Она не опознала в своем похитителе Люцифера. Это был совершенно другой дядя. У него на голове очень мало волос, а на роже очень много «бяк», шрамов от оспы.

— Приметная физиономия, — усмехнулся я. — Личность установили?

— Мы сделали то, что полагается делать в подобных случаях, — невозмутимо пожал плечами капитан. — Показали Лизе фотографии похожих вурдалаков из нашего архива. Она опознала «дядю с бяками» буквально сразу. Несколько раз тасовали два десятка снимков, но она безошибочно указывала на один и тот же... Струков, сорок три года, конченый наркоман. Тварь та еще, за дозу мать родную продаст. Я его пять лет назад на ограблении таксиста брал, так поди ж ты, по амнистии выпустили... В общем, поехали с мужиками по одному адресу, по второму, третьему — и взяли сволочь тепленьким в одном из притонов на Гражданке, даже ОМОН не понадобился.

Томанцев машинально потер ладонью разбитые, со свежими ссадинами, смазанные йодом костяшки пальцев на левой руке. Левша, выходит. С такими в рукопашной сложно, машинально подумал я, особенно если они кое-что умеют. Капитан, судя по всему, умел...

— Струков сразу же сдал всех подельников. Разумеется, кого знал, — продолжал Томанцев. — Эти твари, оказывается, уже четвертого ребенка похищают.

— Но зачем? — воскликнул я.

— Понятно зачем, — фыркнул Томанцев. — Одно из двух... Вы, отец Павел, на острове своем в лесу дремучем совсем одичали. У вас там одни серийные убийцы да сексуальные маньяки. Не знаете, какие вещи в нашей замечательной и полной чудес стране происходят. В Европе и Штатах некоторые вконец охреневшие господа платят по пятьдесят тысяч баксов за белого ребенка не старше трех лет... Нагулялись в молодости, уроды, натрахались, все причиндалы себе повырезали, а потом вдруг спохватились, что капиталы свои некому оставить! Вот и покупают детей за бугром, оформляют липовые документы, усыновляют... Это у нас отказных детишек — хоть лопатой греби, а у них такого варварства нет. Цивилизация! На гособеспечении только дебилы, да и то — всем бы у нас так жить... Но в последнее время господа шустрые в наших детских домах ребят брать опасаются, накушались уже выше крыши. Там, почитай, сплошняком детишки наркоманов да алкашей. За редким исключением. Наследственность дурная почти у каждого... Кому такое добро нужно? А в общем-то вывоз с целью усыновления — это еще полбеды, хотя тоже криминал первостатейный. Хуже, если похищенного ребенка на органы или на препараты омолаживающие продают. За это платят еще дороже. До ста пятидесяти тысяч за голову...

— Господи, да что же это?! — не сдержался я.

— Знаете, отец Павел, сколько этой мрази Струкову платили? — глаза опера недобро блеснули. — Пятьсот долларов! Пять сотен зеленых за то, чтобы завести с ребенком разговор, потом усыпить газом из баллончика и донести до микроавтобуса с надписью «Техпомощь»! А его более шустрые кореша продавали накачанных снотворным детей поджидавшей в гостинице чухне. Так и с Лизой Нагайцевой было... В общем, ждите, батюшка, через годик господина Струкова у себя на острове. Если он раньше от сердечной недостаточности не сдохнет... Была б моя воля, я бы тех козлов, которые «вышку» отменили, самих на место Лизиных родителей поставил. Разыграл бы образцово-показательную операцию силами спецов! Сначала заставил бы пережить весь ужас исчезновения их дорогого чада, а потом сообщил бы, что ребенка вывезли в какую-нибудь Голландию и там уже расчленили на органы! Они постановление свое памятное без соли сожрали бы...

— Хорошо то, что хорошо кончается, — не погнушался я прописной истины. — Девчушка жива-здорова, преступники пойманы и понесут наказание. А законы земные, к сожалению, пишут именно те, кого такое горе вряд ли когда коснется. Они вообще живут словно в ином измерении, на другой планете...

Только через полгода я узнал, что своим спасением дочурка Анжелики и Дмитрия была обязана отнюдь не сотрудникам правоохранительных органов, а моему недавнему попутчику — приехавшему в Питер на встречу с отцом бывшему морпеху Юре Величко!..

— Почему вы не спрашиваете меня о случившемся с вами в Стрельне? — не выдержал наконец оперативник, резко сменив тему. — Разве вам безразлично, кто нанял снайпера — сатанюги или бритые? И где вообще будет дальше жить ваш настоятель?

— Я ждал, когда вы сами заговорите...

— Ох уж мне эта ваша деликатность! — беззлобно фыркнул сыщик. — В общем, так... Поджигателями и снайпером займутся немедленно. Не так много в Питере близнецов с бульдожьими рожами, разъезжающих на «мерсах». Хотя насчет причастности братков у меня сильные сомения, не в стиле пробитков такой сложный огород городить, в подобных гамбитах пацаны иначе работают. У тех, кто поджог организовал, мозги давно черви съели. Чья это работа, наверное, сами догадываетесь, — поиграл желваками капитан. — А вот дом... Сдается мне, батюшка Сергий не шибко богат вопреки бытующим в народных массах байках про обожравшихся черной икрой попах-хапугах? И теперь у него нешуточные проблемы... Все ведь сгорело.

— Вы на редкость прозорливы, капитан, — сухо подтвердил я, ожидая продолжения.

— Тогда ближе к телу, как говорит моя жена, — взгляд Томанцева вильнул в сторону, заметался по стене палаты. Такое я видел впервые!

— Короче, я и еще один коллега переговорили тут с мужиками, которые экономическими преступлениями занимаются. Есть у них на крючке одна карманная страховая компания, уличенная в отмывании грязных денег. Прижали их круто, от статьи не отвертеться... Так что, думаю, в самое ближайшее время оформим вашему батюшке задним числом страховой полис на дом. И он сразу получит компенсацию. Сумма будет приличная, хватит и отстроиться на старом месте, и мебелишку там, вещички всякие нужные для хозяйства прикупить... Что скажете, батюшка? Не погнушается наша родная православная церковь принять скромное пожертвование от щедрого отечественного бизнеса, а?!

На лице Томанцева застыло выжидательное выражение, глаза блестели.

Я медлил с ответом, пытаясь осмыслить более чем неожиданное предложение, у которого явно проглядывало двойное дно. С чего это вдруг старшему оперу из милицейского главка, повидавшему на своей собачьей работе столько людских слез и трагедий, проявлять повышенный гуманизм по отношению к пожилому священнику, попавшему в беду?

Или мы, люди, за последние годы уже настолько отвыкли от бескорыстной доброты, что склонны в каждом человечном поступке обязательно отыскивать подводные камни?

— Вам лучше спросить у самого отца Сергия. Если помощь идет от чистого сердца, от нее откажется лишь тот, кто в ней не нуждается по-настоящему, — тщательно подбирая слова, вполголоса ответил я. Испытующе посмотрев в глаза Томанцеву, я решился все-таки спросить напрямик, рискуя оскорбить хлопочущего из лучших побуждений сыщика: — А что вы лично и ваши... коллеги хотите получить взамен?

— Не слишком много, батюшка Павел! — осторожно сказал капитан. На его лице отразилось облегчение: хорошо, что обошлись без экивоков, мы ведь люди взрослые и понимаем, что бесплатный сыр бывает только в мышеловке. А мне вдруг сразу стало тоскливо.

— Ну, во-первых, я бы очень попросил вас сразу после выхода из больницы все-таки вернуться на Каменный! — издалека начал Томанцев, измеряя шагами палату. — Для вашего же блага и, если хотите, безопасности! За старика не беспокойтесь, с ним все будет в порядке, до выяснения всех обстоятельств поджога и покушения на убийство я выделю ему для охраны толкового парня. Когда вы понадобитесь следствию лично, вас вызовут повесткой и оплатят дорожные расходы, но это чуть позже...

Капитан остановился у выходящего в больничный дворик окна и заложил руки за спину.

— Теперь непосредственно о страховке. Деньги, которые успели надыбать шустрые мальчики-очкарики в белых воротничках, хоть и заработаны путем не совсем законных операций, но проведены по бухгалтерии. — Томанцев нервно шевелил сцепленными пальцами. — Их можно списать с баланса только как страховую выплату...

Капитан замолчал, подыскивая нужные слова. Я помог ему, назвав вещи своими именами.

— Если я вас правильно понял, на бумаге сумма страховой выплаты, которую начислят отцу Сергию за сгоревший дом, будет значительно выше, чем та, которую он сможет реально получить на руки. Бóльшая часть денег делится между вами как посредником и вашими коллегами из отдела по расследованию экономических преступлений. Таким образом коммерсанты почти легально откупаются от заведенного на фирму уголовного дела. Я прав, капитан?

Томанцев обернулся, и я увидел на его волевом скуластом лице ироническую улыбку.

— С таким талантом схватывать на лету нюансы бизнеса вам, батюшка, нужно открывать свое дело! —

усмехнулся опер. — Никогда не прогорите!.. Все будет именно так, как вы сейчас сказали. Если только...

Вглядевшись в выражение моего лица, отнюдь не говорящее об одобрении планируемой махинации, Томанцев резко замолчал, нахмурил брови в своей обычной манере, тяжело вздохнул и медленно, с досадой покачал головой. Подошел ближе, пожевал губами. Мне даже показалось, что ему, матерому оперу, не раз ходившему под пулями и распутывавшему самые гиблые дела, стало стыдно за свое гнусное предложение. Но изменить ничего уже было нельзя: слово не воробей, вылетит — не поймаешь...

Капитан стоял передо мной, как провинившийся школьник перед учителем.

— Понимаю, что вы сейчас подумали... Да, это незаконно, черт меня подери! Только подумайте, отец Павел, неужели мне, менту по жизни, отпахавшему четырнадцать лет опером и дважды раненному, неужели мне легко предлагать вам такие гешефты? — упавшим враз голосом спросил Томанцев. — Думаете, будет лучше, если вместо реальной помощи потерявшему все свое имущество одинокому старику-священнику и небольшой денежной поддержки нескольким милицейским семьям, едва сводящим концы с концами, семьям, где не могут позволить себе зимой купить ребенку фрукты, где муж стыдливо опускает глаза, когда в день зарплаты приносит домой денег «на посмотреть прилавки магазинов», а жена тихо плачет, в третий раз штопая единственные колготки... — от волнения Томанцев задохнулся и умолк, чтобы перевести дух, — ...будет лучше, если этих долбаных брокеров, интеллигентов прыщавых, запихнут в тюрягу к уркам, где их, салаг, опустят и заставят кукарекать в петушином углу, а заработанные ими грязные баксы просто конфискуют и, как того требует закон, передадут в бездонные и дырявые закрома родины?! Лишь для того, чтобы их разворовали вконец обнаглевшие от безнаказанности правители и чиновники?! Так, по-вашему, будет справедливее, да?! Ответьте мне вы, священник!

Я молчал и с сочувствием глядел на этого доведенного до крайности тяжелой, нервной, изматывающей работой и постоянным безденежьем умного и правильного мужика, разменявшего пятый десяток. По-человечески я понимал его. Но не оправдывал. Комбинация, которую он, служитель закона, предлагал провернуть, используя постигшее старика несчастье, однозначно квалифицировалась как должностное преступление.

— Поймите вы наконец, — справившись с волнением, тихо и устало заговорил Томанцев, — каждый день в Питере происходят десятки случаев, которые без проблем можно задним числом подогнать под страховку, отстегнуть хозяину долю малую и снять те же самые деньги. Это не вчера придумано. У меня уже есть договоренность с одним обворованным нумизматом, и он, поверьте, был счастлив, когда я предложил ему такой халявный вариант частичной компенсации утраченного. Но теперь, после ночного пожара, устроенного как пить дать этими лохматыми суками, шакалами, выродками, я, чисто по-человечески, хочу, чтобы деньги получил ваш отец Сергий!.. Теперь я понятно излагаю?..

— Спасибо вам за заботу, капитан, — глухо произнес я, — но в любом случае... узнав о происхождении этих денег, отец Сергий вряд ли возьмет их у вас. Я просто уверен. Так что можете обрадовать обворованного нумизмата... А насчет сгоревшего дома не беспокойтесь, отстроим своими силами.

Пауза повисла гнетущая, долгая. Было очевидно: мой ответ воздвиг между мною и капитаном Томанцевым холодную неприступную стену.

— Не хотел с вами, священнослужителем, говорить грубо, отец Павел, а придется. Вывели вы меня из себя всерьез. — Я увидел, как дрогнули губы опера, как сжались его пудовые кулаки, один из которых он разбил о зубы похитившего Лизу Нагайцеву подонка. Холодная маска презрения исказила его черты.

— Вы, современные попы, жалкие лицемеры! Ваши владыки в шитых золотом рясах, не стесняясь, обслуживают откровенно гнусную, проворовавшуюся, преступную по своей сути власть! Посмотрите телевизор, на праздниках они стоят в Храме Христа Спасителя бок о бок с известными всей стране убийцами!.. Они не гнушаются брать пахнущие свежей кровью пожертвования от бандитов, а те даже не считают нужным скрывать род своих занятий!

Знаете, отец Павел, лично против вас я ничего не имею, нет причины... Но мне погано от этой щедро оплаченной ворованными баксами лицемерной поповской клоунады, ясно вам?! Вот почему ни к одному из этих новомодных, сверкающих золотыми крестами храмов, куда в компании с телохранителями ходят по праздникам молиться и целоваться с вашими паханами холеные дяди в цивильных костюмах, я даже на пушечный выстрел не подхожу! От них несет дерьмом!..

Томанцев постоял еще секунду со сжатыми до белизны кулаками, обжигая меня взглядом, затем резко развернулся на каблуках и решительно зашагал к двери.

Я не мог обижаться на капитана за вырвавшиеся из глубины его мечущейся души обвинения. Как ни печально, в них было немало горькой истины! Страшно даже представить, сколько человек в стране, глядя на телеэкран и слушая благостные речи, думает точно так же, как этот питерский опер...

— И чтобы через сутки духа вашего в городе не было, иначе пеняйте на себя! — не оборачиваясь, процедил сквозь зубы Томанцев уже от порога и напоследок громко, зло хлопнул дверью. Глухой стук прозвучал как пощечина.

А я вслед перекрестил капитана.

Мне вспомнились евангельские слова Спасителя: «Горе вам, лицемеры, что уподобляетесь окрашенным гробам, которые снаружи кажутся красивыми, а внутри полны костей мертвых и всякой нечистоты!..»

Мне, по милости Господа, никогда не было стыдно смотреть прихожанам в глаза. Пусть каются перед Создателем и обманутыми людьми те, кто под личиной слуги Божьего прячет нечистые помыслы и черную душу, цена которой измеряется в долларах...

Глава 22

Клио стонала, извиваясь всем телом, кусала подушку, царапала скомканную простыню с изображением звездного неба и орала так, что в окнах дрожали стекла. Юрка крепко держал ее за осиную талию и с таким демоническим остервенением двигал бедрами, звучно плюхая по упругим шоколадным ягодицам секс-бомбы, словно хотел во что бы то ни стало продолбить ее тело насквозь и в конце концов выйти краем самой мужской части тела где-нибудь в районе глотки...

Пот градом катился с его лба, застилая глаза соленой поволокой, капал с подбородка на мускулистую грудь и десятками извилистых ручейков сбегал дальше вниз, теряясь в горячем паху, где все сладко ныло, где сплетались воедино, вызывая экстаз и головокружение, неутолимая даже после двухчасового соития страсть, щемящая тесная сладость и тупая приятная боль.

— Юрочка, милый! Юра-а!!! — словно с другой планеты долетало до слуха Юрки, но не пробивалось к объятому пламенем похоти сознанию. — Я не могу больше!!!

Громкие всхлипы мечущейся по постели Клио и его собственное хриплое рычание сливались в одну бесконечную ноту, обезумев от которой, истерично лаяла собака в квартире снизу. Разбуженные хозяева псины уже начали стучать по батарее отопления чем-то тяжелым.

— Хватит! Я... прошу тебя... Не надо-о-о!!! — рыдала будущая звезда мурманского телевидения. — Мне больно, мама-а-а!!!

Однако поняв, что все ее попытки освободиться из сжимающих ее талию крепких мужских рук тщетны, Клио перестала сопротивляться, лишь жалобно скулила, все слабее подмахивая бедрами, кусая подушку и мечтая только о том, чтобы этот ненасытный кобель поскорее кончил и оставил ее в покое...

Чувствуя, как близится взрыв — уже пятый за эту бесконечную ночь, — Юрка зажмурился, нашел руками пышную грудь девчонки и, не прекращая долбить, стиснул так неистово, что его левую икру свело судорогой. Шумно хватил открытым ртом глоток спертого, наполненного терпким запахом любви воздуха и в следующее мгновение, когда во всем теле наконец грянул взрыв похлеще атомного, плашмя рухнул на живот, припечатав истерзанную Клио к мокрой от пота простыне и тут же враз потеряв интерес к ее загорелым, не раз использованным прелестям.

Полежал несколько секунд неподвижно и, повинуясь жалобному писку Клио, перекатился на скрипнувший пружинами диван. Выдохнул, впрочем без особой настойчивости:

— Я хочу еще раз. Последний...

— Нет! Только не это! — взмолилась, округлив глаза, замученная блондинка. Затем осторожно прижалась к нему, провела, смахивая пот, горячей ладошкой по мокрому лицу, поцеловала шрам от ножевого ранения на плече и спросила:

— Что с тобой сегодня? Что-то случилось, да?

— Почему ты так решила? — невозмутимо спросил Юрка, отыскав рукой гладко выбритый, очерченный мягкой и влажной ложбинкой холмик внизу живота Клио. — Все как в лучших домах Рио-де-Жанейро.

— Не обманывай. Обычно ты ласковый, нежный, нацеловаться не можешь. А сегодня словно с цепи сорвался, ведешь себя со мной так, словно я шлюха какая-то, — почти с испугом сказала девушка. — Я первый раз тебя таким агрессивным вижу... Даже тогда, помнишь, после того, как тебя в драке ножом ранили и менты побили, ты был как бешеный, но все равно не мучил меня так, как сегодня... Два часа кряду, почти без перерыва!.. Все плечи мне искусал, всю спину исцарапал, белочку до боли натер. Прямо варвар какой-то, а не любовник. Вот уйду от тебя, садюга этакий, будешь потом назад звать...

— Чего натер? — цинично хмыкнул Юрка, не оставляя попыток проникнуть пальцами меж плотно сжатых, стерегущих сокровенную щелку длинных стройных ног. — Целочку?! Так это задолго до меня сделали, зайка. Еще там, за Полярным кругом.

— Ладно, не прикидывайся, будто не знаешь, о чем я говорю, — обиженно надула губки Клеопатра и на всякий случай сбросила шаловливую Юркину руку и прикрылась уголком одеяла. — Такая злотрахучесть на мужиков ни за что ни про что не нападает!

— Неужели? — устало удивился Юрка. — Это почему еще?

— Потому. Биологию нужно знать, двоечник... Слишком много адреналина в крови для семи часов утра. Вытащил меня, спящую, из одной кровати в три часа ночи, посадил в машину, привез в другую кровать и насиловал в извращенной форме как и сколько хотел... Слушай, может у тебя заговоренная «камасутра» под подушкой, а? А сам ты целую пачку «виагры» стрескал и решил на мне, бедной и беззащитной иногородней студентке, провести эксперимент — сколько раз получится?! Ну, признавайся, зверюга противный. Побил свой личный рекорд? Сколько раз у тебя раньше за ночь с женщиной получалось?! Три, четыре?! Колись, давай. А то в милицию заявление напишу...

— В чем я должен колоться? — продолжал прикидываться дурачком Юрка, на душе которого действительно лежал камень. — Ах, «виагра»... Нет, я таблетки для импотентов не принимаю. И презервативами не пользуюсь. Люблю, чтобы все было натурально, как матушка природа велит. Это ты, зая, почему-то все время норовишь мне резинку на нежный орган натянуть, особенно по-тихому, во время минета. Спрячешь за щечку, раз — и готово. А я узнаю об этом только тогда, когда уже на финиш прибегаю... На фига, спрашивается, попу гармонь? Сама же говорила, у тебя спираль. Да и через ротик, кажется, детишки не получаются.

— Все-то тебе знать надо, любопытный какой! — кокетливо скуксилась Клио, прекрасно зная, что ни за что и никогда не расскажет Юрке о причине своего повышенного внимания к вопросам контрацепции и медицинского предохранения. Не объяснять же ему, что это давно въелось в ее подсознание. Подсознание профессиональной шлюхи. — Могут быть у честной и непорочной незамужней девушки чисто женские секреты или нет?! Может, я боюсь, что ты со всякими разбитными девицами встречаешься, спишь с ними, а потом наградишь меня сюрпризом на десять уколов бициллина?! Или еще чем-нибудь похуже... Знаю я вас, богатых мужиков! За первой смазливой куклой готовы с болтом наперевес галопом скакать!

— Я тебе уже говорил, нет у меня никого, — серьезно сказал Юрка. — Только ты. Правда, Клио.

— Ах, даже так? М-м!.. Тогда, может, и замуж позовешь?! — поцеловав Юрку в губы и прижавшись щекой к бугристой лохматой груди, мечтательно-насмешливо промурлыкала проститутка. — А, Юрик? Я тебе через год после свадьбы девочку рожу. Такую маленькую, беленькую, хорошенькую. С бантиками, как у Дюймовочки...

— Лучше мальчика, — по неподвижно застывшему лицу Юрки неожиданно пробежала судорога, и жрица любви не на шутку испугалась. — Здоровенного амбала, черномазого, с квадратной челюстью! — Юрка с огромным усилием заставил себя улыбнуться, безо всякого желания чмокнул Клио в коричневый вздернутый сосок и, мягко отстранив ее рукой, потянулся к столику за сигаретой.

«Чем же ты так круто озабочен, мальчик? — глядя на любовника, в который раз за ночь размышляла Клио. — Ишь, как тебя тряхнуло, когда я про свадьбу и ребенка сказала! Будто оголенный провод к органу прижали. Может, я переиграла, показав тебе пару фокусов из высшего пилотажа, каким честные давалки-любительницы в абсолютном большинстве своем не обучены? Да нет, это вряд ли... Ты, Малыш, со своим темпераментом и штучкой при желании любую фригидную девочку максимум со второй попытки до множественного оргазма доведешь! Да и по глазам видать, конкретно ты на меня запал. Только без толку все пока...»

Обхаживавшая Юрку прямо-таки с подвижническим усердием путана не сомневалась, что любовник до сих пор считает ее, дорогую проститутку из гостиницы «Прибалтийская», студенткой журфака питерского университета, взбалмошной отвязной дочуркой влиятельного мурманского чиновника. Вот уже десять дней прошло с той оргии в загородной сауне, где Руслан познакомил ее с Юркой, и все это время Клио, честно отрабатывая полученные в качестве гонорара две тысячи баксов, пыталась посредством любовной игры вызвать парня на откровенность, заставить открыть душу. Потому что ее спонсора Руслана — импульсивного, хитрого, но необычайно осторожного типа — интересовало про Юрку буквально все, от «а» до «я»: подробности его жизни до приезда в Питер, сколько чеченов завалил во время службы на Кавказе, как в действительности он относится к нему самому и к отцу и, главное, делится ли с любовницей разомлевший в постели младший брат деталями своей работы в службе безопасности казино «Полярная звезда»...

К немалому удивлению Клио, бывший морпех Юра оказался на редкость скрытным. До сих пор ей, опытной проститутке-раскрутчице, ни разу не удалось вызвать парня на откровенность. В ответ на все ее продуманно каверзные и наивно прямолинейные вопросы, заданные словно невзначай, Юрка отмалчивался, или отшучивался, или быстро менял тему разговора, или, в лучшем случае, отделывался ничего не значащими словами — дескать, ничего особенного, защищаем со старшим брательником семейные капиталы от посягательств плохих парней. И абсолютно никаких подробностей, упоминаний о разборках, ни одной фамилии, ни одной цифры!

Но еще больше Клио удивилась, когда, рассказав Руслану после трех бурных ночей с Юркой о бесспорном достоинстве младшего брата — молчаливости, услышала короткое: «Можешь беседу не пересказывать, я все знаю». И вместо того чтобы порадоваться за парня, умеющего хранить секреты не хуже разведчика Исаева, Флоренский угрюмо свел брови к переносице и сухо потребовал попробовать раскрутить Юру на откровенность в следующий раз.

Из всего этого путана сделала два вывода. Во-первых, квартира, в которой жил Юрка, была под завязку напичкана «жучками», посредством которых велась прослушка. А может, прикола ради, и скрытая видеозапись, ибо от таких скотов, как Руслан, можно ожидать любой подлянки. Ну а во-вторых, мнительный старший братец искал отнюдь не подтверждения Юркиной лояльности, а как раз наоборот — стопроцентного доказательства его опасности и, если так можно выразиться, инородности для мафиозной семьи папы Флоренского. Не иначе как, почуяв в младшем брате серьезного конкурента в борьбе за право в будущем стать главной надеждой и опорой богатого родителя,

Руслан решил сначала очернить Юрку в глазах отца и подчиненной ему банды, называющей себя службой безопасности казино, а затем и избавиться от него. Как именно он будет подставлять парня, Клио совершенно не волновало. Но она была почти убеждена, что «за базар» пристегнуть Юрку не получится. Тот с достоинством выдержал первое испытание на вшивость, и сегодня — их последняя ночь! Так, испытывая двоякие чувства, решил накануне сам Руслан. Щедрый спонсор не желал более тратить деньги впустую, оплачивая бесполезную секс-игру, единственным победителем в которой оказался стойкий как кремень братишка, даже не подозревающий, в какую кругленькую сумму обходится Руслану каждая его интимная встреча с секс-машиной Клио.

Скоро она встанет, примет пенную ванну, выпьет крепкий кофе со сливками и йогуртом, и Юрка, как обычно, посадит ее в свою спортивную «тойоту» и отвезет домой — в двухкомнатную квартиру, которую она снимает вместе с подружкой-землячкой. А завтра Клио позвонит парню на мобильник и сообщит, что между ними все кончено, за ней приехали и она прямо сейчас уезжает к папе, в Мурманск. Навсегда. Вряд ли любовник станет ее искать. Хотя...

По-кошачьи прижавшаяся к широкой Юркиной груди Клио вдруг впервые подумала, что ей, скорее всего, первое время будет не хватать щенячьей наивности этого сильного, красивого и на редкость темпераментного в постели парня. Среди ее клиентов такие попадались крайне редко.

А еще она с холодком в груди представила себе тот день, когда — через месяц или, может, через три года — случайно встретит Юрку в «Прибалтийской», сидя за стойкой бара в полной боевой раскраске. А повзрослевший, но все такой же милый и добрый Юрка вдруг узнает в дорогой шлюхе, томно воркующей с пожилым негром-постояльцем, свою бывшую подружку и все поймет. И не только про нее, но и про подлого братца, ибо сразу станет понятно, кто был инициатором их короткого постельного романа...

Но это — в будущем. А пока она здесь, в этой однокомнатной конуре, в одной постели с разомлевшим после бурного секса клиентом, нужно честно отрабатывать уже потраченный на фирменные шмотки из бутика и дорогую косметику бандитский гонорар. И Клио предприняла очередную попытку залезть Юрке в спрятанную за стальной дверью с тяжелым замком душу. Ибо, как любят говорить медвежатники и шниферы, — нет такого замка, к которому нельзя подобрать отмычку.

— Скажи, кто я для тебя, а?! — решительно отобрав у Юрки сигарету, Клио раздавила ее в пепельнице. Потом жалобно всхлипнула и, прижавшись губами к плечу любовника, прошептала дрогнувшим жалобным голосом: — Не обманывай меня, пожалуйста... Я этого не заслужила. Кто я для тебя?! Только постельная подружка или... близкий друг, с которым можно поделиться самым сокровенным?

— Ты моя Клеопатра, — несколько растерявшись от такого в общем-то вполне традиционного женского вопроса, сказал Юрка. Внезапно он почувствовал, как дернулась Клио, и поспешно добавил, погладив девушку по платиновым волосам: — Кроме тебя, у меня в этом городе нет ни одного близкого человека...

— А как же отец и брат?! — изумилась, поспешно прижавшись еще теснее, проститутка.

— С отцом я общаюсь только по работе. Как подчиненный с начальником. Он очень занятой человек. Я до сих пор еще ни разу не был у него дома... А брат... — бесцветным голосом произнес Юрка и пристально посмотрел в блестящие, чуть влажные от фальшивых слез глаза подруги. — Понимаешь, мы с Русланом совершенно чужие люди. Я ведь вижу, что он лжет, когда говорит, что рад моему приезду и тому, что отец взял меня на работу в зондеркоманду казино! Он улыбается мне в лицо, хлопает по плечу, рассказывает, как обрадовался, узнав, что в этом говенном мире у него есть брат. Он рассуждает о моем будущем в Питере, а глаза при этом совершенно холодные и пустые. Как у заклятого врага, который мечтает лишь об одном — как бы тебя покруче подставить...

— Постой... Я не поняла. Вы что, раньше никогда не виделись?! — Клио едва не взвизгнула от радости, когда скрытный, замкнутый Юрка, на которого она попусту потратила столько времени, наконец-то «поплыл». Она поспешила изобразить искренний интерес к теме в надежде выудить из него хоть что-нибудь важное для Руслана. — И вы оба даже не подозревали о существовании друг друга?!

— Нет, — подтвердил Юрка.

— А-а, кажется, понимаю! — хмыкнула путана. — Кобель Флоренский по молодости заделал Руслана, уехал в Вологду, женился на твоей матери, а потом сбежал назад. Вот стервец!

— Все было не так. Отец и моя мама никогда не были женаты, — честно признался Юрка. — Встречались недолго, а когда отец узнал, что мать беременна, бросил ее и уехал в Питер. Я всю жизнь считал, что мой отец — погибший летчик-испытатель. Еще несколько недель назад я понятия не имел, что он жив, владеет одним из крупнейших питерских казино и у него есть другой сын. Мой старший брат. Я даже настоящей фамилии отца не знал, всю жизнь носил мамину...

— Вот это да! — Клио охнула, округлив глаза, и от наигранного избытка чувств даже приподнялась на локте. — Как же ты узнал правду?!

— Мама тоже ничего не знала, пока случайно не увидела отца по телевизору в репортаже об открытии казино. Я в это время служил в Чечне, а она сильно болела. Видимо, чувствовала, что мы можем больше не увидеться, и написала мне письмо. Но отправить не успела — умерла в больнице. Письмо так и лежало дома, пока я не нашел его, утром после похорон... Подумал, почему бы не навестить беглого папашу, не посмотреть в его свинячьи глазки?.. С тех пор в Вологду не возвращался. Думаю на следующей неделе съездить.

— О-бал-деть! — по слогам произнесла Клио, разглядывая атлетически сложенного Юрку так восторженно, словно он был случайно заехавшим в город на Неве и за пятьсот баксов снявшим ее на ночь героем-любовником из популярного латиноамериканского сериала. — Слушай, а может, Руслан просто ревнует тебя, а? Ведь раньше он был единственным наследником отца, а тут вдруг появляешься ты, конкурент?! — предположила шлюха и словно невзначай провела рукой по мужскому достоинству начавшего исповедоваться парня.

— Не знаю, — вздохнул Юрка и хмыкнул, опустив глаза к паху. Нежно сгреб Клио за талию и прижал к себе упругой грудью. Она, разумеется, не сопротивлялась, послушно застыв в предвкушении продолжения монолога и боясь неосторожным словом спугнуть откровенность любовника. — Может быть. Сначала словно невзначай стравил меня с одним из своих громил, сделал так, что я оказался должен семье крупную сумму денег. А вчера вообще, падла, подставил по полной программе... — Юрка резко осекся и замолчал, сообразив, что проговорился. Клио все это совершенно не касалось, ни под каким соусом. — Ладно, это мои заморочки, зайка, — заметил сухо. — Не загружайся... — И зачем-то добавил: — Больше одного раза не умирают.

— Ты меня пугаешь, милый, — нежно прошептала Клио. — Я боюсь за тебя. Ирка пару раз говорила, что, мол, у Руслана иногда не все дома, что на него находит, особенно после «травы», но чтобы он стал подставлять тебя, я и подумать не могла... Что между вами произошло? Мне ты можешь сказать...

— Зачем? — жестко бросил Юрка.

— Тебе сразу станет легче, — тихонечко прошептала шлюха. — Если ты боишься, что я все разболтаю Ирке, а она передаст твои слова Руслану, то зря. Во-первых, они уже целую неделю не встречаются — этот скот обозвал ее последними словами и ударил кулаком в лицо. — Клио удовлетворенно заметила, как напряглись скулы Юрки. — А во-вторых... Я ни за что не предам человека, которого люблю, — проститутка обвила шею Юрки гибкими, словно лианы, загорелыми руками и стала быстро покрывать его лицо и грудь нежными и страстными поцелуями.

От неожиданности Юрка даже скрипнул зубами и на секунду прикрыл глаза. Нет, не от смелых ласк, которые, безусловно, были ему очень приятны и снова вызвали прилив растраченного желания. Еще до армии у Юрки, с его приметной внешностью и телосложением, было не менее десятка подружек, а одну из них — Надежду — он даже всерьез считал будущей невестой. Но еще ни одна девушка не признавалась ему в любви. Тем более такая красивая и сексуальная, как похожая на западную топ-модель Синди Кроуфорд будущая тележурналистка Клио.

— Юрочка... Любимый мой... — едва не плача, жарко шептала девушка. — Ты... тоже любишь меня? Правда?!

Это было произнесено таким тоном и с такой интонацией, что отрицательный ответ вообще не предусматривался. Клио была совсем не глупа, умела играть на мужских слабостях, именно поэтому Руслан выбрал и уже больше двух лет активно использовал в качестве секс-провокаторши именно ее, до сих пор ни разу не пожалев о выплаченных смазливой путане солидных гонорарах. Похоже, именно сейчас, после стольких попусту потраченных дней, желаемый результат будет достигнут. Пойманный в ласковые сети «объект» в порыве экстаза раскроет перед Клио козырные карты души...

— Конечно, я тоже тебя люблю, зайка, — почти автоматически соврал Юрка и почувствовал, что его налившееся силой естество снова хочет эту красотку, куда более искушенную и необузданную в искусстве любви, чем та, единственная, которую ему, Юрке, хотелось бы видеть женой и матерью своих будущих детей...

Он мягко положил руки на талию сидевшей на его животе, склонившейся вперед Клио, повелительным нажимом заставил ее приподнять бедра, разведя ноги пошире. Вдыхая запах упавших ему на лицо мягких длинных волос и чувствуя, как щекочут грудь твердые кончики сосков, Юрка прижался членом к раскрытому горячему лону и, дернув бедрами, рывком вошел до самого упора, не без удовольствия услышав вырвавшийся из груди девушки стон наслаждения. Спустя секунду Юрка уже с головой утонул в водовороте нахлынувшей пьянящей страсти и, благодаря отточенным действиям опытной профессионалки, снова потерял способность адекватно воспринимать действительность...

На сей раз секс был совсем другим. Недавно бушевавший под жалобный скрип дивана семибалльный шторм сменился плавным накатом теплых волн, которые в размеренном ритме раскачивали их с Клио лодку любви и неожиданно быстро для шестого подряд путешествия прибили ее к заветному берегу сладкого блаженства...

С хитрым прищуром вглядываясь в застывшую на лице зажмурившегося Юрки маску экстаза, вконец измотанная проститутка интуитивно поняла, что крепкий мальчик, только что признавшийся ей в любви, уже не в состоянии запираться и сейчас выложит своей милой и единственной «зайке» все-все без остатка...

— Юрочка, миленький! — когда они уже лежали, прижавшись друг к другу, ласково промурлыкала Клио, приготовившись нанести сокрушительный удар по расшатанному замку стальной двери, ведущей в Юркину душу. — После того что ты рассказал о Руслане, я боюсь за тебя! За нас... Однажды, когда мне было восемнадцать, я уже потеряла близкого человека, — с чувством сообщила шлюха. — Его звали Игорь, ему было тридцать. Мы познакомились в парке, возле гостиницы «Арктика» — я случайно испачкала его рукав мороженым, — и встречались почти год. Собирались после Рождества венчаться. Он, как и ты, был очень скрытный. Говорил, что таким образом бережет меня... Я даже не знала, чем он занимается, но догадывалась, что работает на государство, на спецслужбы. Игорь часто уезжал в командировки и однажды не вернулся. Я места себе не находила, старалась не отлучаться от телефона, лишь бы не пропустить звонок!.. Через три месяца, когда я была на пороге помешательства, мне позвонил неизвестный, представился его другом и предложил встретиться. От него я узнала, что Игорь, оказывается, был офицером подразделения подводных пловцов-диверсантов и погиб, выполняя секретное задание где-то в Африке... Мне страшно, Юра, милый! Теперь, когда мы счастливы, когда мы знаем, что любим друг друга, я не хочу тебя терять! Пожалуйста, скажи мне, что у вас произошло? Как Руслан тебя подставил?! Я же вижу по твоему лицу, что случилось что-то очень нехорошее, ужасное! Может быть, вместе мы найдем выход из положения!

— Вряд ли, — прошептал Юрка. Он глубоко, медленно вздохнул, решительно отстранил девушку и хотел уже встать с дивана, чтобы направиться в душ, но Клио, словно дикая кошка, после долгих часов призывного крика отыскавшая единственного в лесу облезлого кота, с истерическим визгом вцепилась в него и так умоляюще заглянула в глаза, что Юрка сразу сломался. Сказка про погибшего диверсанта подействовала...

Юрка вдруг ясно осознал, что ему, окруженному алчными лицемерами, действительно необходимо просто выговориться. А кому, кроме сексапильной красотки Клио, он может все рассказать? Разве есть у него хоть один близкий человек среди пяти миллионов жителей этого чужого пасмурного города? И он решился. После первых же произнесенных слов ему стало легче. Вдруг показалось, что Клио, выслушав его, поможет сделать невозможное — повернуть время вспять.

Глава 23

— Эта тема возникла еще до моего приезда в Питер, и предысторию я знаю только со слов Руслана, — закурив сигарету и стараясь не смотреть на притихшую блондинку, начал рассказывать Юрка. — Короче, на отца наехали залетные отморозки под началом некоего Гитлера. Каким-то образом банда узнала, что благодаря своему личному авторитету и, разумеется, связям в криминальном мире отец не отстегивает бандитам процент за «крышу». Для начала они обстреляли из снайперской винтовки отцовский «ягуар», недалеко от клуба пробив ему скаты, и тем самым дали понять, что намерения у них крайне серьезные и в случае упрямства летальный исход гарантирован. На следующий день заявились пятеро, вооруженные до зубов стволами и осколочными гранатами, и чуть ли не с порога заявили, что теперь казино будет платить Гитлеру. В противном случае работать отцу не дадут, а «Полярную звезду» расстреляют из гранатометов. Если и это не поможет, тогда настанет очередь хозяина. В общем, затеяли полный беспредел. Тогда отец решил пойти ва-банк. Он сделал вид, что согласился, сразу дал отморозкам, грозившим закидать зал с посетителями гранатами, кое-какие деньги и пообещал, что остальное отстегнет на следующей неделе. А сам послал одного из сотрудников своей службы безопасности, бывшего офицера ФСБ, скрытно проследить за бандой и добыть о них максимум информации. Тот вскоре вернулся и рассказал, что отморозки приехали на двух БМВ и оставили их в проходном дворе в квартале от клуба. Номера машин записаны и отыскать формальных владельцев, а через них уже выйти на кого-нибудь из боевиков Гитлера не составит труда. Этим занялся Руслан и его подельники. Они за три дня вышли на одного из быков, взяли его, отвезли в лес. Там без проблем заставили заложить всех остальных, включая главаря. Руслан не слишком откровенничал, но потом быка, надо полагать, пристрелили и закопали там же, не отходя от кассы, — с холодной уверенностью сообщил Юрка. — Разделились на три группы и в тот же вечер устроили облаву. Всех шестерок, их оказалось четверо, порешили без проблем, а вот с Гитлером вышла накладка... Главарь жил на берегу Ладожского озера, в коттедже. Каким-то чудом ему удалось почуять ловушку и удрать. На черном джипе «чероки» с нарисованной на запаске рожей монстра. В Европе это модно. Когда дом окружили, Гитлер сел в джип, выбил ворота и умчался. Ему стреляли вслед из нескольких стволов сразу, но все пули прошли мимо. Словно он заговоренный... Вчера утром мы втроем — я, Руслан и еще один из наших бойцов, Колян, — ехали в Выборг, надо было пообщаться с одним человеком, — не вдаваясь в детали, продолжал рассказывать Юрка. — У каждого с собой ствол, хоть и «левый». Официально мы — частное охранное предприятие «Феникс».

— Понятно, — кивнула Клио.

— Километрах в пятидесяти от города Руслан вдруг неожиданно бьет по тормозам, переглядывается с Коляном и тычет на припаркованный у придорожного бистро джип — мол, узнаешь? Черный «чероки» с монстром на запаске. Я смотрю, брательник аж посерел от злости! Спрашиваю, в чем дело? Ведь я тогда еще не в курсе разборок с Гитлером был, — заметил Юрка. — Урод, говорит, один грозился отца убить и казино на воздух поднять. Давно его ищем, чтобы кончить. А джип тот стоит себе рядом с кафешкой, стекла совершенно непрозрачные, из выхлопной трубы дым валит. Руслан без слов подъезжает, ставит наш «паджеро» тому поперек капота. Вываливаем, подходим с двух сторон, стучим в стекло, просим выйти на разговор по душам. За тонированным стеклом «чероки» какие-то морды мелькают, одна — в черных очках, с усами. Руслан аж подпрыгнул. Кричит: это он, Гитлер! И тут же выхватывает волыну... «Чероки» мгновенно дает задний ход, цепляет бампером стоящую сзади «девятку», с визгом разворачивается, вылетает на шоссе и мчится в сторону Выборга. Мы в машину и — за ним... Минут через пять почти догнали, сигналим, пытаемся обойти, но не получается — виляет. Руслан командует стрелять по колесам. Не успеваем прицелиться, как с правой стороны «чероки» опускается переднее стекло, высовывается лохматый громила, в руках — автомат с глушителем. И мочит по нам. Одиночными. Только не по колесам, как мы собирались, а на поражение. Бах! Бах! Одна пуля мимо, вторая пробивает лобовое стекло, пролетает буквально в сантиметре у меня над плечом и попадает Коляну точно в глаз. Мозги по всему салону.

— Ужас! — охнула Клио. Зарывшись по самые плечи в одеяло, как пятилетний ребенок, которому глупые родители рассказали на ночь очень страшную сказку, проститутка мысленно ликовала. Ее тонкие пальчики с ухоженными нежно-розовыми ноготками стали очень натурально подрагивать.

— Руслан сидит за рулем, орет мне: «Мочи их, тварей!» Я и сам понимаю, что еще немного, и нам хана, — продолжал Юрка. — Беру пистолет Коляна, высовываюсь наружу, как Глеб Жеглов, и с двух рук начинаю шмалять по «чероки»... Дорога хреновая, тачка прыгает. Все пули летят мимо. Но и лохматый тоже мажет. Встречные машины шарахаются в стороны, водилы, понятное дело, в шоке, с визгом кидаются на обочину. Мы, как привязанные, летим на скорости сто сорок. Когда вышли на прямую, я прицелился и все-таки вогнал лохматому желудя. Он сразу повис на двери, автомат выронил. Руслан орет как резаный, лицо красное, пытается обойти и прижать «чероки» к обочине, но тот начинает уходить в отрыв. Водила явно лох, но движок у «чероки» четыре литра против наших двух с половиной... Короче, Гитлеру без телохранителя терять нечего. Если раньше на виражах подтормаживал, чтобы не слететь в кювет, то теперь жмет на полную, не разбирая дороги. Несколько раз чудом не улетает на поворотах, резина визжит так, что зубы сводит... Отрыв растет, между тачками уже метров тридцать — сорок. Короче, ясно, что еще пара минут — и уйдет, потеряем. А тут у нас, как назло, мощность мотора падает. То ли помпа барахлит, то ли ремень приводной проскальзывает. Двигатель почти закипел. Проходим поворот, этот снова на горизонте маячит, монстром на запаске мелькает. Руслан орет, что сейчас серпантин между холмами начнется, там точно не догоним, если сам не гробанется... Целюсь в заднее стекло и подряд выпускаю все патроны. Смотрю — попал! «Чероки» начинает вилять из стороны в сторону, змейку выписывает во все шоссе, потом слетает с дороги в лес, перелетает через кусты и тараном врезается в сосну, на самом краю крутого обрыва перед озером. Тормозим, выбегаем... Помню, подумал еще: «Только бы бензобак не взорвался». Подходим с двух сторон к джипу, открываем двери, а там...

Юрка сжал челюсти и, закрыв глаза ладонью, помотал головой. Потом вдруг сильно ударил кулаком в стену.

Клио видела, как трудно ему вспоминать увиденное, но ее это не волновало — азарт платной шпионки, этакой Мата Хари невского разлива, захватил ее целиком. Мысленно улыбаясь, шлюха представила, как будет доволен Руслан. Тем не менее красивое холеное лицо проститутки выражало испуг и самое глубокое сочувствие. Когда Юрка замолчал, Клио даже поймала себя на мысли, что почти догадалась, какой будет развязка истории. Но финал погони с перестрелкой оказался куда драматичнее, чем она могла предположить...

— За рулем джипа сидит, уткнувшись башкой в разбитое стекло, усатый солидный мужик в костюме и галстуке, лет сорока пяти. Черные очки съехали набок, кровавая дыра за левым ухом. По роже Руслана я сразу понял: произошла ошибка, это не Гитлер... Лохматый громила так и остался висеть на дверце, с тремя пулевыми дырками... Но это еще не все. Оказалось, что номер «чероки» конкретно заляпан грязью. Тогда, у кафе, никто из нас не обратил на это внимания... Короче, это была финская тачка.

— Господи! — совсем по-детски уткнувшись лицом в Юркино плечо с еще не до конца зажившим розовым шрамом от стилета, подавленно прошептала Клио. — Какой кошмар! Но мне все-таки кажется, что тебе не в чем себя винить, милый. Это просто несчастный случай! Необходимая оборона! Ты стрелял после того, как убили Коляна! Ты спасал свою жизнь и жизнь брата! В противном случае вас всех отвезли бы в морг судебно-медицинской экспертизы и сунули в холодильник. Успокойся, ты все правильно сделал.

Юрка попытался сглотнуть слюну, которой не было, и посмотрел на Клио таким безумным взглядом, что у путаны по спине пробежали мурашки.

— ...А на заднем сиденье, в обнимку с плюшевым медвежонком, сидит кудрявая девчушка, годиков двух, — надтреснутым голосом закончил он. — В платьице и бантиках. Платье все в крови, глаза как стеклянные.

— О, господи! Мертвая? — всхлипнула, всплеснув руками и закусив кулачок, шлюха.

— Нет. Пуля прошла через крышку багажника, заднее сиденье, слегка задела ей правую ручонку и застряла в переднем... Малышка была в таком шоке, что даже не почувствовала боли! Я чуть не убил ее, понимаешь?! — схватив Клио за плечи, Юрка отчаянно тряхнул «журналистку», но тут же спохватился, обнял испуганно взвизгнувшую любовницу и притянул к себе.

— Прости, зайка... Я не должен был... Ты ни в чем не виновата.

— И... что вы с девочкой... сделали? — осторожно спросила Клио, не понаслышке знакомая с варварскими повадками своего нынешнего спонсора Флоренского, и, помолчав, добавила, не удержавшись: — Ведь она же теперь — опасный свидетель.

— Да, свидетель. Представь себе, мой паскудный братец это тоже быстро смекнул, — лицо Юрки перекосило судорогой. — А потому сразу же навел на девчушку ствол. Выродок!

— Мамочка моя!.. А ты?! — осторожно, с придыханием спросила Клио. — Ты ведь помешал ему, да?

— Я этому куску аборта сразу в табло со всего плеча засветил, — сквозь зубы поведал Юрка. Его потухшие, неживые глаза вдруг полыхнули, как два потревоженных порывом ветра тлеющих угля, до поры дремавших под слоем золы в глубине затухающего костра. Было видно, каким усилием ему дается каждое произнесенное слово. — Крепко приложил, всегда бы так получалось. Он на подпорках устоял только потому, что плечом стойку переднюю у джипа согнул. Короче, пока братец мой отмороженный торчал и колокольный звон в ушах слушал, вырвал я у него волыну с патронами, которую он у ног убитого Коляна подобрал, и навел ему в башку. Сгреб с сиденья девчушку вместе с медведем — не оставлять же ее в разбитой тачке, со жмуриками, и только тут сообразил, что понятия не имею, что с ней делать дальше? С трудом врубился, что перво-наперво в больницу ее надо везти, на перевязку. Рана на руке хоть и не опасная была, но кровила основательно... Попытался узнать, как ее зовут, — молчит, смотрит в одну точку, словно ее, кроху, наркотиками накачали. Не сразу сообразил, что она скорее всего дочурка усатого финна, стало быть, по-русски не понимает. В общем, отнес ее в нашу тачку, где Колян лежал, посадил на свое место, на всякий случай сказал, чтобы не уходила, только вряд ли она меня услышала, а тем более поняла. Даже пальцем не пошевелила, словно окаменела. Так сильно испугалась...

— А... Руслан? — обронила Клио.

— Оклемался, гад, ему не привыкать. Врубился в тему, скотина, что я не дам ему убить ребенка, а скорее кончу его самого, порычал немного и присмирел, на ствол поглядывая, — с ненавистью ухмыльнулся Юрка. — За руль как миленький сел. Правда, пообещал, что мне за такие фокусы пиздец настанет. Вот только не уточнил, падла, когда именно... Думал, будет ждать момента, чтобы накинуться, но он подостыл быстро... Сообразил, наверное, своей усохшей от «дури» башкой, от какой гнусной лажи я его, дурака, спас... В общем, прежде чем свалить, мы джип с покойниками на всякий случай с обрыва в озеро столкнули. Как и предполагали, там глубоко оказалось, с крышей под воду ушел. Менты, конечно, потом найдут, но фора в несколько дней имеется... Девчушку высадили в первом же поселке, недалеко от местной больницы. Я ей пальцем на эту развалюху ткнул, мол, иди туда, так она ни слова не сказала, прижала покрепче медведя и потопала к больнице. Вошла внутрь... Братец мой матерится, на сиденье очком ерзает — мол, пора отсюда сваливать, тачка наша с дырками от пуль и разбитым стеклом и так слишком приметная. Но я пушку ему к затылку приставил и приказал ждать. Увидев раненого ребенка, эскулапы должны были сразу вызывать милицию. Так и вышло. Минут через десять из-за поворота на всех парах вылетел желтый милицейский «бобик», с визгом тормознул у больницы, из него выпрыгнули один всклокоченный в штатском и трое сержантов с автоматами, забежали внутрь... Из поселка мы окольными путями по грунтовке уехали, свернули потом в ближайший лес, забрались по колдобинам и кочкам в полную глухомань, к самому болоту, куда дороги уже нет, спустили нашу изрешеченную пулями тачку в овраг, облили бензином и сожгли...

— С Коляном?! Какой ужас...

— Нет, — помотал головой Юрка. — Его мы похоронили неподалеку, в овраге. Пешком дошли до трассы, сели на проходящий выборгский автобус и вернулись назад, в Питер... Вот и получается, что из-за ошибки моего дебильного братца погибло трое мужиков, а девчушка, которую я лишь чудом не застрелил, осталась без отца!

— Не кори себя, — погладила его по плечу Клио. — А лучше представь себе на секунду, что в том «чероки» действительно ехал Гитлер. Ведь это было ой как возможно! Вы все были уверены, что в той тачке — отморозки, сначала угрожавшие разгромить ваше казино, а потом — убить отца. Ты ведь, Юрочка, по бандитам стрелял, а не по невинному ребенку с плюшевым медвежонком, так в чем ты себя винишь?! Это жестокий рок или подлянка судьбы — называй как угодно! Я уверена, окажись на твоем месте любой другой человек, он, не задумываясь, поступил бы точно так же!..

— Возможно, отчасти ты права, — кусая губы, согласился Юрка. — Только трех человек уже не воскресить. Двое из них — на моей совести. А ради чего?! Ведь нам никто не угрожал! Ехали бы себе спокойно в Выборг, как и собирались. Так хрен вам, надо было устроить разборку!.. Вот и получается, что три человека погибли из-за проклятых денег, которые мой отец не пожелал отстегивать Гитлеру и его банде! Тех самых сраных зеленых баксов, из-за которых он, не моргнув глазом, послал родного сына с боевиками вычислить и порешить нагадивших в ранимую душу кристально честного коммерсанта отморозков!..

— Тогда я тебя вообще не понимаю, Юра. Ты такой наивный, словно с Луны на Землю свалился!.. Ау-у! Проснись!

Клио в один миг сбросила опостылевшую ей маску ласковой, похотливой и чуть глуповатой домашней кошки и в упор посмотрела на Юрку уже другими — насмешливо-циничными прищуренными глазами дорогой шлюхи, которая, лежа под сопящим потным клиентом, думает только о баксах.

— Ты сам-то кто?! Мент?! Или гангстер?! Если забыл, милый, то я тебе напомню: именно за охрану своих говенных шуршащих бумажек, о которых ты так презрительно сейчас отозвался, от всяких жадных дебилов вроде Гитлера, Леонид Александрович платит тебе и твоему брату кучу денег! А вовсе не за красивые глазки! — Зная, что квартира прослушивается, проститутка умышленно ввернула моментик подхалимажа. — А что касается жмуриков, так не они первые и не они последние. Плюнь и забудь. Питер вообще на костях человеческих, как на сваях, стоит — и ничего. Великий город. А Петр Первый — великий царь.

На дрогнувших губах Юрки появилась презрительная усмешка. Такого демарша он не ожидал.

— С тобой трудно спорить, Клио, — сказал он вполголоса. — Я понимаю, что мои слова могут выглядеть показухой, только вот что я тебе скажу: в гробу я видал это долбаное казино, если ради приносимых им миллионов должны гибнуть дети!.. Это просто случайность, что моя пуля прошла парой сантиметров правее и задела девчушке только руку, а не попала в сердце!.. Насчет Гитлера и прочих ты абсолютно права — такие пробитые твари не должны ходить по земле! Собаке — собачья смерть! В любого быка из любой бандитской группировки я, не моргнув глазом, выпущу всю обойму! Для меня не имеет значения, угрожал он расправой дяде Пупкину, пытался получить долю с моего отца или просто слишком громко испортил воздух, сидя за игровым столом! Их всех нужно уничтожать, как паразитов, сосущих чужую кровь. Их не зря зовут быками. Сначала они несколько лет гуляют на воле, сытно жрут, сладко пьют, постоянно сталкиваются между собой, трахаются, но рано или поздно все равно кончат свою никчемную жизнь на скотобойне! Но я о другом хочу сказать...

Набрав полные легкие воздуха, Юрка произнес почти торжественно, словно давал клятву:

— Я понял это только вчера, когда увидел кровь на детском платьице. В этом долбаном и продажном мире нет и быть не может такого казино, такого бизнеса, которые лично для меня стоили бы дороже, чем жизнь одной маленькой девочки! Понимаешь или нет?!

Поняв, что дело сделано и пора закругляться и ехать восвояси, Клио надменно хмыкнула и не удержалась от язвительной реплики:

— Знаешь, милый, мне кажется, ты ошибся в выборе профессии. В тебе, оказывается, погиб второй Глеб Жеглов! Это ведь он любил повторять, что вор должен сидеть в тюрьме, а запугать муровца у бандитов кишка тонка? Впрочем, еще не поздно все переиграть, а? Наша служба и опасна и трудна и на первый взгляд как будто не видна!.. Ха-ха!

Выполнив свою щедро оплаченную секс-миссию, шлюха мягко отстранилась от Юрки, змеей сползла с дивана, подняла с ковра трусики и, позабыв про душ, стала натягивать на соблазнительное даже после бурной ночи загорелое тело белое кружевное белье.

— К тому же я не думаю, что отец и брат обрадовались бы, услышав эти твои слова, — чуть мягче добавила путана, не глядя на Юрку. — Бизнес, и особенно игорный, никогда не обходится без наездов и разборок. Где большие деньги — там всегда криминал. Никто тебе насильно пистолет в руку не совал. Ты сам погнался за сладкой жизнью, сам выбрал свою судьбу. Зачем ты согласился остаться в Питере, войти в команду Руслана? Для такой работы нужны железные нервы, а ты сломался... Ой! Мамочки! — словно невзначай взглянув на будильник, воскликнула и засуетилась Клио. — Уже половина восьмого, мне в университет надо успеть! Я сейчас быстренько приведу себя в порядок, а ты отвези меня, пожалуйста, на квартиру, хорошо? Сегодня зачет, совершенно нельзя опаздывать, а мне еще нужно помыть голову и переодеться. От твоего американского шампуня у меня перхоть. Ты как, в состоянии сесть за руль или мне вызвать такси? — с хитрым прищуром уточнила путана. — Не хочется, знаешь ли, попасть в аварию за неделю до госэкзаменов.

— Значит, ты считаешь, что ничего страшного не произошло?! — сурово посмотрев на любовницу, спросил Юрка. Стянув со стула джинсы, он тоже стал одеваться. — А трупы и раненая девочка не стоят и выеденного яйца?!

— Конечно, произошло, — пожала плечами Клио. Достав из сумочки косметичку, она подошла к зеркалу и начала быстро и привычно накладывать макияж. — Только это чужие проблемы, не твои. Вам с братом еще повезло, что вас менты по дороге в поселок и у больницы не повязали. Легко отделались. Я бы, если что, так отчаянно не рисковала. Ах, да! Девочка...

Юрка подошел к любовнице и, уже жалея, что рассказал ей о перестрелке, впервые со дня их встречи с откровенной неприязнью посмотрел на девушку, которая так скоро сменила ласковую отзывчивость на холодный, практичный цинизм записной суки. Глядя на ее отражение в зеркале, сухо бросил:

— Между прочим, сегодня воскресенье. Если мне не изменяет память, никаких зачетов в университете у тебя нет и быть не может.

— Вот как? — без особого удивления хлопнула длинными кукольными ресницами Клио и надула губки: — Так сегодня выходной? Отлично! У меня на квартире целая куча нестираного белья. Так что по-любому пора ехать!..

Не выдержав, Юрка схватил блондинку за плечи и рывком развернул к себе лицом.

— Что с тобой? — спросил он вполголоса, глядя в ее как-то сразу ставшие пустыми и равнодушными карие глаза. Не верилось, что эта женщина десять минут назад пылко призналась ему в любви. — Я не понимаю, объясни.

— Ничего особенного, — холодно ответила Клио, даже не пытаясь вырваться или отвести взгляд. — Я думала, ты — сильный мужчина, такой, какой мне нужен. А ты слабак. Удивительно, как ты четыре месяца воевал в Чечне? Как это у тебя руки не дрожали, когда ты стрелял в бородатых боевиков?! Ведь они тоже люди. Хоть и дерьмом бараньим воняют.

— Выходит, в твоем понимании быть сильным — это ради денег шагать по трупам, думая лишь о том, как побольше нахапать и сохранить свою шкуру?! — Губы Юрки брезгливо выгнулись, дыхание участилось, щека задергалась. — Так должен выглядеть настоящий мужик?

Клио ехидно улыбнулась и склонила голову набок.

— Нет, гораздо лучше, поджав хвост, ничем не рисковать, послушно платить гитлерам и рвать на себе волосы из-за того, что один раз по ошибке подстрелил неизвестного чухонца и первым открывшего пальбу лохматого урода, а сам, вот незадача, остался жив!

— Сука, — прошептал Юрка с ненавистью и с трудом сдержал себя, чтобы не наградить шлюху пощечиной. — Какая же ты все-таки сука...

— Может, еще и ударишь?! Давай, герой, — усмехнулась Клио. — На то, чтобы бить женщин, которые не могут ответить, у тебя смелости хватит с избытком!.. А потом сбегай к ментам и выложи все секреты, в которые тебя, тряпку, опрометчиво посвятили, взяв с улицы в большой бизнес!

Интуитивно почуяв, что, несмотря на клокочущую в нем ярость, «правильный» парень Юрка ни за что не станет ее бить, Клио позволила себе показать свое истинное лицо. Но когда лежавшие на ее плечах Юркины пальцы сжались в кулаки, а глаза недобро сузились, шлюха испугалась не на шутку и инстинктивно сделала шаг назад.

Но Юрка лишь едва заметно дернул углом рта, сунул руку в карман джинсов, достал оттуда несколько зеленых бумажек, скомкал одну в ладони и сунул в глубокий вырез блузки теперь уже бывшей любовницы:

— Доедешь на такси. В университет. Убирайся.

— Может, дашь мне пару минут, чтобы накрасить губы? — поняв, что опасность миновала, развязным тоном спросила проститутка. — Или прямо сейчас за порог вытолкаешь?!

Юрка презрительно, с ног до головы, окинул взглядом грудастую, длинноногую блондинку в туго облегающей узкие бедра мини-юбке, развернулся и, прихватив со столика сигареты с зажигалкой, вышел из комнаты на балкон.

На улице было тепло. Безоблачное синее небо простиралось над лесом до линии горизонта. Несмотря на раннее утро солнце уже припекало. На смену основательно подпортившим белые ночи холодным затяжным дождям наконец-то пришло долгожданное настоящее лето. Юрка облокотился о нагретые солнцем облупившиеся перила и щелкнул зажигалкой. На душе вновь было погано, гораздо хуже, чем до разговора с Клио...

Глава 24

Он успел не торопясь выкурить полторы сигареты прежде чем услышал, как в прихожей громко хлопнула бронированная входная дверь. Через минуту Клио вышла из подъезда. Зная, что он смотрит ей вслед, она подиумной походкой быстро дошла до дороги, подняла руку и, небрежно поиграв тонкими пальчиками тормознула первый попавшийся автомобиль — представительный синий «вольво», водитель которого не смог устоять против зовущей улыбки загорелой красотки с длинными платиновыми волосами. Отставив упругую попку и заученно продемонстрировав соблазнительный бюст, Клио склонилась к приспущенному стеклу и через секунду уже скрылась в салоне новенькой иномарки, резво стартанувшей с места и помчавшейся вперед на излишне большой скорости.

— С-сука! — еще раз с ненавистью прошептал Юрка, нервным щелчком вышвырнул окурок и вернулся в комнату.

Через сорок минут он уже ехал по улицам Питера в направлении казино. Но, не доехав буквально два квартала, сбавил скорость, остановился прямо под запрещающим знаком, достал атлас города, отыскал на нем Свято-Троицкую церковь и, уронив голову на ладони, некоторое время не моргая смотрел на крохотную точку с нарисованным рядом православным крестом. Впервые за прошедшие десять дней он вспомнил своего необычного попутчика, отца Павла, с которым ехал в поезде Вологда—Санкт-Петербург.

Но что он скажет настоятелю церкви на острове Каменном? Что его, бывшего спецназовца, приехавшего повидаться с отцом и собиравшегося после возвращения в Вологду поступить на службу в ОМОН, ослепил блеск золотого тельца, одурманил запах больших денег, и он не моргнув глазом превратился в самого обычного боевика?! Что за неполных полмесяца он, морской пехотинец, награжденный боевой медалью за взятие села Комсомольское, в этом далеком от мятежной Чечни городе убил уже трех человек и едва не стал причиной гибели ребенка?! Как доказать священнику, что он, не так давно потерявший мать и оставшийся один на всем белом свете, согласился остаться в Питере совсем не ради отцовских денег, не ради сладкого куска чужого пирога, а из-за простого человеческого желания снова обрести близких людей, семью. Семью? Хороша семья — Флоренский и брат Руслан, ублюдок, который после убийства на трассе без малейших колебаний предложил сбросить труп преданного боевика Коляна в первое попавшееся болото! Какими словами описать отцу Павлу тот кошмар, который терзает его душу?

Так что же, как ни в чем не бывало продолжать крошить челюсти, калечить, бряцать оружием, наконец — убивать, оплачивая чужой кровью и чужими слезами «долг», повешенный на него заботливым братом после честной схватки с Душманом?! Нет, хватит. У такой жизни возможны лишь два финала: стать законченным подонком вроде наркомана брата или стать трупом. Подонком Юрка никогда себя не считал. А жить в свои двадцать с небольшим лет, особенно после возвращения из Чечни, ему хотелось как никогда! Но — достойно, честно зарабатывая себе на жизнь, а не наступая каждый день на горло своей совести, с вечным ощущением крови на руках и камня на сердце...

Можно, правда, как предлагал отец, уйти из зондеркоманды и получить непыльное местечко в администрации казино. А потом в течение многих лет ежедневно терпеть подначки и ловить на себе презрительно-насмешливые взгляды братца и его тупых быков. Ничего более унизительного и гнусного придумать просто невозможно!

Теперь, когда он знает о теневой жизни «семьи» слишком много, вряд ли его отпустят на все четыре стороны, если он захочет уйти. Юрка давно понял, что не отец — главный хозяин клуба, а его казино не имеет ничего общего с понятием честного бизнеса. Леонид Александрович во многом подчинен мафии, а ее члены, как известно, выходят из игры лишь посмертно. Отступников же из «ближнего круга» всегда карают с особой жестокостью...

Разумеется, можно просто сбежать. Оставить машину у дверей клуба с ключами в замке и уехать куда глаза глядят. Устроиться на работу, снять квартиру. На первое время денег хватит. Может статься, что его даже не будут искать, разве что наездами, в Вологде, а значит — не найдут никогда... Только кем он после этого позорного бегства будет в своих собственных глазах? Даже противно об этом думать. Нет ничего страшнее, чем люто ненавидеть самого себя за низость и трусость.

И наконец, начисто свихнувшись, можно последовать предложению Клио: пойти в милицию и сдаться, признав себя виновным в убийстве чухонца, его охранника и ранении ребенка. Тогда придется сидеть в тюрьме, а это хоть и честно, но глупо и однозначно мерзко. Раскаянием перед официальным законом мертвых не воскресить, а добровольно ломать себе жизнь — это удел сумасшедших или святых. Мазохизмом пусть занимается кто-нибудь другой...

Других же вариантов выйти из игры просто не существует...

Соглашаясь месяц назад на предложение отца, он, разумеется, знал, что в интересах бизнеса частные службы безопасности нередко действуют вне закона, и был готов ко многим не очень приятным эпизодам. Например, жестко, а может, и жестоко, с помощью оружия, ставить на место бандюг вроде Гитлера... Но действительность превзошла все самые смелые ожидания! Неожиданно для себя Юрка стал одним из членов банды, насчитывавшей дюжину вооруженных головорезов, которая в свободное от «работы» время была с молчаливого согласия «папы» отпущена на вольные бандитские хлеба и в погоне за деньгами не брезговала ничем. В том числе попытками взять под контроль «Полярной звезды» два недавно открытых узкоглазыми китайских ресторана и принадлежавшую новгородским евреям сеть разбросанных по всему городу небольших залов с игровыми автоматами! Оказалось, Леонид свет Александрович, которому приходилось периодически отбиваться от наездов беспредельщиков, отнюдь не зря держал в своем кабинете аквариум с тупорожими пираньями и сам был не прочь с помощью боевиков Руслана подмять под себя чужие прибыльные проекты!

Короче, обещанная отцом «серьезная работа для настоящих мужчин» на две трети оказалась обычным бандитизмом, от которого Юрку, в детстве мечтавшего служить в КГБ, всегда воротило и который хотелось выжигать каленым железом!

— Товарищ водитель, вы что, ослепли? Знака не видите?! Здесь стоять запрещено, — послышался рядом ленивый басок, отвлекший Юрку от тягостных размышлений. — Сержант дорожно-постовой службы Голубев! Попрошу документики...

Юрка захлопнул лежащий на коленях атлас города, убрал его в бардачок и повернулся к окну. Толсторожий усатый гаишник, поигрывая полосатым жезлом, с алчной ухмылкой глядел на него сверху вниз из-за приспущенного стекла. Надо полагать, он уже мысленно потирал руки в предвкушении хоть и пустяковой, но крайне легкой и верной поживы. Обломить ему кайф была способна разве что красная книжечка с аббревиатурами ФСБ, МВД или, на худой конец, Государственной думы. Таких корок у Юрки отродясь не водилось. Понимающе ухмыльнувшись, вместе с техпаспортом и правами он протянул опухшему с похмелья краснорожему сержанту смятую сторублевку, которая тотчас исчезла в кармане форменных серых брюк.

— Внимательнее надо быть, э-э... Юрий Леонидович! Счастливого пути, — вернув документы, козырнул мусор и отошел.

А Юрка, перестав хандрить, вдруг понял одну простую истину: выхода нет только из гроба. Несмотря на всю кажущуюся порой беспросветной мерзость этой жизни, выход обязательно найдется.

Выжав педаль акселератора, Юрка бросил «тойоту» вперед по улице и, устав от гнетущей тишины и невеселых мыслей, включил магнитолу.

«Счастье есть, его не может не быть!» — мягкой волной прокатился по салону измененный электроникой бархатный женский голос.

Эту музыкальную тему диджея Грува Юрка слышал уже сотни раз. Упрямо сжав челюсти, он бросил взгляд в зеркало заднего вида, резко развернулся через двойную разделительную линию и, метнувшись в переулок, помчался к «Полярной звезде». Решение было принято. Прежде всего нужно потолковать с отцом и по-мужски объяснить ему, что пребыванием в банде отморозков, лицемерно называемой «группой по особым поручениям при службе безопасности», и творимым ею махровым криминалом он, Юрка, сыт по горло! Вчерашняя перестрелка на Выборгском шоссе оказалась последней каплей, переполнившей чашу Юркиного терпения. Сегодня, сейчас же, он выскажет Флоренскому все, что думает о его грязном бизнесе, бросит на стол ключи от квартиры и тачки и поставит в известность о своем уходе из «службы безопасности» казино! И это единственный достойный выход из сложившейся ситуации!

А дальше — будь что будет. От судьбы не уйдешь. Встретит понимание — пусть холодное, надменное, даже неприязненное — значит, нормалек. Но если отец и брат начнут отговаривать, а еще хуже — угрожать, шантажируя убитым в честной схватке Душманом и бойней на шоссе, тем хуже для них. Он сможет постоять за себя.

...Однако фортуна распорядилась по-своему. В этот день Юрка так и не объяснился с отцом, не вернул шикарный подарок и не хлопнул дверью, навсегда покинув «Полярную звезду». Причина нашлась, и более чем убедительная...

Глава 25

Из больницы я выписался в тот же день, после разговора с Томанцевым. Зайдя к отцу Сергию, я убедился, что идущего на поправку старика спокойно можно оставить на попечении двух юных сестер милосердия из недавно открытого по благословению митрополита церковно-медицинского училища. К тому же протоиерей попросил меня проследить за намеченной на вечер отправкой автобуса с паломниками в Киево-Печерскую лавру.

После длительного физического бездействия и пребывания в не слишком приятном для любого нормального человека заведении мне захотелось пешком прогуляться до храма. И неудивительно, ведь он стал для меня на какое-то время домом в самом прямом смысле этого слова. Да и не только для меня, гостя в родном городе, но теперь и для отца Сергия, лишившегося буквально всего. На месте сгоревшего дома в Стрельне остались одни головешки и обгорелая русская печь с трубой. После эмоционального разговора с капитаном Томанцевым и отказа взять грязные деньги у меня было время подумать над технической стороной дела. До выхода настоятеля из больницы и своего отъезда на Каменный я хотел хотя бы частично решить вопрос с расчисткой пепелища и стройматериалами...

Ну и, конечно, я постоянно думал о сатанистах! Я был бессилен как-то продвинуть их поиск, ибо уже сделал все, что зависело от меня. Теперь надежда лишь на злобно хлопнувшего дверью капитана милиции Томанцева и словно сквозь землю провалившегося генерала ФСБ Корнача. Мысль о том, что проклятые нелюди все-таки уйдут от возмездия, я старался всеми силами гнать прочь, но она снова и снова лезла в голову с таким же упорством, с каким вкатывал в гору огромный камень мифический грек Сизиф. Одним словом, у меня было достаточно пищи для размышлений...

Я шел по залитому солнцем Петербургу и был так погружен в эти самые размышления, что не сразу узнал высокого худощавого парня, одетого не хуже холеных загорелых героев рекламных роликов. Уверенной походкой он пересек тротуар и сел за руль поджидавшей его спортивной «тойоты». Почти без звука вылетел из двойной выхлопной трубы белый дымок, замигал указатель поворота, и красная, похожая на остроносую крысу машина резво стартовала с места, с ходу влившись в поток автомобилей.

А узнал я в этом сильно преобразившемся парне с волевым лицом и коротким ежиком волос бывшего морпеха Юрку, своего попутчика по купе поезда Вологда—Санкт-Петербург, который ехал в чужой незнакомый город для встречи со вдруг объявившимся отцом, владельцем недавно открывшегося казино «Полярная звезда». По словам самого Юрки, только для того, чтобы сообщить о смерти мамы, первый и последний раз в жизни посмотреть отцу в глаза и вернуться домой, где он собирался поступить на службу в ОМОН. После войны в Чечне такой выбор сержанта морской пехоты Величко представлялся вполне закономерным.

Судя по тому, что я сейчас увидел, долгожданная встреча со сбежавшим много лет назад родителем завершилась совершенно иначе. Именно так, как я и предполагал. Отец, обрадованный встречей с сыном, о существовании которого он даже не подозревал, уже не отпустил его от себя и постарался сделать так, чтобы отныне Юрка ни в чем не нуждался. Вполне вероятно, что бизнесмен взял его на работу к себе в казино. А оставшийся после смерти матери совершенно один парень не нашел в себе силы отказаться от заманчивого предложения переехать из провинциальной Вологды в северную столицу. Он великодушно простил отца за совершенный двадцать лет назад малодушный поступок и снова обрел не только семью, но и уверенность в завтрашнем дне. В наше трудное время такая удача выпадает очень немногим.

Когда мы с Юркой расставались на перроне Финляндского вокзала, он пообещал обязательно заглянуть в Троицкий храм перед отъездом домой и сообщить мне, как прошла встреча с отцом. Но он так и не пришел, иначе бы мне сообщил об этом навещавший нас с отцом Сергием в больнице иеромонах Гавриил. Я понимал Юрку и не винил его ни в чем. Новая, незнакомая, полная возможностей и соблазнов материально обеспеченная жизнь в огромном городе наверняка затянула молодого парня с головой и без остатка. Дай Бог ему удачи и счастья...

Я добрался до храма и сразу поспешил в комнату настоятеля, намереваясь первым делом созвониться с Томанцевым и узнать о ходе расследования. Не успел я переступить порог, как в дверь тихо, но настойчиво постучали и на пороге возникла разговорчивая и любопытная баба Маша, с которой я уже успел поздороваться, проходя мимо церковной лавки.

— Батюшка Павел! — громким шепотом сказала она. — Вам тут письмо! Еще вчера утром принесли, — и протянула мне запечатанный конверт.

Я взял его и с интересом осмотрел со всех сторон. Тонкий, почти невесомый, внутри наверняка всего один листок. На лицевой стороне конверта ни единого слова — абсолютно чистая плотная бумага, на тыльной — подозрительно размазанная полоска клея вокруг клапана. Словно письмо уже вскрывали. Странно...

— Кто принес? — спросил я норовившую уже шмыгнуть за дверь бабу Машу.

— Мужчина, весь такой смуглый, волосы черные, кучерявые! На русского совершенно не похож, с акцентом говорил, но не кавказец, — с готовностью сообщила женщина, на мгновение высунув голову за дверь в поисках посторонних, способных подслушать разговор. — Скорее, таджик какой-то, Бог их, басурманов, знает... И глаза такие хитрющие, все по сторонам зыркал. Я его, черного, сразу приметила, у нас в храме такие редко появляются. Постоял минуту в сторонке, огляделся, потом подошел ко мне и спросил, нет ли вас сейчас в храме. Я сказала, что нету, прихворнули слегка. Тогда он отдал мне конверт и попросил передать вам лично, батюшка, в руки, как вернетесь. Вот я и передаю.

— Вы его читали? — строго спросил я, помахав конвертом. — Только честно, баба Маша...

— Ой, что вы, батюшка! — замотала головой женщина и торопливо оправила черный головной платок. — Как можно! Я спрятала в ящик, где деньги, заперла на ночь на ключ, там он и лежал... — и она с опаской глянула на меня.

— Подождите, не уходите, — попросил я и надорвал конверт. Внутри, к моему немалому удивлению, оказалась совершенно чистая бумага. На всякий случай я даже поднес ее к окну, через которое в тесную комнатушку проникал играющий пылинками яркий дневной свет, и внимательно оглядел с тщательностью кассира, пытающегося выявить фальшивую банкноту. На странном послании, как и на конверте, не было ни единой буковки.

— Матерь Божья!! — увидев в моих руках совершенно чистый лист, охнула баба Маша и трижды истово перекрестилась. — Да как же так, Господи, там же было... — и осеклась, поняв, что сболтнула лишнего. Подобралась, опустив очи долу, в ожидании неизбежного разоблачения.

— Значит, все-таки не удержались и прочитали, — вздохнул я и, положив конверт и лист бумаги на стол, строго посмотрел на не в меру любопытную женщину. Заметив, что она явно напугана и отнюдь не тем, что ее неблаговидный поступок раскрылся, я поспешил сгладить возникшую ситуацию:

— Успокойтесь, нет здесь никакого колдовства. Если текст был, а сейчас его нет, значит, писали специальными чернилами. От соприкосновения с воздухом такие чернила постепенно исчезают и через несколько минут после вскрытия конверта от них не остается даже следа. Что там было написано, баба Маша?

— Там... это... — стараясь не смотреть мне в глаза и смущенно переминаясь с ноги на ногу, пробормотала женщина. — Там было, кажись... — закрыв глаза, она сосредоточенно наморщила лицо, пытаясь воспроизвести в памяти навсегда исчезнувший с более чем странного послания текст.

— Пишет, что вы, батюшка, мол, неплохой сыщик, но все-таки сделали много ошибок. Не стоило фотографировать, этим вы себя выдали... Ага, так... А лохматый человек, тот, что в окне, убежал через чердак, вышел через соседнее парадное, за углом сел в «пятерку» с грязным номером и черными стеклами и поехал к... этому... как его... Василеостровскому отделению милиции, вот!

— Вы ничего не путаете? — на всякий случай переспросил я. — Именно к отделению милиции?!

— Точно так, — на секунду открыв глаза, кивнула баба Маша и снова приняла вид слепой прорицательницы Ванги, изготовившись вспоминать дальше. — Там лохматый зачем-то вышел, кому-то позвонил по сотовому телефону, сел назад и принялся ждать. Из машины боле не выходил... Где-то через час к участку подъехал милицейский «бобик», из него вышел знакомый вам, батюшка, молодой мужчина в пиджаке цвета... вроде как соль с перцем, перешел дорогу и сел в «пятерку». Они говорили минут десять. После тот, что в пиджаке, зашел в милицию, а другой поехал на север. На одном из перекрестков Каменноостровского он проскочил на красный свет и оторвался...

Баба Маша, вне всяких сомнений обладающая феноменальной памятью, открыла глаза и с виноватым видом добавила:

— А в конце так... Мол, я сделал все возможное, чтобы подстраховать вас, отец Павел, но вынужден отказаться от дальнейших действий из-за неотложных дел... Ага... У вас, мол, хватит смекалки довести расследование до конца, имея эту информацию. И еще он просит не забывать про тайну исповеди. Внизу подпись: Грешник. Кажись, все, батюшка, ничего не упустила. Вы уж простите меня, дуру, не удержалась я! Сначала пожар у батюшки настоятеля, потом этот черный басурман со своим письмом... Вы не серчайте, Христом Богом прошу, не со зла я, вот вам истинный крест!

Баба Маша опять принялась истово креститься. Я заметил, что на ее глаза наворачиваются слезы, и поспешил успокоить:

— Я вас прощаю, Бог с вами, не плачьте. Только одна просьба...

— Никому, что вы! — вмиг поняв, что́ от нее, провинившейся, требуется, громким шепотом заверила баба Маша. — Ни единому человечку! — И тут же прямо в лоб спросила, не сумев удержать распиравшего ее не хуже дрожжей женского любопытства: — А кто это — Грешник, отец Павел?

— Мой прихожанин. — Я сразу понял, кто являлся автором письма. Оставаясь в тени, киллер по имени Сергей оберегал меня во время моего наблюдения за «нехорошей квартирой» сатаниста Пороса. — Он в некотором роде частный детектив и помогает мне найти преступников, тех, с шоссе... На милицию надежды мало.

О происшедшей со мной на трассе аварии здесь уже знали все несмотря на то, что я не горел желанием рассказывать об этом на каждом углу. Однако о причастности к делу сатанистов до недавнего времени были осведомлены лишь опер Томанцев со товарищи, я да отец Сергий...

— Ох уж эта милиция! — не удержалась от язвительной реплики в адрес МВД баба Маша и всплеснула руками. — У моей соседки по квартире Клавы Чумичкиной надысь все стираное белье с чердака украли, так эти пьяницы даже заявление брать отказывались! Говорят, у них и без драных пододеяльников и штопаных портков головной боли хватает... Вот ироды! Что творится-то на Руси, Матерь Божья, ах-ах-ах... Пойду я, батюшка, свечи продавать. Там, наверное, уже целая очередь выстроилась, — с мольбой посмотрела на меня баба Маша, потуже затянув узел платка.

— Иди с Богом, — отпустил я стоявшую передо мной с виноватым видом пожилую женщину. Затем подошел к столу, поднял было телефонную трубку, чтобы сообщить капитану Томанцеву о неожиданной помощи моего недавнего посетителя — киллера Сергея, но, помедлив, опустил ее на аппарат...

Тайна исповеди священна. В прошлый раз я и так балансировал на грани, рассказывая Томанцеву о незнакомце.

Его невидимая профессиональная группа славно поработала на Десятой линии и вывела меня на затерявшийся было след Люцифера. Мало того! Я теперь знал, что ударник из «Гниющих внутренностей» не только знаком со щеголеватым лейтенантом Романом Семеновым, но и встречался с ним буквально через полтора-два часа после пикирующего полета Пороса-

Посаженникова, и не где-нибудь, а прямо напротив райотдела милиции! О чем говорили в «пятерке» с тонированными стеклами и замазанным грязью номером генеральский отпрыск в модном сером пиджаке и музыкант-сатанист, догадаться не сложно... Люцифер, имея такой источник информации, знал, что отогнанный в Колпино для ремонта джип Пороса найден и толстяка в любую минуту могут взять за горло, а посему предпочел убить подельника. А во время описанной Сергеем встречи с опером сатанист получил ответы на ряд крайне важных для него вопросов. Например: кто именно фотографировал окна квартиры из дома напротив? Случайное откровение Томанцева о моей стычке с сатанистами, упоминание о службе в тюремной церкви на Каменном, а также сам факт моей на первый взгляд необъяснимой активности во время событий на Васильевском острове — все это стало известно Люциферу. Он понял, что перед ним — опасный соперник, и решил избавиться от него как можно скорее...

Узнать адрес протоиерея Троицкого храма, имея знакомого мента-опера, так же просто, как нажать клавишу на панели компьютера. В Стрельну срочно отправили наблюдателя, который, засев в одном из недостроенных коттеджей, видел, как я выходил из милицейской «Волги», и сообщил об этом не на шутку обеспокоившемуся Люциферу. И вот под покровом дождливой ночи за дело взялись поджигатели и снайпер. Если бы не подпол в доме отца Сергия, итог дьявольской акции был бы совсем иным... Интересно, чем они подпалили дом, что он так стремительно вспыхнул несмотря на проливной дождь? Запаха бензина я тогда не ощутил. Может, напалм...

Теперь я не сомневался, что заявление о сборищах сатанистов, написанное любопытной и слегка свихнувшейся старушкой из дома напротив, было в милиции замято непосредственно лейтенантом Семеновым, «не выявившим изложенных в заявлении фактов». Дальнейшая судьба заявительницы неизвестна. Навряд ли Люцифер ограничился только более плотным задергиванием штор... Удача с фотосъемкой — случайность. Люцифер просто утратил бдительность из-за необходимости срочно ликвидировать подельника. Но даже в такой момент сатанист не удержался от своей тяги к ритуальности: надел черный балахон и выбросил рыхлую тушу с высоты пятого этажа, вместо того чтобы прибегнуть к примитивному выстрелу в затылок. А ночью превратил дом православного священника в гигантский пылающий факел...

Чтобы выйти на сектантов, мне недоставало одного — точного местонахождения логова. Интуиция подсказывала: квартира богатенького Пороса вряд ли являлась их главной резиденцией. Оживленное место, слишком суетно вокруг, слишком много любопытных глаз... Да и сам толстяк не входил в число «слуг ближнего круга», о чем недвусмысленно свидетельствовал диалог между Поросом и Люцифером на месте аварии. В противном случае сектанты не опасались бы, что владелец засвеченного в аварии джипа Посаженников заложит их на первом же допросе, едва понюхав пудовый милицейский кулак и ощутив на губах солоноватый привкус крови. Я достаточно много знал о сатанистах высокого ранга, называющих себя слугами Князя Тьмы, — их легче пристрелить, чем расколоть! Как тут не вспомнить недавнюю публикацию о раскрытой сыщиками банде, во главе которой стояла тихая старушка-одуванчик, отплясывавшая в полночь при свечах на трупе своего убитого мужа...

Для решения проблемы последнего недостающего звена мне нужен был генеральский сын Рома, опер из Василеостровского РОВД, каким-то образом связанный с сектантами. Я не сомневался — они сделают все, чтобы как можно скорее уничтожить меня.

И вполне вероятно, что на сей раз сильно разочарованный неудачей в Стрельне Люцифер откажется от привычки обращать каждое убийство в акт жертвоприношения рогатому покровителю и ограничится снайперской пулей, точно посланной в седеющую голову не в меру ретивого священника...

Чтобы просто уцелеть, мне следовало сломя голову бежать на вокзал и возвращаться в Вологду. Чтобы отомстить — отыскать бесовское логово раньше, чем празднующие победу чертопоклонники начнут потирать от радости свои потные ладони. Разумеется, я выбрал второй вариант. Более того — я не стал ничего сообщать нервно хлопнувшему дверью и затаившему обиду капитану Томанцеву, решив действовать самостоятельно. Перед глазами у меня до сих пор стоял объятый пламенем дом, а на полу, в клубах дыма — беспомощный отец Сергий...

Если бы настоятель погиб при пожаре, я считал бы себя виноватым и не простил бы себе этого до гробовой доски! Как не смогу простить нежить, пытавшуюся сжечь нас заживо! С первыми языками гуляющего по дому дьявольского пламени, с первым выстрелом трассера всепрощение отца Павла иссякло. Я жаждал возмездия и готов был стать его орудием даже ценой отказа от права носить сан священника!

Но пока... Если Бог поможет мне и сектанты понесут кару от руки православного священника, в том, возможно, будет свой высший смысл. Борьба добра со злом... Вечная битва Христа и антихриста... Я готов к ней.

Если же мне не повезет... что ж, тогда придет время вмешаться милиции. Прежде чем отправиться к оперу Семенову для мужского разговора, я решил черкануть весточку Томанцеву. Баба Маша, получившая недавно наглядный урок хороших манер, уж конечно, лучше всякого другого позаботится о том, чтобы в нужный час информация попала прямо в руки капитана...

Порывшись в ящиках письменного стола протоиерея, я нашел там авторучку, чистый конверт и тетрадку в клеточку. В отличие от моего добровольного помощника я не располагал «колдовскими» чернилами, но они и не требовались. Быстро заполняя вырванный листок мелкими строчками, я вдруг с грустью подумал, что, скорее всего, не смогу выполнить просьбу отца Сергия и проследить за отправлением паломников в далекую и, увы, теперь уже самую что ни на есть зарубежную православную святыню — Киево-Печерскую лавру.

Глава 26

Прежде чем нанести визит в отделение милиции, я сделал крюк и заглянул на Васильевский остров, в ту самую квартиру, где, по моим предположениям, проживала бабулька с редким для нашего времени именем — Августина. На мой длинный и настойчивый звонок в дверь открыла девочка лет четырнадцати в выцветшем халатике, баюкающая на руках похожего на ангелочка пухленького светловолосого карапуза с соской-пустышкой во рту.

— Вам кого, батюшка? — удивленно разглядывая незваного гостя в рясе, поинтересовалась девчушка.

— Мне нужна Августина... простите, не помню ее отчества, — сказал я, внимательно наблюдая за реакцией девочки, и не напрасно. Едва я назвал цель своего прихода, лицо девочки напряглось, глаза настороженно застыли, а губы чуть заметно дрогнули.

— А... вы разве ничего не знаете? — тихо спросила она, плотнее прижав к себе малыша. — Соседка в больнице. В психушке. За ней приехала бригада санитаров и увезла. Уже больше двух недель назад. А зачем она вам?

— К сожалению, я не могу вам этого сказать, — не стал обманывать я. — Значит, вы не знаете, когда ваша соседка вернется?

— Боюсь, наверно не скоро, — покачала головой девочка, прижавшись щекой к щечке карапуза. — Мама ходила на Пряжку проведать, апельсинов купила, так ее даже в корпус не пустили... Августина Леопольдовна находится в отделении для тяжелобольных, туда вообще никого не пускают.

— У нее... был приступ? — на всякий случай уточнил я, хотя догадывался, каким будет ответ.

— В том-то и дело, что нет, — печально вздохнула девочка. — Она, конечно, состояла на учете как вялотекущая шизофреничка, но чтобы вот так — забирать прямо среди ночи... Не знаю, может, она чего-нибудь натворила? С тихими больными такое вроде иногда случается... Нам никто ничего не объяснял. Просто приехала бригада — врач, два здоровенных санитара со смирительной рубашкой и милиционер, они и забрали Августину Леопольдовну с собой.

— А милиционер, который приезжал... такой молодой, веснушчатый?

— Да, он даже удостоверение показал. Лейтенант из нашего отделения, фамилию только не помню. Кажется, Сергеев... или... нет, не помню, — пожала плечами девочка и с подозрением стала разглядывать меня с головы до пят. — Что-нибудь произошло, батюшка? Она... совсем сошла с ума?

— Увы, я не врач и не могу ничего утверждать. Извините, что потревожил. — И, не дожидаясь новых вопросов, я развернулся и стал быстро спускаться по лестнице.

Ай да Семенов-младший, ай да сукин сын! Вот, значит, как ты стараешься для своих дружков. И врач знакомый из соответствующего лечебного учреждения у тебя имеется, чтобы одинокую пожилую женщину в буйные психи записать и в палату-камеру определить, где из тихой и безобидной старушки при помощи сильнодействующих лекарств быстро сделают полную амебу. Слишком дорогой ценой заплатила Августина Леопольдовна за свое любопытство. Впрочем, не все еще потеряно, главное — прижать опера как следует и на сатанистов выйти... Ну, держись, рыжий, пришло время платить по счету!

...Оперуполномоченного Романа Семенова в его кабинете я не застал. Сказали, выехал с группой на кражу, будет позже.

— А вы по какому вопросу, святой отец? — ухмыльнувшись, поинтересовался сидящий за вторым столом в прокуренном тесном кабинете грузный мужчина в штатском. Когда я вошел, он торопливо спрятал под стол початую бутылку и теперь дожевывал бутерброд с колбасой, явно без удовольствия запивая его холодным чаем из стоявшего на подоконнике стакана. — Уж не по сатанистам ли тем?..

— Вы очень догадливы, — ответил я. — Кое-что вспомнил, нужно срочно рассказать лейтенанту. Не возражаете, если я его подожду?

— Дело ваше, — невнятно проговорил с набитым ртом милиционер. — Только тогда в коридоре, там есть стул, если не уперли. Я через минуту ухожу и закрываю кабинет, — предупредил он, бросая в мусорную корзину под столом скомканную промасленную газету, и без стеснения вытер руки о край видавшей виды шторы.

Хромой стул с драной, прожженной сигаретами обивкой оказался на месте, на него я и присел. Вскоре проводил взглядом покинувшего кабинет похожего на гризли косолапого оперативника. Напевая под нос, цветом и формой смахивающий на сливу, какую-то блатную песенку, он не спеша прошел в сторону лестницы, не удостоив меня взгляда. После него в коридоре долго держался запах спиртовой настойки на клопах...

Вопреки моим представлениям, в здании райотдела не заметно было кабинетной суеты, по коридорам не спешили по вызову группы захвата в полной боевой выкладке. Изредка появлявшиеся в поле моего зрения милиционеры разных званий и формы одежды лишь искоса поглядывали на меня и проходили мимо, иногда перекидываясь между собой парой слов вполголоса и не задавая никаких вопросов о цели моего прихода. Два раза сержанты провели по коридору задержанных — развязную полупьяную женщину явно облегченного поведения с фингалом под глазом и ссадиной на скуле и прикованного наручниками к запястью конвоира угрюмого бритоголового быка с квадратной челюстью, тяжелый и брезгливый взгляд которого выражал отношение к жизни вообще и правоохранительным органам в частности лучше любого транспаранта на груди пикетчика.

Лейтенант Семенов появился только через два часа, вынырнув из-за угла в облаке сигаретного дыма, с пухлой папкой-скоросшивателем в руке. Заметив меня, терпеливо поджидавшего возле запертой двери кабинета, ничуть не удивился — видимо, в дежурной части его предупредили о необычном посетителе.

— Не думал вас снова увидеть, отец Павел, — сказал вместо приветствия генеральский отпрыск, заталкивая ключ в замочную скважину. В его словах таился двойной, хорошо мне понятный коварный смысл. Лейтенант, являвшийся не только сообщником сатанистов, но и милицейским опером, не мог не знать о ночном пожаре в Стрельне, который должен был стоить мне и отцу Сергию жизни. А тут вдруг такое невезение — подпол... Увидеть меня целым и практически невредимым, если не считать покрасневших глаз и перебинтованной руки (остальные повязки скрывала ряса), было для него, конечно же, неожиданностью.

— Ладно, входите, раз пришли... — пригласил Семенов-младший, первым заходя в кабинет, бросая папку на захламленный всевозможными бумагами облезлый двухтумбовый стол и усаживаясь в явно позаимствованное где-то кожаное вращающееся кресло с высокой спинкой. — Говорите, зачем пожаловали, у меня мало времени. Честно говоря, я вообще не понимаю, зачем вы ко мне пришли и столько торчали в коридоре! Дело ваше, как и следовало ожидать, передали наверх, Томанцеву, а мне чужие проблемы до лампочки. Своих хватает, во-о! — оперативник чиркнул себя ребром ладони по выпирающему кадыку и, щурясь от дыма, раздавил в полной окурков пепельнице еще один. Откинувшись на спинку кресла, не спеша достал из кармана модного пиджака цвета «соли с перцем» пачку жевательной резинки и бросил в рот освежающую мятную подушечку.

— Наш зам на пенсию выходит, все мужики уже в кафешке за углом, так что давайте в темпе, если есть что сказать... — активно работая челюстями ради спасения от коварного кариеса, решительно потребовал опер, демонстративно поглядывая на дорогие наручные часы.

— Это хорошо, что все коллеги уже за столом, — запирая кабинет изнутри на ключ, спокойно сказал я. — Нам, стало быть, никто не помешает вдумчиво поговорить по душам.

— О чем вы, батюшка? — ощерился в самодовольной улыбке юный милиционер Рома, поудобнее устраиваясь в офисном кресле из-под чужой задницы и еще не успев уловить в моих действиях подвоха. — Я вас не понимаю, объясните...

— Обязательно объясню, товарищ лейтенант, — пообещал я, возвращаясь к столу. — Для этого я сюда и пришел. Дело, собственно, вот в чем...

Удар с разворота в челюсть, как и следовало ожидать, оказался для конопатого лейтенанта полной неожиданностью. До такой степени, что Семенов-младший с грохотом рухнул вместе с креслом, не успев ни отреагировать, ни даже крикнуть. Вполне возможно, что от испуга он проглотил жевательную резинку. С моей стороны это был рискованный ход, но только так я мог с ходу привести мозги продажного мента в надлежащее просветленное состояние и наглядно продемонстрировать мою решимость во что бы то ни стало получить нужную информацию.

— Это тебе за Августину Леопольдовну, — все так же спокойно пояснил я, с удовлетворением отметив, что моя левая рука работает не хуже, чем пострадавшая во время пожара правая. — А теперь перейдем ближе к делу... Мне нужен адрес, по которому я могу найти Люцифера и весь ваш гнилой выводок. И очень советую, Роман Андреевич, не сотрясать воздух криками о помощи и не делать резких непродуманных движений. Видит Бог, я человек не жестокий и никогда таковым не был, но крайние обстоятельства вынуждают меня сегодня быть не очень вежливым...

— Что вы такое несете? Какой на хер выводок?! — выплюнув на пол сломанный передний зуб вместе с тягучим сгустком крови, довольно быстро пришел в чувство раскорячившийся в углу, придавленный стулом отпрыск. — Вы за это ответите! Я вас посажу!

— Я не гордый, могу и напомнить, если от столкновения со стенкой у вас слегка повредилась память. И, пожалуйста, говорите тише, — напомнил я, не спуская глаз с подозрительно закопошившегося лейтенанта и прислушиваясь к доносившимся из коридора звукам. — В тот день, когда гражданин Посаженников, больше известный вам по кличке Порос, не без помощи своего лохматого кореша ушел в последний полет, вы встречались с убийцей. Прямо напротив этого здания. Он был в «жигулях»... Припоминаете, гражданин начальник?

— Послушайте, как вас там! — ощупав поцарапанную скулу, поморщился Семенов и полез во внутренний карман пиджака за носовым платком. — Понятия не имею, о какой встрече и с кем вы говорите!.. Но как офицер милиции при исполнении довожу до вашего сведения, что минимум пятнадцать суток мытья общественных туалетов вы уже схлопотали. На вашем месте я бы не усугублял положения, оно и так хреновое... Знаете, что полагается за нападение на оперуполномоченного?! А вот что...

Резким движением руки Семенов отбросил в сторону тяжелое кожаное кресло, а другой рукой выхватил из кобуры пистолет и тут же навел его на меня, положив указательный палец на спусковой крючок. Наивный юноша! Он думал, я поверю, будто он, как крутой спецназовец, носит на груди постоянно снятый с предохранителя ствол, и очень сильно испугаюсь...

Я не испугался, я был готов к такому развитию событий. Ударом ноги выбил оружие из его ладони, присел, одной рукой крепко взял его за горло, а два растопыренных пальца другой — средний и указательный — прижал к застывшим от страха зеленым глазам. Очень действенный, между прочим, прием, особенно при отсутствии альтернативы. Одно неуловимое движение локтя — и скользкие ошметки стекут по щекам вместе с последней отпечатавшейся на сетчатке цветной картинкой. Но я почему-то был уверен, что до этого не дойдет... Так и получилось.

— Знаешь, мальчик, — склонившись над опером, прошептал я (за дверью кабинета отчетливо слышались голоса), — это не я, а ты даже не представляешь себе, как сильно вляпался!.. И выбор у тебя, дружок, не богатый. Либо полная откровенность и пара лет тюрьмы за пособничество сектантам и убийцам, либо я сверну тебе шею прямо здесь, не дожидаясь, пока твой папа начнет орать благим матом, терзать судебные инстанции и стучать кулаком по столу, требуя освободить ну со-о-овсем ни в чем не повинного мальчика. Теперь мне терять нечего, кончу тебя и даже не замечу, понял?!

Голоса за дверью стихли, им на смену пришел звук удалявшихся шагов. Наконец в коридоре райотдела вновь наступила полная тишина. Я слегка расслабился и даже убрал от глаз затравленно притихшего лейтенанта устрашающую «вилочку».

— Сейчас ты мне рассказываешь, где я могу найти Люцифера, а я оставляю тебя здесь целого и невредимого и ухожу, — доходчиво объяснил я, глядя в расширенные зрачки Семенова. — Разбор твоих полетов перенесем на потом. Врать, молодой человек, не советую, это сразу отразится на моем к вам безграничном доверии. А теперь говори, только тихо и спокойно...

— Ладно, я скажу все... — упавшим голосом отозвался побелевший от страха борец с преступностью. — Я сам к сатанистам не имею никакого отношения, плевать я на их поганую стаю хотел! Они, сволочи, взяли меня на крючок, еще год назад! В частном борделе в Зеленогорске. Засняли скрытой камерой, как я развлекаюсь с малолеткой, ну и... понеслось-поехало. У них такое хобби, любителей юных созданий на крючок сажать. С одного бабки не хилые поиметь можно, с другого связи полезные. Статья ведь, сами знаете, поганая, «петушиная». Попади я в тюрягу, даже ментовскую — не жить мне... С педофилами базар короткий. Сначала на хор, потом — бритвой по горлу...

— Адрес борделя!

— Не помню. Но на месте показать смогу.

— Ясно. Дальше!

— Пришлось сотрудничать, — помолчав секунду-другую, выдавил из себя опер. — Помогал уродам поставлять в бордель девчонок и пацанов из неблагополучных семей. У нас в районе таких — как грязи, сплошные люмпены и маргиналы! За ящик водяры собственную гнилую печень продадут, только свистни... А про хазу эту, на Десятой линии, я узнал только тогда, когда старуха дебильная заяву про оргии козла накатала. Пришлось определить каргу в дурку, благо она там уже не раз отмечалась... Только я сам никого не убивал, ни в каких «черных мессах» не участвовал, я для них чужак, стукач ментовский!

— Дом в Стрельне они подожгли? — Я почувствовал такую чудовищную ненависть к этому подонку, что с трудом держал себя в руках. К вискам, к обожженным глазам прилила кровь. Да так сильно, что на какой-то миг физиономия лейтенанта стала нечеткой и поплыла куда-то.

— Да, они, — глухо подтвердил Семенов. — Только если вы, отец Павел, всерьез считаете, что имеете дело только с шайкой отморозков, кокаинистов и придурочных идиотов из рок-банды, то вы сильно ошибаетесь! В одном только Питере их тысячи! В большинстве своем это такие ребята, что и в голову не придет посчитать их сектантами. А вот я, как вляпался, много чего про них узнал... Публика самая разношерстная. Бывшие «афганцы», байкеры, кое-кто, натурально, из «братков», прозекторы из морга, банковские служащие и даже чиновники... Колоссальная финансовая база! Бордель в Зеленогорске — фигня, больше инструмент для шантажа. Да им разорвать вас на куски — как высморкаться!

— Странно, почему до сих пор не разорвали, — усмехнулся я. — Как найти Люцифера?

— Я не знаю, честно! — затряс головой конопатый опер и громко икнул. — У меня есть только номер его трубы. Они мне не доверяют...

— И правильно делают, — фыркнул я брезгливо. Надежда одним махом добраться до логова чертопоклонников через опера растаяла, как снег под пионерским костром. Придется назначать встречу тет-а-тет с одним из сектантов и снова брать за горло.

— У тебя мобильный с собой?

— На ремне, — показал взглядом Семенов-младший.

— Машина твоя где? Только не шути, пролетарий, что на трамвае приехал.

— Здесь, возле входа стоит. «Десятка»-хэт-бек, цвет папирус...

— Стекла тонированные?

— Не без этого, — буркнул лейтенант, проведя языком по острому краю обломанного зуба и поморщившись.

— Тогда слушай и запоминай. Прямо сейчас позвонишь Люциферу и сообщишь радостное известие. В багажнике твоей тачки его ждет сюрприз. Ключ торчит в замке зажигания, двери открыты. Ты сам с коллегами буха́ешь в кафе, провожая зама на заслуженный отдых. Возле ментовки машину никто не тронет. Пусть приезжает, садится за руль и едет на точку выгружать ценный подарок. Вечером вернет «десятку» на место.

— Какой еще подарок?! — взвизгнул извращенец в милицейских погонах. — Когда он узнает, что я его кинул, мне хана!!!

— Подарок — это я. Скажешь, что их кость в глотке, гвоздь в заднице — отец Павел, тот самый поп с острова Каменный, который чудом выжил в сгоревшем доме, сегодня утром выписался из больницы и сразу позвонил тебе, желая дать ценную информацию о сатанистах. Ты, честный труженик правопорядка и верный стукач, сразу смекнул, что к чему, и пригласил меня не в этот кабинет, где за каждой стеной торчат ослиные уши доброхотов, а в тихое безлюдное место. Там, улучив момент, треснул по затылку рукояткой пистолета, связал по рукам и ногам, затолкал в рот кляп и бросил в багажник. Привез к месту службы и готов передать господам сектантам в качестве поощрительного приза. Но не за красивые глазки, это слишком подозрительно, а, скажем, в обмен на обещание навсегда оставить тебя в покое. Мол, сил твоих больше нет, нервы ни к черту. Иначе ты прямым ходом идешь в ФСБ, рвешь на себе рубаху, бьешь кулаком в лохматую грудь и слезно каешься старшим товарищам, как и на чем тебя вербанули. За тобой крови нет, отделаешься пинком под зад из органов и малым сроком. Могут вообще дать условно...

— Они на это не пойдут, я для них слишком ценный стукач, — подавленно возразил лейтенант. — А если стану угрожать, положат из снайперской «бесшумки» прямо на ступеньках этого здания.

— Именно так и будет, — подтвердил я. — Но и упускать, тем более живым, столь долгожданный трофей, из-за которого у них куча проблем, такой ценный экземпляр для ритуального убийства на алтаре психопат Люцифер ни за что не станет. Поэтому сделает вид, что согласен на обмен.

— И что мне делать дальше? — тупо уставясь в одну точку, спросил педофильный генеральский отпрыск.

— Снимать штаны и бегать, — стиснув зубы, процедил я. — Будешь до утра тихо, как мышь, сидеть здесь, в своем кабинете, и носа на улицу не высовывать. Остальное моя забота... Все, звони! И постарайся говорить так, чтобы он тебе поверил. Не получится... ты парень понятливый, сам догадаешься, что тебя ждет.

Я сдернул с ремня стукача крохотный сотовый телефон и вложил ему в руку. А пока грозный борец с преступностью, сбиваясь и путаясь, тыкал дрожащим пальцем в светящиеся кнопки, подобрал отлетевший к окну пистолет системы Макарова. Взвесил в ладони, бегло оглядел и вдруг ощутил, как по моей спине прогулялся ледяной ветер.

Предохранитель на оружии был снят, патрон находился в стволе! Вот этого я никак не мог ожидать. Выходит, совсем недавно моя жизнь опять висела на волоске — я недооценил хлипкого и неопытного на вид противника! А ведь при нападении на сотрудника милиции тот имеет право стрелять на поражение... Такой поворот событий заставлял крепко задуматься, ибо по неписаному закону бутерброд всегда падает маслом вниз. На сей раз мне повезло, однако впредь нужно работать более профессионально. Что делать, отвык я за последние годы от подобных эксцессов, вот и пренебрег самым главным правилом: никогда не недооценивать противника.

...Семенов-джуниор, находясь в крайне невыгодном для себя положении, решил не дергать кота за хвост и в точности повторил ответившему на том конце линии человеку, как я понял — совсем не Люциферу, сказку о приготовленном сюрпризе, не забыв в конце разговора жестко потребовать вольную в обмен на священника. Выслушав короткий ответ, отключил телефон и буркнул, затравленно косясь на меня из-под бровей:

— Сказали, что приедут через сорок минут... А насчет того, слезть или не слезть с моей шеи, так это должны решать повыше... Субординация, мать их! Как у братков...

— С кем ты говорил? — спросил я, мысленно еще раз пытаясь нарисовать картину предстоящих событий, взвесить возможный риск и определить отпущенное мне тесное — в прямом и переносном смысле — пространство для маневра. Когда «десятка» Семенова стартует от здания РОВД с сатанистом за рулем, строить комбинацию будет уже поздно.

— С Сибирской Язвой, корешем Люцифера, — ответил опер. — Гитарист из «Гниющих внутренностей». Только этот «дурь» не жалует, у него в кармане всегда плоская фляга с вискариком. Жить без него не может.

— И многих из их террариума ты знаешь лично? — с подозрением поглядел на него я, баюкая в руке трофейный ствол.

— Только троих. Точнее — даже двоих... Люцифера, Язву и еще одного урода, он с ними приезжал год назад, когда меня кассетой стращали. Солидный такой, с бородкой, в костюме. Сидел на переднем сиденье рядом с Язвой, курил сигарету в мундштуке с золотым ободком и в базар не вмешивался. Видно, присматривался ко мне, гад...

Несложно сообразить, кто был этот «гад» с бородкой. Что ж, еще одно подтверждение того, что я двигаюсь в верном направлении.

— Давай ключи от машины, — потребовал я, протянув руку. Пора было поторапливаться, до назначенного срока оставалось чуть более получаса.

Конопатый извлек из кармана пиджака звенящую связку с брелоком в форме кукиша из прозрачного оргстекла и беспрекословно отдал мне.

— Браслеты твои персональные где, опер?

— В нижнем ящике стола... Ключ от них на связке болтается.

— Скотч в хозяйстве имеется?

— Там же, осталось немного. А зачем вам скотч? — насторожился генеральский наследник.

— Да чтобы ты, жертва перестройки, до утра сидел как мышь и не делал глупостей.

— Что вы хотите со мной делать?!. — встрепенулся рыжий извращенец, пытаясь встать с пола, но, наткнувшись на мой тяжелый взгляд, осекся, снова привалился спиной к стене и затих.

— Догадайся с трех раз, ты же мент, — хмыкнул я, присел и выдвинул нижний ящик стола, при этом на несколько секунд оставив лейтенанта вне поля зрения. Этого времени оказалось достаточно, для того чтобы окончательно загнанный в угол, мечущийся между двух огней Семенов-младший предпринял отчаянную попытку освободиться. Все-таки он был опером, кое-что умел...

Стремительно зацепив мою ближнюю к нему щиколотку носком левой ноги, каблуком правой он точно ударил в незащищенную кость голени. Я взвыл от боли, не удержал равновесия и упал, правда пистолет не выронил. Вскочив с пола проворно, как сайгак, Семенов попытался нанести оглушающий удар ногой в голову, но в последний момент я успел откатиться и острый носок ботинка прошелся по касательной, больно задев ухо. Я скрипнул зубами и сгруппировался для рукопашной схватки. Однако воспрянувший духом рыжий, почуяв слабину противника, не собирался так просто уступать, наоборот. Упав на меня сверху, лейтенант предплечьем надавил мне на горло, перекрыв кислород, другой рукой намертво сжал запястье и принялся что есть силы бить им об пол, высвобождая главный козырь схватки — оружие...

После третьего удара о вытертый линолеум травмированные костяшки моей обожженной руки не выдержали — пальцы разжались и снятый с предохранителя «макаров» с грохотом отлетел в сторону. Ослепленный жаждой свободы и яростью, лейтенант, позабыв обо всем, со звериным рыком метнулся к табельному оружию и даже успел дотянуться до заветной рифленой ручки... но внезапно застыл, конвульсивно дернулся, засучил ногами и надсадно захрипел, глядя в никуда остекленевшими глазами. Видит Бог, я этого не хотел, однако любитель малолеток не оставил мне иного выбора. Я должен был довести дело до конца...

Очень может быть, что короткий, почти незаметный со стороны удар кулаком навсегда лишил заслуженного генерала Андрея Андреевича Семенова счастья покачать на руках пускающего слюни внука или внучку. Если, конечно, у рыжего педофила нет родного брата. Или сестры.

Не спеша поднявшись с пола уже с пистолетом в руке, я заткнул его за пояс под рясу, отдышался, молча оглядел мелко дрыгавшего конечностями рыжего лейтенанта и, пожалев новоиспеченного инвалида, провел еще один, контрольный удар, пославший драгоценное генеральское чадо в спасительный нокаут. Затем быстро достал из стола наручники, один браслет нацепил оперу на правую руку, второй перекинул через идущую вдоль стены трубу отопления и защелкнул на левой ноге. Скомкал найденный в ящике стола галстук и до упора затолкал его в исходящую рубиновыми слюнями глотку, а рот крест-накрест заклеил двумя полосками прозрачного скотча. Отошел на шаг и полюбовался своей работой. В такой интересной позе стукач был похож на креветку.

По крайней мере минимум часа три-четыре, до окончания всеобщей милицейской пьянки, лейтенант будет не опасен...

Я взглянул на часы. До приезда сатанистов оставалось около двадцати пяти минут. Отряхнув рясу от собранной с пола пыли, подошел к висевшему на стене заляпанному пальцами зеркалу с отбитым уголком и придирчиво оглядел свое отражение. Горящее оттопыренное ухо делало меня похожим на промышлявшего контрабандой бриллиантов персонажа известной кинокомедии и сразу бросалось в глаза. Я открыл кабинет и выглянул в пустой коридор. Ни души. Стычка в милицейских стенах прошла незамеченной. Уходя, я снял трубку телефона и положил ее на стол рядом с аппаратом, а запирая дверь снаружи, на всякий случай обломил вставленный в замок ключ.

Когда я, спустившись по лестнице, проходил мимо дежурной части, сидящий за стеклянной перегородкой офицер отвернулся от экрана переносного телевизора, смерил меня усталым, равнодушным взглядом и развязно спросил:

— Семенов там собирается уходить или нет?! Его, между прочим, ждут давно...

— Когда мы расставались, Роман Андреевич, кажется, упоминал, что сегодня будет работать допоздна. После нашей беседы у лейтенанта появились срочные дела. Не отходит от телефона.

— Вот, блин!..

— Всего доброго. Храни вас Господь, сын мой.

— До свидания, батюшка, — прижав ко рту ладонь, грузный капитан широко зевнул.

Выйдя из отделения, я сразу увидел криво припаркованную прямо на тротуаре модификацию жигулевской «десятки». Что ж, чертопоклонников, которые вскоре примчатся на Васильевский остров за долгожданным трофеем, будет ждать сюрприз.

Я провел рукой по поясу и ощутил под плотной черной тканью твердый ствол ПМ — лучшего отечественного оружия для ближнего боя.

Глава 27

Звук приближавшихся к машине осторожных шагов и вслед за тем щелчок открываемой водительской дверцы заставили меня подобраться и на несколько секунд задержать дыхание. Как ни пытался я взять себя в руки, сконцентрироваться, сильное нервное напряжение давало о себе знать — сердце гулко стучало в груди, а по лицу градом струился холодный пот.

Я уже час с лишним неподвижно лежал в багажнике «десятки», представляя собой весьма удобную мишень для стрельбы с расстояния двух шагов, и был готов к тому, что гонец сатанистов, не слишком доверяя вдруг проявившему смекалку педофилу в милицейских погонах, прежде всего захочет убедиться в наличии обещанного «груза» и откроет багажник. Поэтому мои согнутые ноги в двух местах стягивала завязанная прочным на вид морским узлом веревка — мой собственный пояс, рот был заклеен скотчем, на затылке виднелась свежая бурая ссадина — пригодилась кровь с разбитой в схватке руки, а якобы связанные руки покоились под грудью и сжимали готовый к стрельбе навскидку пистолет.

...Вытащив из замка зажигания ключи, невидимый гонец действительно обошел машину, потоптался возле багажника, видимо, настороженно озираясь по сторонам, а затем буквально на секунду, не больше, приподнял крышку, бросил быстрый взгляд на втиснутого в узкую нишу хэт-бека связанного священника в рясе и тут же захлопнул багажник, не забыв на всякий случай снова запереть замок. Торопливо плюхнулся на водительское сиденье, хлопнул дверцей и, судя по тихому отрывистому пиканью, стал набирать номер на сотовом телефоне.

— Все в порядке, поп действительно тут, связанный, с залепленным ртом! — срывающимся от возбуждения хриплым голосом торопливо заговорил сектант. — Живой, дергается, мычит!.. Значит, как договаривались?.. Ага, понял тебя, Язва, давай... Ждите в березовой роще, минут через сорок—пятьдесят...

Под капотом тихо заурчал двигатель. Автомобиль плавно тронулся с места и, съехав на проезжую часть, прибавил скорость.

Наконец-то я мог слегка перевести дух, высвободить руку с оружием, размять пальцы и не спеша сорвать с себя актерский реквизит — пояс-веревку и скотч. Выждав еще несколько минут, я на сантиметр отогнул заранее снятую с креплений спинку заднего сиденья и сквозь узкую щель заглянул в салон «десятки», резво бегущей по запруженным транспортом питерским улицам...

Как и следовало ожидать, я увидел перед собой лишь стриженый затылок и лежащую на рычаге переключения передач руку с массивным серебряным перстнем в виде черепа на пальце. Судя по рукаву, сатанист был в черной джинсовой куртке. Возможно, где-то позади катит машина сопровождения со страхующими ценный «груз» и «курьера» сектантами. На месте Сибирской Язвы именно так поступил бы осторожный подонок, ожидающий подставы. Но в данный момент осуществлению моих планов по взятию заложника не мог бы помешать даже ошивающийся поблизости взвод ОМОНа. Тонированные стекла автомобиля надежно охраняли внутреннее пространство салона от постороннего взгляда снаружи...

Когда на одном из перекрестков рядом с «десяткой» остановился на красный свет громко рычащий дизелем грузовик, я осторожно опустил спинку сиденья и спокойно сказал:

— Так и сиди. И не крути головой. Пристрелю сразу.

Сказать, что мое неожиданное появление за спиной, да еще с пистолетом в руке, произвело на водилу — прыщавого сухопарого стручка лет восемнадцати—двадцати — ошеломляющий эффект, значит попасть прямо в яблочко. Услышав вдруг раздавшийся рядом чужой голос, Стручок (так я его мысленно прозвал) подпрыгнул, едва не пробив черепом крышу. Зыркнув забегавшими глазками в панорамное зеркало, из которого на него угрожающе глядел черный провал пистолетного ствола, он сразу сжался и по-черепашьи втянул продолговатую голову в плечи. Облагороженное угрями дебильное лицо стало белее простыни, выстиранной с порошком «Тайд».

— Отвечать четко и быстро! Вопрос номер один: куда направляемся? — держа на прицеле прилипшего к креслу сектанта, я без суеты выбрался из тесного, пропахшего резиной и бензином пространства и удобно устроился на сиденье, водрузив его мягкую спинку на положенное место и защелкнув замки. — Ты глухой или как?..

— Это... ик... в Сертолово, — обрел способность двигать губами Стручок. — Я здесь ни при чем! Язва велел мне только... ик... перегнать тачку в условное место...

Сзади «десятки», перед которой давно загорелся зеленый сигнал светофора и путь был свободен, надрывно сигналил и нетерпеливо моргал круглыми фарами красный спортивный «мерседес». Не выдержав, мордастый хозяин роскошного авто резко вывернул руль, проскочил перед самым носом у испуганно притормозившего «москвича» и, намеренно не отпуская кнопку сигнала, метнулся вперед, на ходу беззвучно матеря зазевавшегося водилу. Я даже видел, как презрительно искривились его мясистые губы.

— Забыл, где педаль сцепления? Трогай, не задерживай, видишь — люди волнуются... И не надо так цепляться за руль, машина этого не любит... Вопрос номер два: хвост есть? — спросил я, когда убедился, что бесеныш справляется с обязанностями водителя вполне терпимо. Он опять промедлил с ответом, и пришлось без жалости ткнуть ему стволом в затылок.

— Нет, приехал только я один, на такси! — торопливо крикнул Стручок, охнув от боли. — Меня выдернул из хазы, от тёлок, Сибирская Язва и приказал доставить тачку на место, все! Я вообще не при делах!

— Все так говорят... — вздохнул я, сгреб хиляка за воротник джинсовки, быстро просунул пальцы за шиворот и сразу нащупал бугристый протектор витой цепочки. Дернул, подтягивая к самому кадыку сектанта перевернутое распятие. — ... а на самом деле выясняется совершенно противоположное. Чего замолчал, бесовское отродье?! Почитай-ка мне лучше молитву очищающую «Отче наш». Я жду, начинай. Неужели не знаешь?

Сектант недовольно засопел, лицо его исказила гримаса ненависти, крылья носа вздувались и опускались, как кузнечные меха. Впереди замаячил перекресток.

Когда Стручок, скрипя зубами, надавил на тормоз и автомобиль остановился, я так натянул крепкую серебряную цепь, что едва не задушил трусливого сатаниста его же собственным символом антихриста.

— Отпусти, поп! Сука! Х-р-р-р... — заметался прыщавый и, дотянувшись до ручки, попробовал открыть дверцу в надежде выскочить и удрать, пока машина стоит. Дозированный удар рукояткой пистолета по черепу заставил его истошно взвизгнуть и оставить эту гиблую затею.

— Езжай спокойно, вьюнош, здоровее будешь, — предупредил я на всякий случай. — Дома, поди, мамка с отцом ждут... Не хочется, чтобы им пришлось плакать. Молодой ты еще, глупый, ничего в этой жизни не видел. Черное от белого отличить не можешь, а дрянь всякую гнусную на груди, у сердца, уже таскаешь. Приказывают — делаешь... А для чего вдруг Люциферу и Язве понадобился связанный по рукам и ногам православный священник, не догадываешься?

— Наверное, покреститься хотят, — злобно процедил Стручок. — Или исповедаться. — И вдруг неожиданно громко и дерзко запричитал: — О боже, в храме срать не гоже! Лучше не пивка напиться, лучше богу помолиться!!! Покрестить себя чуток и нагадить в образок!!! Ха-ха-ха!

— Если ты не закроешь свой гнилой рот, до Сертолова не доедешь, обещаю, — предупредил я, теряя терпение. Калечить малолетку только за то, что у него в голове всего одна гладкая извилина, а рот и анальное отверстие поменялись местами, мне не хотелось. Но его неадекватное поведение, а попросту — дерзкое хамство, могло не оставить выбора.

— Да пошел ты, свинья ряженая, знаешь куда!.. — словно в подтверждение моей мысли, прорычал окончательно вышедший из шока сектант. — Никуда я тебя не повезу! Чмо бородатое!

Это было уже слишком. Дабы впредь не допускать оскорблений и богохульства, я крепко врезал сквернослову ладонями по ушам. Так врезал, что его барабанные перепонки едва не лопнули. По правде говоря, я бы ничего не имел против того, чтобы они лопнули, словно мыльные пузыри, но до места встречи было еще далеко, а без содействия этого задиристого сопляка мои шансы достать Люцифера сильно падали...

Стручок дико заорал, покачнулся и машинально схватился руками за уши, отпустив руль. Впереди на асфальте обозначилась стремительно приближавшаяся яма. Угодив в нее одним колесом, потерявшая управление «десятка» вильнула в сторону и выскочила на встречную полосу, где едва не столкнулась с двухэтажным туристическим автобусом. В последний момент опомнившийся Стручок поймал руль и судорожно крутанул его вправо...

Я тяжело вздохнул, перекрестился и, приблизив губы к оттопыренному уху Стручка, сказал как можно громче, не очень уверенный, что он меня услышит:

— Еще одно поганое слово, и я действительно вышибу тебе мозги, несмотря на твой нежный возраст. Достал ты меня, вьюнош... Крути баранку!

Судя по ответному молчанию и достойной восхищения виртуозной езде, Стручок не только услышал, но и осознал. А может, ему просто хотелось жить. Так или иначе, но почти до самой окраины оккупированного небесными асами поселка Сертолово мы добрались без происшествий.

— Подъезжаем, — прогнусавил парень, недобро зыркнув на меня в зеркало. — Впереди, за горкой, будет поворот влево — к заброшенному стрелковому полигону. Перед въездом, метров за триста, березовая роща. Язва с корешами будет ждать там... Глухое место, и дорога всего одна.

Стручок замолчал, ожидая дальнейших указаний, и даже на всякий случай сбавил скорость.

— У тебя, отрок, оружие какое при себе имеется? — ласково поинтересовался я. — Совсем из головы вылетело, а зря. Мне, мил человек, неожиданности не нужны. А вот хитрить и утаивать не советую. Все равно найду, так и знай...

— Ну, выкидуха зоновская, — обреченно скривив губы, признался прыщавый юнец, видимо не желая больше испытывать судьбу. — В чехле, на голени. На всякий случай ношу. Сейчас борзых фраеров — через одного! С пикой спокойнее...

— Извольте аккуратненько извлечь. Притормози, будь добр, у столбика. Вот спасибо...

Сектант остановил оперскую «десятку» на обочине дороги и без лишних движений вытащил из-под штанины и швырнул через плечо на сиденье складной тесак с изящной резной ручкой. Повертев его в руке, я нажал кнопочку, рассмотрел проворно выпрыгнувшее гладкое лезвие, похожее на профиль акулы и предусмотрительно снабженное канавкой для кровостока, покачал головой, сложил и убрал в карман рясы. Ношение такой вещицы, мало похожей на инструмент для маникюра, без разговоров тянуло на статью УК и как-то слабо сочеталось с представлением о самообороне от уличных хулиганов. М-да, серьезная вырисовывается стая, если даже шестерки вроде Стручка носят с собой подобные секир-башки... Не соврал, выходит, Семенов. Патлатыми немытыми гопниками в куртках-косухах здесь и не пахнет, вопреки устоявшемуся среди рядовых граждан мнению. Гораздо серьезней расклад, опасней. И сферы интересов главарей секты куда как шире, чем разрытые могилы и ритуальное кровопускание во время «черной мессы», пусть даже это человеческая кровь...

На какой-то миг я даже пожалел, что, поддавшись вдруг взыгравшим эмоциям, решил действовать против сатанистов самостоятельно, без помощи опера Томанцева. Но быстро прогнал эти подавляющие инициативу и азарт мысли. Будь что будет. Отступать поздно, тем более после недавнего награждения лейтенанта-стукача браслетами и дерзкого изъятия у сотрудника милиции, находившегося при исполнении, табельного оружия прямо в здании РОВД. Теперь у меня только две дороги: или к логову сектантов, к организаторам поджога дома и убийства Пороса, или — на скамью подсудимых, с предварительным отречением «преступника» от Святой Церкви.

— Еще что-нибудь? — на всякий случай уточнил я, легонько постучав по черепу сопляка стволом пистолета. — Вроде звездочек метательных... Впрочем, куда тебе... — и без паузы сменил тему: — Куришь, поди? Сигаретки в карманах имеются...

— Ну, курю, — отозвался, насторожившись, Стручок. — А чё? Подымить захотелось перед смертью, батюшка?!

— Вот и кури, травись на здоровье, — пропустив мимо ушей язвительную реплику опять задравшего нос бесеныша, разрешил я. — Высадишь меня шагов за полста до полянки, а потом езжай на точку рандеву, опускай стеклышко на двери и кури... Жди корешей своих.

— А если Язва с пацанами уже там? — резонно поинтересовался Стручок.

— Тогда выходишь, открываешь багажник, натурально делаешь круглые глаза и начинаешь рвать на себе волосы. Поешь песню про то, как кончилось курево, как забежал на трассе в кафе, купить сигарет. А я, змей хитрый, вроде как именно в это время сумел освободить руки от веревки, расковырять проволочкой замок изнутри багажника и сбежать.

— Не катит! — нервно фыркнул прыщавый. — Что он, лох?! А если Язва и поверит, что я тебя упустил, то жопа мне... отпрыгался... Никуда я не поеду. Лучше к ментам, чем на кладбище.

— Место на кладбище еще заслужить надо. Ничего не бойся и делай как сказано. Будешь вести себя правильно до самого конца, пока мышеловка не захлопнется, поживешь еще. На свободе. А вздумаешь юлить, учти — первая пуля твоя. Стреляю я метко, вьюнош, даже из такой пукалки, как «макар». Так что дальнейших событий, как бы они ни повернулись, ты уже не увидишь, извини... За длинный язык нужно платить. И про телефон сотовый на время забудь. Вроде как батарея села, не фурычит. А лучше... дай его сюда. От греха подальше.

— Вот сука! — скрипнул зубами змееныш и плотно сжал губы. — Хорошо... Я все сделаю, а что потом? Сдашь меня ментам, да?!

— Нужен ты мне, сявка... — вздохнул я, покачав головой. — Никто тебя, дурака, не тронет. Домой пойдешь, к маме, блины со сметаной трескать. Но кое-кто компетентный на заметочку тебя однозначно возьмет, — предупредил я честно. — Чтобы впредь не возникало желания глупости делать и дрянь всякую на шее таскать. Уразумел, генофонд нации? Тогда трогай... Времени в обрез.

Глава 28

Поначалу все шло так, как было задумано. Быстро покинув автомобиль на подъезде к месту встречи, я проскользнул в не слишком густой лесок, состоявший преимущественно из кустарника и березок, и, стараясь не светиться и не трещать ветками, резвым шагом направился вдоль дороги, готовый к любого рода сюрпризам вроде поспешно развернувшейся и рванувшей обратно к шоссе «десятки». Но обошлось. Вскоре увидел и небольшую полянку рядом с ведущей на заброшенное армейское стрельбище дорогой. Занял удобную для скрытного наблюдения и стрельбы позицию и стал ждать, поглядывая, как через приспущенное боковое стекло «жигулей» клубами выплывает наружу сизый сигаретный дымок, и прислушиваясь к идиллическим звукам леса — не обозначится ли среди шелеста гуляющего в деревьях ветра и птичьего пения насквозь инородный гул мотора... Так и есть, прибыли!

Черный, как ворон, минивэн «фольксваген», принадлежащий, судя по трафарету на двери, охранной фирме «Кобра Секьюрити», выполз из-за деревьев и остановился бок о бок с доставившей долгожданный трофей новенькой тачкой милицейского стукача, начисто перекрыв мне директрису стрельбы. Из кабины выпрыгнул и, озираясь по сторонам, подошел к легковушке лохматый тип в джинсе и коже, в котором я сразу узнал одного из членов рок-группы. Сибирская Язва, собственной персоной! Такого бармалея раз увидишь, не обознаешься...

Не успел лохматый нелюдь примять подошвами высоких шнурованных ботинок влажную от прошедшего дождя траву, как синхронно отползли двери с обеих сторон пассажирского салона и с вращающихся сидений пружинисто спрыгнули два крепких типа уже совершенно иной закваски, вовсе не похожие на прямо-таки эталонный образец сектанта в лице Язвы.

Крепкие, рослые мужики лет около тридцати, в черной облегающей униформе с вышитыми шевронами на рукавах, в десантных беретах на стриженных под героя революции, а по совместительству бессарабского урку Котовского головах, в легких кевларовых брониках поверх курток. Профессионально прощупав окрестности бегающими глазами хищников, они застыли в боевой стойке с оружием наперевес, выражением неподвижных, словно высеченных из камня лиц подтверждая свою полную готовность к отражению угрозы, коли таковая возникнет. У каждого в руках — помповое ружье, похоже «ремингтон». Или полюбившийся африканским охотникам за слоновой костью «мосберг». С того места, где я находился, точно определить марку стволов было сложно. Однако увиденного было достаточно, чтобы осознать: один залп картечью из такой штуковины способен разнести в щепки даже толстую дубовую дверь, а не то что куда более податливые человеческие тела...

Честно говоря, такой сильной огневой поддержки я увидеть не ожидал! Эскорт почти как у бандитского авторитета, банкира или хозяина якутских золотых приисков.

Итак, против меня одного — два вооруженных бойца-профессионала, не считая сектантов и оставшегося сидеть за рулем «фольксвагена» водителя, скрытого темными стеклами кабины. Опасный получается расклад, вздумай Стручок рискнуть шкурой и сыграть в свою игру...

Взбрыкнет или нет?!

Не успел я подумать о подобном развитии ситуации, чреватом для меня многими неприятностями, как неприятности начались. Сметливый оказался пацан, нечего сказать. Почуял, гнилая душонка, за кем сила и огневой перевес.

— Как наше святое мясо, дрыгается? — с довольной ухмылкой поинтересовался Сибирская Язва, не вынимая рук из карманов косухи и кивая в сторону багажника «десятки». Приглядевшись к сжавшемуся на сиденье парню, пробормотал с подозрением: — Э-э, ты чего такой, Прыщ... Рожи на тебе нет. Случилось чего?!

Мне показалось, что Язва понял расклад, даже не дождавшись ответа. Застыл на месте как-то неестественно, словно дурно сработанный советский манекен в витрине, а потом рывком обернулся, обшаривая кусты настороженным взглядом глубоко посаженных глаз.

— Он там!!! — подтверждая опасения Сибирской Язвы, вдруг истошно завопил Стручок-Прыщ, тыкая дрожащим пальцем в сторону леса. — У него ствол!!!

Бесеныш метнулся к противоположной дверце машины, распахнул ее одним толчком и, кубарем выкатившись из машины, упал на землю с другой стороны и затих. Верно рассчитал, стервец, хоть и не знал точно, в каком именно месте я затаился. Так или иначе, но на данную единицу времени Прыщ действительно оказался вне зоны поражения...

А я был раскрыт и с учетом превосходящих сил противника отныне представлял собой не такую уж сложную добычу. Но только в случае, если охранники имели соответствующий боевой опыт, а не уподоблялись многочисленным коллегам с габаритами Кинг-Конга, которые надевали модные бронежилеты в качестве нательных украшений и, высунув от усердия язык, два раза в неделю стреляли по бумажным мишеням в бывшем досаафовском тире...

Я поспешил, слишком понадеялся на себя, посчитав, что справиться с Сибирской Язвой и его подельниками будет не труднее, чем с застигнутым врасплох в кабинете опером Ромой Семеновым, и за это вполне мог поплатиться. Что делать — отвык реально смотреть на вещи за столько-то лет... капитан ВДВ Аверин! Вот и выпутывайся теперь, как умные люди некогда учили...

Надо отдать амбалам должное — оба отреагировали на визгливый крик Прыща с завидной оперативностью, что выдавало в них если не спецов с боевой пробой, то вполне исправных натасканных служак, не зазря получающих деньги за свою собачью работу. Поняв, что осложнения, и не шуточные, имеют место быть, один молча метнулся к лохматому, сбил его с ног и, присев рядом на колено, вскинул ружье, заученно водя стволом вправо-влево. Номер второй оказался чуть менее проворным, но тоже не ударил лицом в грязь — распластался возле минивэна, изготовившись палить в каждого, кто рискнет появиться в поле зрения с «предметом, похожим на оружие» в руках.

...Внутри меня что-то вдруг щелкнуло, и на смену промелькнувшему было вполне оправданному в этот миг чувству страха пришел инстинкт десантника-диверсанта, много лет дремавший в дальнем уголке души и в нужную секунду включивший все закрепленные тренировками и реальными боевыми операциями п р а в и л ь н ы е рефлексы. Отныне отца Павла уже не существовало. Его потеснил своим камуфлированным плечом дремлющий в подсознании до поры и сейчас вырвавшийся наружу капитан «Белых барсов» Аверин, мое второе «я». Оставшись самим собой, я в то же самое время стал другим. Парадокс, но — факт...

Из моего укрытия я имел возможность, оставаясь невидимым, немного подразнить крепких ребят в униформе и изрядно потрепать нервы сектантам. Первое, что я сделал, осознав свой чистый проигрыш на первом этапе, это два прицельных выстрела по обращенным в мою сторону скатам «фольксвагена». Колеса сразу осели. Поглядим, как резво ты теперь побежишь обратно к шоссе, захромавший конек-горбунок...

Ответ с той стороны не заставил себя долго ждать. Спустя секунду по веткам над моей головой, чуть левее, с визгом ударила посланная «на звук» картечь. Это не выдержал распластавшийся на сырой траве номер второй. Его напарник тоже пальнул, совсем уж в «молоко», а затем похвально сосредоточился на обязанностях бодигарда. Окончательно подмяв под себя лохматого, охранник с учетом текущего момента попытался оттеснить его за легковушку к затаившемуся там плюгавому Стручку-Прыщу, тихо подвывающему в траве от страха. Через сквозную прореху в кузове «фольксвагена» (двери оставлялись открытыми настежь) оба голубчика были как на ладони. Будь на моем месте лишенный предрассудков киллер, пара выстрелов и — привет небесам...

Внимательно следя за действиями охранников, я вдруг сделал для себя одно вполне обнадеживающее заключение. «Нет, ребята, — подумал я с облегчением, — вы не спецы и тем паче в лесу дремучем никогда не воевали! Обычные городские секьюрити, хоть и не робкого десятка...»

А еще я понял, что прибывшая вместе с сатанистом охрана н е з а в я з а н а с сектантами! Скорее всего это был рядовой заказ на сопровождение. Свои, не стесненные условностями боевики так беззубо обороняться не станут, это даже ежику понятно. Инстинкт боевого офицера, подсказавший мне истинное место охранников в раскладе, прибавил уверенности и плеснул в бурлящую кровь ударную дозу адреналина. Чужие, нанятые за деньги бойцы ни за что не станут бросаться грудью на амбразуры и лезть напролом в лес на верную гибель. Стоит, пожалуй, для верности поставить жирную точку в отношении секьюрити...

Стало быть, разобрались окончательно, слава Богу.

«Ай да Сибирская Язва, все предусмотрел! — мысленно усмехнулся я, уже зная, как поступить. — Даже баксов не пожалел на эскорт». Приятно осознавать, что твою скромную персону, даже оглушенную, связанную по рукам и ногам и фактически беспомощную, так высоко ценят. Выходит, меня считают опасным противником, раз предпочитают лишний раз подстраховаться и втемную используют бойцов ЧОПа — частного охранного предприятия. Помнят сатанисты, как нестандартно для смиренного раба Божьего вел себя при встречах с ними заезжий батюшка — угрюмый отшельник из тюрьмы на Каменном острове...

— Внимание, здесь спецназ ФСБ, майор Боровиков! — придав голосу характерные хрипловатые нотки, громко выкрикнул я из своего укрытия. — Всем немедленно сложить оружие, встать на колени, руки за голову! Больше предупреждений не будет! В случае промедления открываю огонь на поражение!!!

Ага, задергались... Хоть и не стали — профи! — при первом грозном окрике падать в обморок и поджимать лапки. Как пить дать — не сектанты. Те, бесовское отродье, предпочли бы лупить по кустам без разбору в надежде уничтожить источник дальнейших нешуточных осложнений. Будь парни в униформе сатанистами, у них просто не оставалось бы другого выхода. Эти же, не меняя позы и не делая резких движений, застыли, обеспокоенно зыркнули друг на друга, заколебались... Понятное дело, кому охота схлестнуться со спецслужбами, тем более сообразив, что тебя, как последнего болвана, используют втемную в чужих опасных играх.

— Считаю до трех! — продолжал я нагнетать атмосферу. — Немедленно сложить оружие и лечь на землю! Раз!.. Два!..

— Да что вы его слушаете, кретины?! Он вас, комсомольцев, на понт берет, сука такая! — не выдержал наконец Сибирская Язва. Поняв, что ситуация может в корне измениться, сатанист попытался по-хозяйски отпихнуть явно замешкавшегося бодигарда, прикрывавшего его спиной от пули. — Валите его, иначе он кончит вас, как щенков! Стреляйте, ну, вы, придурки тупоголовые!!! Дай сюда волыну, падла!!! — отчаянно завизжал чертопоклонник, обуреваемый страхом за свою драгоценную шкуру.

Не добившись эффекта криком и позабыв об осторожности, Сибирская Язва ударом кулака между лопаток отпихнул амбала, рывком дотянулся до помповика и попытался выхватить ствол из рук секьюрити.

Но парень, заметно превосходящий лохматого истерика габаритами, оказался не желторотым юнцом и пасовать перед всякой мразью явно не спешил. Получив посредством тычка в спину ответ на свой немой вопрос: кто есть кто в этой дрянной заварушке? — с заметным, как мне показалось, облегчением с разворота двинул лохматому локтем по зубам. Клац!

Красиво припечатал, любо-дорого было посмотреть.

Лязгнув зубами и взвыв не столько от боли, сколько от бессильной ярости и осознания полного фиаско, трэш-гитарист дьявольской команды повалился навзничь, прижимая ладони к разбитой в кровь пасти. Вот и ладушки...

— Ружья положить на землю, встать на колени, руки за голову! Водилы тоже касается! — не давая охране опомниться, все так же упорно давил я на нервы из укрытия. Для пущей демонстрации своих более чем серьезных намерений я еще раз нажал на спусковой крючок. В лобовом стекле «фольксвагена», аккурат чуть повыше предполагаемой головы водителя, появилась маленькая дырочка от пули.

Дверь, едва не слетев с петель, тут же широко распахнулась, выплюнув наружу невысокого худощавого паренька, в знакомой уже черной униформе, но без оружия и кевларового панциря. Вот и номер третий...

Помедлив еще немного, двое бодигардов, следуя примеру водителя, нехотя встали на колени и со скорбными застывшими лицами заложили руки за головы. Психическая атака удалась, вооруженное сопровождение сектанта было морально раздавлено и более не представляло никакой опасности. Я еще раз мысленно поблагодарил фортуну за то, что на месте этих мускулистых бройлеров из ЧОПа не оказались бывшие «афганцы» или «чеченцы». С теми, кто побывал под пулями и видел смерть на расстоянии вытянутой руки, такие цирковые номера не проходят...

Утерев рукавом рясы струившийся со лба пот, я поднялся на ноги и, не теряя контроля над обстановкой, продрался сквозь обломанные картечью кусты волчьей ягоды, вышел на поляну и остановился в нескольких шагах от взятых на прихват бодигардов и не смевших даже шелохнуться сатанистов.

Лица охранников, ожидавших увидеть перед собой как минимум обмотанного пулеметными лентами Рэмбо с винтовкой М-16 наперевес, удивленно вытянулись. У водителя челюсть вообще безвольно отвисла, сделав его похожим на дауна. Вот тебе, бабушка, и Юрьев день! Священник с пистолетом в руке, выходящий из леса! Такая картина достойна быть запечатленной в памяти до седых волос...

— Можете подняться, — смерив долгим испытующим взглядом охранников и особенно начавшего помаленьку шевелиться «музыканта» с разбитым ртом, я небрежно качнул стволом «макарова». Подождал, пока троица встанет с колен, и сурово спросил у нокаутировавшего Язву парня:

— Кто такие и что здесь делаете?

— Частное охранное предприятие «Кобра», дежурная группа оперативного реагирования, — пробурчал светловолосый охранник, отряхивая форму и с плохо скрываемым любопытством разглядывая меня из-под насупленных бровей. — Шеф приказал срочно сопровождать и охранять вот этого чудилу, оказывая ему всяческое содействие и держа язык за зубами, что бы ни случилось, — глянул зло в сторону волосатого гитариста и, пожав плечами, добавил: — Мы даже понятия не имели, куда и зачем едем... Шеф приказал — извольте выполнять. Иначе... — вздохнул многозначительно. — Кандидатов на вакантное место до фига, никто плакать не станет... Вы... действительно майор ФСБ? — запоздало уточнил бодигард, бросив быстрый взгляд на лежавший под ногами спасительный «мосберг».

— Почти, — туманно ответил я, сочтя эту информацию вполне уместной и исчерпывающей. С учетом табельного милицейского пистолета в моей руке. — Имя-фамилия шефа? Он кто — хозяин или управляющий?

— Президент фирмы, Нессельроде Виталий Глебыч, — буркнул начинавший осваиваться охранник. — Лично позвонил и дал команду забрать особого клиента...

— И часто получаете такие приказы — сопровождать и держать язык за зубами? — на всякий случай спросил я.

— Лично у меня первый раз, но я всего месяц в «Кобре», — переглянувшись с напряженно молчавшими коллегами, сказал охранник. — Раньше во вневедомственной охране МВД служил...

— Вы, товарищ майор, может, хоть ксиву свою для порядка засветите? И объясните толком, в какое дерьмо мы с этим Му-Му вляпались... — вмешался наконец в диалог второй бодигард. — Надо разобраться, раз такой расклад вышел...

— Уже ни в какое, — успокоил я. — Но могли схлопотать срок, окажись вы более меткими стрелками. Эти красавцы писаные, — я ткнул стволом пистолета в направлении злобно поглядывающего на нас Язвы и все еще испуганно прячущегося за кузовом «десятки» Прыща, — активные члены секты сатанистов. По каждому давно плачут Кресты. На них столько грязи, что не отмыться... Я не из спецслужб. Я действительно священник, настоятель храма на острове Каменный, отец Павел.

— Тюрьма для смертников под Вологдой, — кивнул охранник. — Неужели эти сволочи выбрали вас в качестве... жертвы? Для... как ее... «черной мессы».

— У нас старые счеты. Но в данный момент ваш объект прибыл сюда по мою душу. Планировалось, что я должен отдыхать связанным в багажнике вот этой тачки. Обошлось, слава Богу.

— Не хило... Кому расскажи — не поверят ведь! — покачал головой парень.

— Думаю, ваш президент тоже повязан с их поганым выводком. Верно я говорю, Язва?! Нессельроде — ваш с потрохами?..

Я холодно посмотрел на теперь уже сидящего на траве волосатого подонка, но тот лишь брезгливо сплюнул между выбитыми зубами тягучий кровавый сгусток и отвернулся, играя обтянутыми пергаментно тонкой кожей скулами.

— Все, достало! — высоким голосом вдруг обозначился безоружный водитель «фольксвагена». — Вы как хотите, а я сегодня же увольняюсь из этой гнилой конторы к едреней фене!!! На хера мне за двести баксов такой геморрой?! У меня жена и дочка, и я еще жить хочу! На свободе!

— Успокойся, Сань, не ты один... — поддержал водилу плечистый широкоскулый секьюрити. — Мы тоже в такие игры не играем, верно, Колян? А за подставу стремную можно и ответить...

— Не можно, а нужно, — глухо буркнул светловолосый бодигард. — Я Глебычу, курве жирной, лично его шнобель горбатый сломаю! Чмо сектантское... Никогда бы не подумал что он в тёрках с этими суками!

По выражению лица охранника было видно, что после сегодняшнего инцидента на поляне под Сертоловом, едва не закончившегося для их мобильной группы трагично, его планы на будущее мало отличались от намерений не допущенного к огнестрельному оружию коллеги.

— Отец Павел, выходит, мы ваши должники... Чем мы можем помочь? Только скажите, никаких проблем. Можем приволочь вот этих тварей в ментовку и дать показания. Один хрен нам в «Кобре» уже не работать... Только вот скаты у буса вы посадили, даже не врубаюсь, как быть...

— Кстати, стволы хоть можно поднять, а? — покосился лукаво на пистолет в моей руке другой боец.

— Думаю, теперь можно, — кивнул я, уже не опасаясь подвоха. Посланные своим шефом втемную на грязное дело, парни отныне на моей стороне. — И сделайте одолжение, поднимите с земли вон того вьюношу... Простудится еще, не ровен час, заболеет. Трава сегодня мокрая.

...Как вскоре выяснилось, не внявший моим предупреждениям Прыщ успел за время скоротечной огневой стычки обильно обгадить свои джинсы и так и этак и теперь источал вокруг себя нестерпимое зловоние. Поднявшие помповики охранники брезгливо морщились, оглядывая стоявшего с понурой головой малолетку. Он дрожал всем телом и громко лязгал зубами, на впалой груди болталось перевернутое распятие. Не выдержав, светловолосый секьюрити пробормотал под нос нечто малоцензурное, рывком сорвал с шеи щенка серебряную цепочку с дьявольским символом и, размахнувшись, зашвырнул ее подальше в кусты. Смущенно перекрестился.

— Хочешь, чтобы я тебя отпустил? — после долгой паузы спросил я у Прыща, который уже не заслуживал никакого снисхождения и прекрасно знал об этом. Бесеныш, не веря своим ушам, поднял угреватое худое лицо и, еще не веря в забрезжившее на горизонте спасение от неминуемой тюрьмы, с опаской и надеждой кивнул.

— Где Люцифер? Кто возглавляет секту в Питере, его кличка и как на него выйти?! Это — твой последний шанс, учти. А теперь говори.

Рядом послышался угрожающий гортанный рык гитариста «Гниющих внутренностей», впрочем тут же прерванный коротким выверенным ударом лакированного деревянного приклада в патлатый затылок. Я понял, что сопляк, мелкая сявка в иерархии секты, действительно знает нечто такое, что поможет мне напасть на след не только старого знакомого-наркомана, но и главаря всей секты.

Услышав рычание Сибирской Язвы, Прыщ задрожал еще сильнее. Прекрасно понимал, гаденыш, что ему грозит, если он откроет рот. Но и в тюрьму, к параше, в гарантированный «петушатник» ему тоже очень не хотелось. Не в силах принять окончательное решение, неизвестно как попавший в секту чертопоклонников подросток громко всхлипнул и разревелся, размазывая по лицу обильные слезы.

— Я жду, у меня мало времени, — не обращая внимания на рыдания Прыща, жестко напомнил я. Только так его, раздавленного, зажатого в этот миг между молотом и наковальней, можно было заставить трезво соображать и сделать правильный выбор.

— Вякнешь хоть слово, сдохнешь! — яростно прошипел сидящий на земле под прицелом двух «мосбергов» лохматый нелюдь. — Я перережу тебе горло и выпью твою кровь, а из черепа сделаю пепельницу!..

Резкий, с размаха, удар твердым носком шнурованного ботинка в лицо заставил сатаниста не только окончательно затихнуть, но и, видимо, наградил его в перспективе неподвижной металлической стяжкой на челюстях и несколькими месяцами процеживания через щербины от выбитых зубов жидкого бульона. Впрочем, я сильно сомневался в наличии такого диетического питания в тюремной больнице Крестов или изолятора ФСБ, куда вскоре переселится лохматый трэш-металлист. Значит, ко всем прочим радостям можно смело добавить курс лечебного голодания...

— Я не хотел его калечить, сам напросился, — поймав мой осуждающий взгляд, пожал плечами охранник. — Все равно от лохматого толку не будет, знаю я таких, по жизни отмороженных. Они, гады...

— Его зовут Каллистрат!!! — неожиданно для всех выдавил из себя зареванный пацан, зажмурив глаза. — Больше я про гуру ничего не знаю! Кроме... кроме того, что он... он...

Бесеныш завыл, тело его сотрясала конвульсивная дрожь.

— Что?! — рявкнул светловолосый, лицо которого покрылось от возбуждения пунцовыми пятнами. Он схватил сектанта за грудки и рывком притянул к себе, оторвав от земли. Джинсовая ткань затрещала. — Говори, мразь сатанинская, удавлю к чертям!!!

— Он — бывший православный священник, отлученный от церкви! — истошно прокричал малолетка. — Поп, мать вашу-у-у!..

Прыщ мгновенно обмяк, безвольно, как лишившаяся нитей кукла-марионетка, повис на сильных руках здоровенного амбала в лихо заломленном берете, уткнувшись носом в красно-белый шеврон на его рукаве.

На примыкающей к заброшенному армейскому полигону лесной поляне сразу стало тихо, как на старом кладбише. Ошарашенные, подставленные хозяином «Кобры» секьюрити не могли произнести ни слова и, опустив ружья, переводили растерянный взгляд со скулящего обгаженного подростка в вонючих мокрых джинсах на меня и — обратно...

Это был шок.

— Мразь, — процедил охранник и брезгливо оттолкнул от себя расплывшегося студнем сектанта. — Кончить бы тебя, да руки о всякую падаль марать неохота! — Смачно сплюнул на траву, тяжело вздохнул, отошел на несколько шагов в сторону и торопливо закурил.

— Вы знаете, о ком он говорил, батюшка? — спросил, внимательно глядя мне в глаза, скуластый крепыш. — У вас сразу щека дрогнула. Простите...

— Похоже, знаю, сын мой, — глухо ответил я.

Существовал лишь один питерский священник, отлученный за последние десять лет от Святой Церкви за аморальный образ жизни и отмывание бандитских денег через закрытый для государственной налоговой полиции банковский счет храма.

И судьбе было угодно, чтобы во время моего обучения в семинарии я без малого три года жил с этим человеком в одной комнате общежития и поэтому много узнал о его прошлой жизни. Звали его Вячеслав Милевич. До того, как обрести «истинную веру» в Христа, возжелать стать пастырем и поступить на учебу в семинарию, «невинный узник» Вячеслав более тринадцати лет провел в местах лишения свободы — сначала за убийство, затем за организацию лагерного бунта. Правда об этой стороне его жизни всплыла слишком поздно...

Окончив семинарию, Милевич принял сан священника, стал отцом Вячеславом. А позже, изобличенный, был с позором отлучен от Церкви и растворился в безвестности... чтобы сегодня воскреснуть в облике одного из слуг главного врага Божьего— сатаны.

Глава 29

Тонкости стандартного милицейского протокола меня мало интересовали. У меня было свое, частное, расследование, не требующее ни документов, ни соблюдения юридических условностей. Но прежде чем позвонить капитану Томанцеву, я коротко проинструктировал охранников, остающихся на поляне сторожить до приезда милиции Сибирскую Язву и отказавшегося возвращаться домой трясущегося от страха Прыща, как и что говорить под протокол. После этого достал конфискованный у юнца вместе с ножом-выкидухой мобильник и набрал номер опера. К счастью, Томанцев оказался на месте, и я, вежливо поздоровавшись, вкратце проинформировал капитана о получении мной письма от киллера, рассказал о своем визите в райотдел, о ловушке с живцом для сатанистов и о том, что случилось в лесу в окрестностях Сертолова.

Реакция опера легко прогнозировалась, поэтому я заранее слегка отдалил трубку от уха, дабы не оглохнуть.

Томанцев сначала протяжно замычал — я мысленно увидел, как он, утративший дар речи, обхватывает голову руками, закатывает глаза и начинает раскачиваться на стуле наподобие китайского фарфорового болванчика, — а затем разразился долгой красочной и сочной тирадой с обильным вкраплением крепких слов, смысл которой сводился к одному: какого, понимаешь, мать-перемать, хрена он вдруг возомни-

себя судьей Дреддом и наломал столько дров, что ему впору самолично заковывать себя в «браслеты» и сломя голову бежать с повинной в ближайшее отделение милиции? Завершая двухминутный монолог, чуть выпустивший пар капитан настоятельно посоветовал мне под страхом неминуемой уголовной ответственности никуда не отлучаться с этого места, ждать его со товарищи приезда и попутно следить, чтобы оскорбленные в лучших христианских чувствах и подставленные хитрым боссом крепыши от излишней ретивости не покалечили изловленных сектантов, изобличенных в тесной связи с продажным сотрудником МВД, а также в попытке похищения человека...

Об уже свершившемся факте нанесения Язве тяжких телесных повреждений с последствиями для здоровья я благоразумно умолчал. Томанцев сам все увидит, чего уж. Зачем расстраивать человека раньше времени? К тому же тот, кто не может говорить, вполне способен держать авторучку, так что с допросом проблем не возникнет...

Завершив телефонный разговор, я спросил у охранников, где сейчас можно найти президента «Кобры» господина Нессельроде? Получив исчерпывающий ответ, сел за руль «десятки» и поехал в Питер, на всякий случай выбрав для возвращения окольную дорогу. Для рандеву с очередным пособником секты сатанистов у меня оставалось слишком мало времени. Я должен успеть повидаться с Виталием свет Глебычем и узнать местонахождение логова Каллистрата раньше, чем это сделают сыщики. Если вообще сделают... Ведь нет никакой гарантии, что и в главк, в окружение капитана Томанцева, не затесался стукач, способный предупредить гуру о повышенном интересе к нему карающих органов. Тогда осторожный Каллистрат снова исчезнет и достать его по горячим следам будет почти нереально...

Офис охранной фирмы располагался на безлюдной улочке, в районе промышленной зоны Парнас, в двухэтажном здании, окруженном высоким кирпичным забором с автоматическими воротами и КПП, оснащенном тонированными пуленепробиваемыми стеклопакетами. Когда-то здесь размещался опорный пункт добровольной народной дружины. Попасть на территорию «Кобры», минуя дежурного охранника в будке, было совершенно невозможно, но я и не пытался. Если гора не идет к Магомету, то он сам приходит к горе. Времени на обдумывание хитрого оперативного плана у меня не было, так что приходилось полагаться на экспромт.

Проехав мимо офиса, я припарковал машину в квартале от него у проходной завода, заглушил мотор и снова прибег к помощи удобного средства связи под названием сотовый телефон, набрав по памяти любезно названный светловолосым бодигардом с «мосбергом» номер господина президента.

— Фирма «Кобра Секьюрити», слушаю вас, — после первого же гудка ответил на том конце нордический, лишенный каких-либо оттенков мужской голос.

— Поговорить с Виталием Глебычем хочу, — сказал я с ярко выраженным кавказским акцентом. — Позови...

— По какому вопросу? — заученно осведомился голос.

— По очень срочному! По очень конфиденциальному! Скажи господину Нессельроде, что Вагиз Садыков звонит, финансовый директор нефтеперерабатывающего завода компании «Тюменьнефтегаз», — сообщил я первое, что пришло на ум.

— Подождите, я доложу, — уже более заинтересованным тоном попросил референт, и в динамике заиграла электронная мелодия. Вскоре она оборвалась, и я услышал высокий, с чуть западающей буквой «р» голос хозяина фирмы:

— Здравствуйте, господин Садыков, — сухо, по-деловому учтиво поздоровался Нессельроде. — Чем могу быть полезен столь уважаемой компании?

— Здравствуй, дарагой, — с ноткой превосходства произнес я. — Можешь, очень можешь! Только это не телефонный разговор, да? Нужно встретиться без лишних ослиных ушей... Только мы двое. Думаю, договоримся.

— Понимаю, — после секундной паузы сказал осторожный Виталий Глебович. — Я так понимаю, дело не терпит отлагательства, дорогой Вагиз?

— Правильно понимаешь, брат, — вздохнул я. — Короче, я светиться не хочу, выходи, буду ждать тебя в машине возле ворот. Здесь безопасней... У меня тачка хитрая. О чем будем говорить, прослушать нельзя, даже со всеми твоими шпионскими прибамбасами.

— Понимаю, чего уж, мы люди взрослые, — усмехнулся Нессельроде. — Сейчас доверять нельзя никому... А кто вам посоветовал обратиться именно ко мне?! — словно между прочим, ненавязчиво закинул крючок с наживкой опытный рыбак Виталий Глебович.

— Один наш общий знакомый. Не по телефону скажу, — хмыкнул «Вагиз» и добавил с явной подначкой: — Со мной никого нет. Если не доверяешь, вышли пару своих цепных комсомольцев с базукой, пусть возьмут мой «жигуль» на прицел. Вах!.. Зачем так плохо думаешь?!

— Уверен, это лишние предосторожности, — ответил хозяин «Кобры». — Друг моих друзей — мой друг. Значит, вы рядом с офисом?

— «Десятка», хэт-бек, — устало сообщил «Садыков», демонстрируя нетерпение. — Увидишь...

— Хорошо, я выйду через десять минут. До встречи, — и Нессельроде повесил трубку.

Я достал спрятанный под сиденьем пистолет, в обойме которого оставалось еще четыре патрона, положил его рядом с собой, завел мотор и, проехав двести метров, остановил машину буквально в нескольких шагах от КПП «Кобры».

— Господи, только бы не сорвалось, — трижды перекрестился я и, на всякий случай периодически поглядывая в автомобильные зеркала, стал ждать, когда на горизонте появится господин президент собственной персоной.

...Профессионалы — они и в Африке профессионалы!

Из открывшихся автоматических ворот не спеша выехали два черных джипа «чероки» и, заложив крутой вираж, образовали коробочку, углом блокировав «десятку» спереди. Не успел я отреагировать на такой неожиданный финт и включить заднюю скорость (двигатель «жигулей» продолжал работать), как услышал за спиной визг тормозов, скользнул глазами по панорамному зеркалу и понял, что угодил в умело расставленную ловушку, из которой просто не существовало выхода.

Притормозивший вплотную к заднему бамперу черный минивэн, точная копия того, который остался в окрестностях Сертолова, отрезал путь к отступлению. Все автомобили значительно превосходили по массе новенькую «десятку» опера Семенова, и даже отчаянный таран был бесполезен...

Я спокойно взял с сиденья пистолет и приготовился к встрече гостей, которые не заставили себя долго ждать. Из КПП как ни в чем не бывало вышел приземистый, полный лысоватый мужчина в костюме и накинутом на плечи плаще. Глядя в мою сторону, он улыбнулся и призывно поманил рукой, предлагая выйти из машины и проследовать с ним в здание. Я не торопился, ожидая развития событий. Выйти я всегда успею, а вот вернуться назад целым и невредимым будет гораздо труднее... К тому же слабо верилось, что меня станут лихо расстреливать в упор. Хоть место вокруг и безлюдное, уединенное, промзона, но гангстерская бойня в пяти метрах от ворот охранной фирмы — это уже явный перебор. Пойди потом отмойся...

Поняв, что предложение стать гостем молчаливо отвергнуто, Нессельроде — в том, что передо мной был именно президент, я нисколько не сомневался — сделал новый жест, и из минивэна появились двое типов в униформе. У одного в руках был крепкий буксировочный трос с застежками. Охранники двигались осторожно, как окружающие добычу охотники, и это было вполне оправданно. Вздумай я резко отпустить сцепление и дать задний ход, и раздробленные, расплющенные между двух бамперов нижние конечности обоих секьюрити не собрал бы уже ни один хирург. Но ничего подобного я, разумеется, не сделал. Во-первых, такой отчаянный маневр ровным счетом ничего не давал в плане прорыва из «коробочки», а во-вторых, ни один из мужиков, выполнявших сейчас приказ Нессельроде, ни в чем передо мной не провинился и не заслуживал столь незавидной участи, как передвижение на инвалидной коляске. В результате один конец троса все же был закреплен под задним бампером «жигулей», а другой — пристегнут к буксировочной скобе «фольксвагена», после чего охранники вернулись обратно в кабину и стали ждать нового приказа...

Смысл манипуляции с тросом был понятен без перевода. Если я буду по-прежнему упорствовать, автомобиль просто волоком отбуксируют в более подходящее для активных действий глухое место где-нибудь неподалеку. А затем в дело вступят ребята с оружием. В итоге в ближайших милицейских сводках одним пропавшим без вести бедолагой станет больше.

Я понял, что упорствовать дальше бессмысленно, и снова взялся за телефон, дабы по-быстрому повиниться перед обманутым капитаном Томанцевым и сообщить о вынужденном посещении офиса на

Парнасе. Но оказалось, что я недооценил предусмотрительность президента «Кобры» — мобильная связь в данной точке была полностью блокирована сильными радиопомехами. Не иначе как в минивэне или здании работала передвижная глушилка. Ай да Нессельроде, хитер, гад!..

Отшвырнув бесполезную трубку, я дважды глубоко вздохнул, собираясь с мыслями, а потом разблокировал двери и к радости расплывшегося в улыбке Виталия Глебовича вышел из салона на тротуар. С оружием в опущенной руке и пальцем на спусковом крючке.

— Здравствуйте, отец Павел, — хитро прищурившись, самодовольно произнес Нессельроде, когда я приблизился. — Очень, знаете ли, рад... нашей встрече. Уже и мечтать не мог, а тут вы сами в гости пожаловали. Может, пройдем ко мне в кабинет? Не разговаривать же здесь, под дождем... Не солидно как-то, столь долгожданный гость...

Заметив, что я бросаю по сторонам оценивающие обстановку взгляды, хозяин «Кобры» довольно хрюкнул и процедил:

— Полноте, батюшка, у вас нет ни единого шанса. Даже если вы застрелите меня, вам не уйти. Так не лучше ли не искушать судьбу, а отдаться во власть течения... Может, вам повезет, и оно вынесет вас на твердый берег. Было бы желание... Вы, если мне не изменяет память, хотели со мной о чем-то договориться? Так давайте войдем в дом и там уже побеседуем. Без посторонних, — Виталий Глебович обвел рукой окружавшие нас автомобили с охранниками, а потом выжидательно протянул руку.

— Если я пристрелю вас прямо сейчас, вы ведь все равно ничего не поймете, — спокойно констатировал я, отдавая Нессельроде пистолет. — К тому же я еще не сделал всего, что хотел. Например, не повидался со старым знакомым и не отблагодарил его за снайпера и сгоревший дом в Стрельне.

— Приятно иметь дело с понимающим человеком, — пропуская меня вперед к открытой бронированной двери контрольно-пропускного пункта, довольно оскалился хозяин «Кобры». — Не волнуйтесь, отец Павел, скоро вы сможете реализовать все свои устремления! Или почти все... — не без сарказма добавил носатый босс, подталкивая меня в спину.

Обставленный дорогой мебелью кабинет Нессельроде располагался на втором этаже здания. Два больших окна его выходили на закрытые боксы и площадку для автотранспорта. За высоким забором, ограждавшим просторную территорию, насколько хватало взгляда простирался захламленный пустырь, давно превращенный в свалку всевозможного промышленного мусора, вид которой отнюдь не гармонировал с роскошным интерьером просторного и уютного кабинета. Проследив за направлением моего взгляда, Нессельроде подошел к окну, потянул за свисающий шнур, и жалюзи беззвучно закрылись.

— Идеальное место для офиса структуры, не слишком стремящейся мозолить чужие глаза, вы не находите? — спросил Виталий Глебович, усевшись во вращающееся кресло и жестом предложив мне сесть с противоположной стороны изогнутого полумесяцем лакированного стола из карельской березы. — Присаживайтесь, отец Павел, не стесняйтесь. У нас, уверен, найдется тема для обоюдоинтересной беседы. К своему бывшему другу вы еще успеете... В вашем нынешнем положении спешить некуда, уверяю вас.

— Этот двуличный хамелеон никогда не был моим другом, — сухо ответил я, опускаясь в скрипящую мягкую кожу. — Думаю, вам это известно, Нессельроде.

— Может, хотите чаю? — пожав плечами — мол, не мое дело, сами разбирайтесь, — излишне заботливо осведомился сектант. При этом брови его призывно взлетели на лоб. — Или боитесь, что я отравлю вас цианистым калием? Нет, — покачал он лысеющей головой, которая своими торчащими во все стороны волосами напоминала старое воронье гнездо, — это было бы слишком просто. Каллистрат бы не одобрил. А я очень не хочу разочаровывать его... Вы нужны ему живым!

Виталий Глебович нажал кнопку серьезного офисного агрегата, отдаленно похожего на факс, и приказал невидимому референту:

— Бес, принеси нам с батюшкой чай. Минут через пять. И вызови Егора.

Отпустив кнопку, Нессельроде откинулся на высокую бордовую спинку кресла, сложил руки на распиравшем пиджак животе-арбузе и, барабаня по нему пухлыми пальцами, смерил меня долгим изучающим взглядом. Из-под пиджака выглядывал перекинутый через плечо тонкий ремень и край компактной пистолетной кобуры. Похоже, «бульдог», тридцать восьмой калибр.

— Почему вы не спрашиваете, как я вас раскусил, господин финансовый директор? Неужели не интересно?! Это вряд ли... Не поверю. Так, по-моему, говорил Станиславский? Именно...

Я молчал. Так и не дождавшись ответа, босс «Кобры» вздохнул, взял со стола кубинскую сигару из деревянного ящичка, прикурил от зажигалки и, к моему немалому удивлению, по-ковбойски закинул ноги на стол, положив их друг на дружку. Только сейчас я обратил внимание на высоту каблуков дорогих остроносых туфель, которые носил этот тип. Как и все люди маленького роста, он, видимо, смолоду страдал комплексом неполноценности, чем обувь по спецзаказу была явным подтверждением. Как и большинство коротышек, Нессельроде всю жизнь пытался самоутвердиться, чтобы доказать себе и окружающим свое превосходство над толпой. Для достижения заветной цели все средства были хороши. Похоже, сейчас его необузданное, почти наполеоновское тщеславие было почти полностью удовлетворено. Он, горбоносый сморчок, не только командовал закамуфлированной под частную охранную структуру группой боевиков, но и сумел изловить главного возмутителя спокойствия, обрушившего на секту массу проблем. Верховный гуру не мог не оценить такой поступок.

Видимо, примерно такие мысли вертелись сейчас в мозгу этого маленького человека лет около сорока, развалившегося в позе американского ковбоя, благоухающего дорогим одеколоном, одетого в супермодное шмотье. Что ж, Бог ему судья.

При желании я смог бы убить его за три секунды, не дав даже выхватить пистолет. Но сейчас, как и в случае с буксировочным тросом, это было нецелесообразно, и я продолжал молча ждать откровений прислужника сатанистов.

— Ладно, я сам расскажу, — не в силах совладать с распирающим его восхищением самим собой, таким гениальным, не выдержал Нессельроде. Попыхтев сигарой, он пустил в мою сторону струю густого ароматного дыма от настоящего кубинского табака.

— Во-первых, нет в природе такой компании — «Тюменьнефтегаз», а значит, нет и Вагиза Садыкова с его замечательным, почти натуральным горским акцентом! — начал с пафосом излагать Виталий Глебович. — Я успел проверить по компьютеру. Это, поверьте, совсем не сложно, если имеешь огромную базу данных и выход на множество чужих банков информации, — Нессельроде ткнул пальцем в светящийся экран портативного компьютера, от которого убегали под стол провода. — Достаточно лишь нажать пару кнопок — и вот он результат. Туфта чистейшей воды!

Пожевав губами, коротышка посмотрел на меня уже заметно изменившимся взглядом, в котором не осталось ни толики показного благодушия сытого тигра, вальяжно проходящего мимо подраненной газели.

— Ну, и во-вторых, отец Павел... могу вас поздравить. Вы — убийца. Только что вы стали причиной смерти трех человек. Болтливого сопляка и двух моих рекрутов-новичков, не выдержавших проверки на вшивость и поплатившихся жизнью за то, что сунули нос в чужие дела. Сказано же было русским языком: держать язык за зубами и выполнять все, что потребует клиент! Так нет, попались на дешевые фокусы, сникли перед рясой и бородой... Кретины. Больше такой глупости не повторится — никаких людей со стороны! Пусть они будут ростом три метра, с пудовыми кулачищами и у каждого из них, как у индийского идола, по два члена и четыре руки!.. Ну что, батюшка, удивил я вас? Ну, признайтесь, чего уж тут скрывать...

— Водитель Саша, примерный семьянин... — изо всех сил стараясь выглядеть хладнокровным, сухо произнес я. Усилием воображения я представил разыгравшуюся сразу после моего отъезда кровавую драму. Оба секьюрити и Прыщ были немедленно ликвидированы на время надевшим маску хладнокровным убийцей. Изрядно помятый сектант вновь был свободен. Такого исхода я не мог предвидеть! Козыри снова были в руках сатанистов, а прибывшего на место разборки капитана Томанцева с группой милиционеров ждало новое разочарование. Нетрудно представить, какими эпитетами поминал меня сыщик, увидев совершенно пустую поляну...

— Именно он! — подтвердил Нессельроде. — Я, кажется, уже говорил вам: доверять нельзя никому. Не скрою, отрадно, когда есть на кого положиться в нужный момент, — зло прищурился он и добавил, швыряя слова, словно милостыню: — Возможно, вам от этого станет легче, отец Павел, но на моей памяти еще никто не создавал нам таких проблем, как вы. Вот и приходится в темпе заметать следы, убирая опасных свидетелей. Санек у нас в таких делах — бо-ольшой специалист!

— Поздравляю, Нессельроде, в вашем зверином питомнике хорошо натасканные лицедеи, — бесцветно отозвался я. — Но с лейтенантом Семеновым как быть? Когда им плотно займется ФСБ, стукач расскажет гораздо больше, чем успел выложить мне под прицелом пистолета.

— Этот слизняк из мусорни знает только левый номер сотового телефона и пару ломачей из рок-банды, — отмахнулся, хотя и не слишком уверенно, Виталий Глебович. Пепел с сигары упал ему на рубашку. — Группа «Гниющие внутренности» — наша, выражаясь старыми штампами, агитбригада в среде упитой, обдолбанной, развратной и неприкаянной клубной молодежи — на несколько месяцев, опять-таки не без ваших стараний, ляжет на дно. А впоследствии, возможно, частично сменит состав, название и начнет снова гастролировать по необъятным просторам матушки России... Что касается борделя с малолетками, в котором мента похотливого пристегнули и куда он регулярно поставлял свежее «мясо», то пуф уже давно сменил адрес, а дом через третьих лиц продан переселенцам из Казахстана. Так что концы в воду... Поверьте, батюшка, Семенов-младший знает слишком мало, чтобы нанести нам большой ущерб. Однако, не скрою, хлопот его арест доставит немало, в том числе и сугубо материальных. Лично я приложу все силы, чтобы буквально на днях в камере следственного изолятора у старлея случился сердечный приступ. Береженого, сами знаете, Бог бережет...

— Как вы, нехристь, чертопоклонник, смеете упоминать Господа?! — Я смерил Нессельроде презрительным взглядом. — У вас теперь только одна дорога — в геенну огненную.

— Ну, у каждого из нас свой бог, так что расслабьтесь, — развязно пожал плечами сектант, сдул с одежды невесомый пепел и загасил в пепельнице сигару. — Лично я всегда отдавал предпочтение только двум богам. Деньги и власть!.. Остальное — лишь средство для достижения цели, поверьте...

— Не боитесь, что Каллистрат узнает о ваших еретических, с его точки зрения, высказываниях и в назидание другим сектантам публично принесет вас в жертву на дьявольском алтаре? — брезгливо оглядев низкорослого пузана с носом-рубильником, поинтересовался я.

— Нет, не боюсь, — серьезно покачал головой Нессельроде. — Спросите, и Каллистрат скажет вам то же самое, слово в слово. Ему ли этого не знать! Любая из известных мировых религий, включая и модное ныне поклонение дьяволу, к каким бы формам и действиям она ни прибегала для проповедования своего культа, в первую очередь суть власть! И большой бизнес, сравнимый по своим масштабам разве что с государственной политикой. Сатанизм, буддизм, католицизм, коммунизм — какая разница?! Названия разные — суть одна! Молитвы, жертвоприношения, «черные мессы», сексуальные оргии и магические ритуалы — это бутафория, антураж, дешевые забавы для «истинно верующих» болванов вроде Люцифера. Так же, как всевозможные праздничные демонстрации, митинги и всеобщие выборы. Все это внешнее, показное дерьмо — удел ведомых, но не ведущих. Необходимые атрибуты принадлежности к группе по интересам, к игре. Фетиш для толпы, безмозглого стада, не желающего думать, но готового верить во вдалбливаемые в башку постулаты!.. К святая святых, к сладким плодам допускаются лишь избранные. И, честное слово, не надо на меня так смотреть, словно я лично посадил на иглу вашу дочь, продал в чеченское рабство сестру и изнасиловал парализованного дедушку...

Увы, таков жестокий закон человеческой цивилизации. Для всех места под солнцем не хватает, его достойны лишь мы, сверхлюди! Любые общественные процессы или индивидуальные телодвижения, будь то мировые войны или браки по расчету, в конечном итоге направлены только на получение удовольствий и на выхватывание сытного куска у ближнего. Все прочее — блеф!..

Нессельроде перевел дух, довольно осклабился и продолжал:

— Между прочим, об этом главном законе бытия очень точно высказался один известный мошенник прошлого: «Одни рождены, чтобы подметать улицу, другие — чтобы ходить по ней». Метко подмечено, вы не находите?.. Не согласны? Я так и знал. Впрочем, меня ваше известное наперед мнение совершенно не интересует, отец Павел. Мы с вами и так слишком заболтались, пора ехать в гости...

Нессельроде мельком кинул взгляд на настенные часы и убрал со стола ноги. Задумчиво нахмурился, несколько секунд тупо созерцал янтарную поверхность стола из карельской березы, а потом снова нажал кнопку на переговорном устройстве.

Внимательно слушая бредовый монолог сектанта, я ни на секунду не переставал думать о том, что меня ждет в ближайшие часы, и всесторонне анализировать сложившуюся ситуацию. В конце концов пришел к заключению, что, прежде чем позволить дрессированным бультерьерам Нессельроде распоряжаться моей судьбой, стоит все-таки предпринять попытку вырваться из логова сатанистов. Если Каллистрат действительно жаждет встречи со мной, то логично предположить, что ни один из его псов не рискнет ослушаться приказа верховного жреца и убить меня, что бы я ни сделал. Если же я ошибаюсь, у меня будет реальная возможность дорого продать свою жизнь и достойно встретить смерть. Альтернатива, что и говорить, не слишком радужная, но я не мог позволить себе роскошь покорно идти на заклание...

— Егор приехал?! — рявкнул в микрофон Нессельроде и поскреб двойной подбородок, на котором проглядывала черная колючая щетина. — И я, кажется, просил принести чай!.. Для дорогого гос...

Это было последнее, что успел сказать Виталий Глебович, прежде чем я, уже не обращая внимания на глаз видеокамеры, сгруппировался и, опершись о гладкую янтарную столешницу, что есть силы оттолкнулся от пола, на мгновение завис в воздухе над столом с упором на руки и с разворота припечатал правой ногой незащищенную скулу испуганно выпучившего глаза хозяина «Кобры». Надо отдать Нессельроде должное — его пухлая, с кучерявыми волосками клешня все-таки успела лечь на рукоятку «бульдога». Но было уже слишком поздно.

Мне даже на миг показалось, что я слышу хруст сломанной трахеи. Слава Богу, обошлось. Подавившись так и не сказанным последним словом, «сверхчеловек» вылетел из кресла, ударился головой о стену и как-то очень театрально сполз на паркетный пол кабинета. Из его приоткрытого в немом крике пухлогубого рта стекла на подбородок и белоснежную рубашку алая струйка крови. Все было кончено на счет «три»... Я уже был рядом и, присев на корточки, вытаскивал оружие из кобуры. Засунул «бульдога» за поясную веревку и быстро достал из ящика стола свой второй за сегодняшний день милицейский «макар».

Как ни чесались у меня руки, я все-таки не стал убивать Нессельроде, а решил взять его в заложники. Теперь мне предстояло, прикрываясь им как живым щитом, попытаться покинуть офис «Кобры», сесть в машину и... Так далеко я пока не заглядывал. Для начала предстояло выйти хотя бы из кабинета, в котором я сейчас был словно в мышеловке.

Глава 30

Мои руки дрожали, и в крохотную камеру видеонаблюдения под потолком я попал только с третьего выстрела. Пуля разнесла оптику на куски. Подхватив за воротник пиджака начинающего приходить в себя, тупо мотающего головой Нессельроде, я, двигаясь вдоль стены, приблизился к двери.

В ожидании вторжения вооруженных охранников секунды тянулись бесконечно. Холодный липкий пот градом струился с моего лба, разъедая глаза. Наконец за дубовой дверью послышались возбужденные голоса, затем какая-то возня, а потом дверь приоткрылась и через образовавшуюся щель в кабинет быстро влетела брошенная кем-то из охранников граната. Дверь сразу снова захлопнулась. Граната ударилась о ножку стола; в последний момент я успел прикрыться уже открывшим глаза, скулящим, парализованным страхом Нессельроде, а потом раздался оглушительный, больно ударивший в замкнутом пространстве по ушам взрыв...

В себя я пришел почти сразу от жуткого крика Нессельроде. Граната, как и следовало ожидать, оказалась свето-шумовой, рассчитанной на временное выведение противника из строя. Жалюзи с окна сорвало ударной волной, и я сразу же обратил внимание на трещины, появившиеся на стеклах. Ввиду отсутствия решеток я посчитал их бронированными, а они оказались обычными, разве что усиленными антиосколочной тепло- и светоизолирующей защитной пленкой.

По всем законам тактики, обычно используемой спецгруппами по борьбе с терроризмом, после предварительной обработки световой гранатой в помещение должны были ворваться бойцы. Не отпуская воротник босса, я изготовился к стрельбе, но время шло, а никаких новых действий нападающие не предпринимали. Нессельроде, получивший ожог глаз, истошно орал, но удар пистолетом в затылок избавил его от необходимости напрягать голосовые связки. Возникла гнетущая пауза, во время которой по ту сторону двери, видимо, решали, кто первым ворвется в кабинет и станет удобной мишенью для ответной стрельбы в упор. Желающих не находилось. Не помогли даже долетевшие до моего слуха чьи-то грозные выкрики...

Трещины на оконных стеклах невольно натолкнули меня на мысль о другом — не через дверь — способе благополучно и быстро покинуть затянутый густым белым дымом кабинет. Я вспомнил, как красиво вылетел из окна пятого этажа дома на Васильевском острове толстяк Порос. Разумеется, если подопечные Нессельроде имеют достаточную выучку, на площадке внизу уже наверняка дежурят перекрывающие легкий путь к бегству вооруженные охранники. К тому же, швырнув «сверхчеловека» на стеклопакет и в случае везения разбив таким способом окно, я потерял бы свое главное и единственное преимущество — заложника. Пока там, за дверью, не очухались, нужно было срочно что-то выбирать...

И вдруг мою голову посетила простая. как все гениальное, спасительная, быть может, мысль: зачем разбивать окна, если их можно просто открыть?! Ведь решеток-то нет!!!

Однако оказалось, что отпущенное мне на принятие решения время уже истекло.

Дверь снова открылась, и в кабинет с шипением, оставляя за собой длинный шлейф черного дыма, влетел еще один предмет, продолговатый по форме и совсем не похожий на только что разорвавшуюся световую гранату. Это была шашка с газом либо слезоточивого, либо нервно-паралитического действия. В любом случае результат этой атаки мог стать для меня плачевным. Еще секунда-другая, и ворвутся охранники, в противогазах похожие друг на друга, как однояйцевые близнецы. Вот он, момент истины...

В последний раз глубоко вдохнув обжигающий легкие воздух, я, не отпуская ставшего вдруг почти невесомым Нессельроде, что есть сил рванулся к окну...

Мне оставалось сделать еще шаг, чтобы дотянуться до ручки, когда дверь кабинета с грохотом распахнулась и в проеме появилось похожее на инопланетянина чудовище с помповым ружьем в руках, в черной униформе и со сферическим шлемом на голове, от которого тянулся к сумке на поясе гофрированный шланг. За спиной марсианина маячила тень еще одного космического пришельца...

Почти не целясь, я вскинул пистолет и дважды нажал на спусковой крючок.

Первая пуля вошла точно в центр купола, проделав в нем аккуратное отверстие с побежавшими во все стороны трещинами-лучами. Охранник рухнул на пол как подкошенный.

Второй выстрел прозвучал пустым щелчком. Без боезапаса «макар» стал не страшнее колотушки для орехов. Отшвырнув его в сторону, я схватился за конфискованный у Нессельроде «бульдог», но он, словно живой, проскользнул через плотно затянутый шнур на поясе и с глухим стуком упал вниз...

Земля покачнулась у меня под ногами, изображение застывшей в клубах дыма фантастической фигуры поплыло и потеряло резкость, а в легкие хлынул ядовитый газ.

Потом дважды подряд сильно вздрогнуло тело щитом прикрывавшего меня «сверхчеловека», оно вдруг потяжелело стократно и кульком рухнуло вниз...

Я все-таки дотянулся до ручки, даже успел повернуть ее и распахнуть окно, полной грудью вдыхая спасительный, влажный от прошедшего дождя уличный воздух, но тут в правом плече вдруг полыхнула резкая, парализовавшая все тело боль и сознание окончательно заволокло вязким туманом.

Удара от падения на пол я уже не почувствовал...

Очнулся я от того, что все мои мышцы вдруг разом сократились с такой силой, словно по ним пропустили электрический ток. Подняв невероятно тяжелые веки, я огляделся и едва не застонал от боли в плече.

Я сидел на скамье, тянувшейся вдоль обшарпанной металлической стены, и раскачивался из стороны в сторону, как висящая в пыльном коробе странствующего кукольника марионетка. Где-то наверху тускло горела желтым светом лампочка. Обе мои руки были задраны кверху и пристегнуты наручниками к какому-то кронштейну. Был слышен равномерный гул, похожий на звук работающего мотора, и ощущалась вибрация. Похоже, я был в машине. Напротив меня сидели и в упор рассматривали меня два незнакомых типа с отталкивающими физиономиями, в гражданской одежде. Один сжимал в руке обращенный «усами» к моей груди полицейский электрошокер. Значит, я не ошибся — меня действительно ударило током...

— С добрым утром, сука! — процедил тип, поигрывая американской дубинкой. — Как спалось, не жестко?! Ранка не беспокоила?!

И он хлестко ударил меня ладонью по пылающему плечу. Я уже был не в силах сдержать стон и прикусил губу, едва снова не потеряв сознание.

— Ну, тогда готовься, пугало бородатое, скоро тебя ждет вторая часть Мерлезонского балета!.. Верно, Крэк?

— Как доктор прописал, — подтвердил второй конвоир, сплюнув через щербину между зубами и попав прямо мне на рясу. — Сегодня как раз праздник. День Падшего ангела. Что-то вроде вашей поповской Пасхи... Что, страшно подыхать, отец Павел?! Не слышу ответа!

Итак, мой дерзкий план сбежать из офиса «Кобры» под прикрытием заложника потерпел полное фиаско. Нессельроде убит своим же охранником. А меня наверняка очень скоро ждет еще одна встреча — на сей раз с самим главным сатанистом, Каллистратом. Транспортное средство, в котором я сейчас находился, вне всяких сомнений держало путь в логово главы секты, где меня вряд ли станут встречать с цветами и оркестром. Оборотень, в погоне за властью над людскими умами и душами сменивший сначала зоновскую робу и кайло на рясу священника, а затем сбросивший и ее, чтобы натянуть черный сатанинский балахон, обязательно придумает для меня нечто необычное, запоминающееся...

Я поднял глаза к светящейся под крышей фургона лампочке, стараясь не смотреть на ухмыляющиеся, злобные, источающие ненависть рожи сектантов. Все-таки правду говорят: Бог шельму метит. Достаточно одним глазом взглянуть на эти свиные рыла, чтобы понять, что у них в душе. Пустота. Бездна.

«Господи, почему Ты лишаешь меня своего милосердия, наказываешь за грехи мои столь сурово? Не отбирай у меня радости по-христиански покинуть этот мир, дабы предстать перед Тобой для справедливого Высшего суда! Неужели я так сильно провинился перед Тобой?..»

— Эй, гляди, Череп, да он никак распятому жидами сыну гулящей девки молиться надумал, поп хренов! — зарычал тот, кто звался Крэком. — Я те помолюсь, я те щас так помолюсь!.. На, жуй!!! Ты у меня, святоша, щас вместо «Отче наш» будешь «Майн кампф» с выражением декламировать на родном языке фюрера, понял?!

Два подряд размашистых удара кулаком обожгли лицо. «Браслеты» еще сильнее врезались в запястья. Я уже практически не чувствовал обеих кистей.

— Молчит, бля... Святого великомученика Сруля из себя корчит, — хрипло пробормотал Череп, с отстраненным любопытством разглядывая меня сквозь застившую ему глаза наркотическую поволоку. — Слышь, Крэк, я тут одну хохму сочинил, — радостно сообщил он подельнику. — А чё, если мы сейчас развернем нашего батюшку на сто восемьдесят градусов, задерем рясу и отхарим в очко в два ствола?! И пиздец — до рая пешком! Сам, тварь, на первом суку повесится...

— Это ты классно придумал, — деловито ухмыльнулся напарник, облизав пересохшие от возбуждения губы. — Жаль только, видеокамеры с собой нет. Кино вышло бы что надо. Оскар обеспечен, бля буду... Так чё, прямо щас и приступим? Покамест не прибыли, время организовать поп-порношоу есть. Дай-ка дубинку...

Поднявшись со скамейки во весь рост, упивающийся своей почти абсолютной надо мной властью сатанист демонстративно почесал в паху, смерил меня торжествующим взглядом и, вытянув вперед руку с электрошокером, вознамерился снова ткнуть меня в грудь...

Внутри меня словно разжалась стальная пружина. Еще никогда в жизни мне так сильно не хотелось лишить человека жизни, как в этот момент!!! Хотя это двуногое существо с изогнувшимся в дьявольской судороге ртом уже нельзя было назвать человеком. Зомби, лишенная души телесная оболочка с сидящим внутри и дергающим за ниточки демоном.

Слава Богу, в отличие от онемевших рук ноги мои были свободны. Мгновенно согнув их в коленях и не дожидаясь парализующего удара током, я изо всех сил впечатал каблуки в пах Крэку, отчего чертопоклонник отрывисто охнул, выронил дубинку и, закатив глаза, перегнулся пополам и со сдавленным воем стал медленно оседать на заплеванный пол фургона.

Не успели колени выродка коснуться резинового коврика, как я провел еще один, известный каждому бойцу добивающий прием — носком вывернутой внутрь левой ступни подцепил оказавшийся на уровне пояса затылок Крэка, на секунду создав опору, а ребром правой со всей возможной ненавистью врезал в выпирающий на горле кадык.

— К-хе! — вылетело из приоткрытого рта вместе с хрустом сломанного позвонка. Крэк плашмя растянулся на полу и больше не шевелился.

Я так никогда и не узнал, умер он или остался до конца дней инвалидом с единственной подвижной частью тела — злобно бегающими из стороны в сторону глазами...

— Ты что сделал, падла?!! — взвился, испуганно отпрянув к стене, Череп и, скрипя зубами, но не решаясь приблизиться на расстояние удара, стал бочком пробираться в дальний угол фургона, ближе к кабине, туда, где возле куска старого грязного брезента лежал красный пенный огнетушитель и валялся разный металлический хлам. — Да я тебя сейчас в гербарий разотру, гадина!!!

Я не стал отвечать, ибо в этом уже не было никакого смысла. Получив мимолетное удовлетворение от свершившейся мести, я лишь молча прикрыл глаза, вздохнул полной грудью и мысленно попросил у Бога прощения за второе по счету убийство мной сатаниста. Ощущая разливающийся по телу нестерпимый жар, стал быстро читать молитву...

Я готовился принять смерть и благодарил Спасителя за все добро, что он для меня сделал в этой жизни. За то, что позволил с оружием в руках защищать свою великую страну, за то, что послал мне Вику, за то, что открыл мне глаза на Свет Божий, позволил принять сан священника и достойно пронести свой крест.

И удивительно, в моей душе не было страха смерти. Я улыбался!

Тем временем пучеглазый и сутулый Череп, опасливо оглядываясь через плечо, добрался до кучи хлама и поднял тяжелый даже на вид огнетушитель. Держа его перед грудью, как канатоходец балансируя на колдобинах и рискуя каждую секунду упасть, он с оскаленной пастью двинулся назад.

— Все, конец тебе, агнец! — Череп, тяжело дыша, приближался. — На, бля, получай!!! Во имя Князя Тьмы!!! — срываясь на визг, выкрикнул сектант и, подняв над головой баллон, со всей силы метнул его в мою голову.

Попал, но — не убил. Уже не чувствуя боли, я словно со стороны слышал сквозь пронзительный гул в ушах нечеловеческие выкрики сектанта и ощущал, как все мое тело сотрясают отчаянные удары...

А затем все прекратилось и наступила полная тишина. Ни ударов, ни звуков. Я прислушался к своим внутренним ощущениям и, чуть подождав, попытался открыть глаза. Когда это на удивление легко удалось, я увидел перед собой темный туннель, по которому мое тело стремительно летело к мерцающей где-то на горизонте манящей точке-звезде. По мере приближения точка росла, увеличиваясь в размерах, и вот уже ослепительный свет заполнил собой все окружающее пространство...

Меня сильно тряхнуло, словно ударной волной. Один раз, второй, третий. Свет, такой ласковый и долгожданный, готовый принять меня в свои объятия, неожиданно погас, и я снова ощутил пульсирующую во всем теле адскую боль...

Глава 31

Юрка остановил «тойоту» перед глухими воротами, преграждавшими въезд во двор особняка, нажал кнопку пульта дистанционного управления и стал ждать, пока стальная штора поднимется и он сможет въехать на служебную стоянку. В это время прямо напротив стеклянных дверей казино притормозил, нелепо уткнувшись в высокий бордюр одним колесом, ржавый раздолбанный «жигуль», за рулем которого сидел щуплый молодой парень с обритой налысо башкой.

Похоже было, что у развалюхи внезапно заглох мотор — бритоголовый с рассерженным видом вылез, открыл капот и, тупо поглядев в его чрево, снова закрыл. Злобно сплюнув себе под ноги, с досадой пнул ногой колесо, запер дверцу и быстрым шагом направился прочь, вероятно, в поисках того, кто сможет взять колымагу на буксир. Но Юрка, внимательно наблюдавший за парнем и его не слишком убедительным спектаклем с поломкой, явственно увидел, как горе-водила дважды мельком зыркнул в сторону видеокамеры наружного наблюдения, над входными дверями «Полярной звезды». А чуть позже, отойдя от брошенной тачки на приличное расстояние, перешел дорогу, остановился возле старинного дома, в тени нависавшего над тротуаром балкона-эркера, достал сотовый телефон и, не сводя глаз с особняка, принялся быстро тыкать пальцем в кнопки...

Ворота уже давно поднялись, под аркой зажглась зеленая лампочка, а Юрка все не въезжал во двор —

он следил за странным поведением автомобилиста. Тот, видимо дозвонившись и сказав в трубку пару слов, быстро пристегнул мобильник к ремню, прикрыл его рубахой, в последний раз взглянул на оставленную машину и вышел к перекрестку с оживленным проспектом. Там он остановился, игнорируя зеленый сигнал светофора. Парень явно ожидал, когда за ним приедут. Не прошло и полминуты, как рядом с бритоголовым притормозил темно-синий БМВ. Парень чуть ли не на ходу распахнул заднюю дверь и резво нырнул в чрево быстроходной иномарки, которая сразу же сорвалась с места и унеслась вперед по проспекту...

Юрка ощутил холод в груди. Дурное предчувствие, появившееся при виде тормознувшего у входа «жигуля», сменилось легкой паникой. В памяти мгновенно всплыли картины чеченских будней — развороченные тротилом остовы автомобилей, которые на предельной скорости въезжали в расположение воинских частей, комендатур, во дворы райотделов милиции и взрывались там. Как правило, за рулем таких бомб на колесах сидели террористы-смертники, камикадзе, в большинстве своем почему-то не чечены, а наемники-арабы. Видимо, штрафники, у которых был небогатый выбор — погибнуть во имя Аллаха, унеся с собой десятки «неверных», или быть расстрелянными своими же боевиками...

Буквально влетев во двор и на повороте к стоянке едва не поцарапав крыло «тойоты» о стену арки, Юрка выскочил из машины и, пластиковой карточкой открыв служебную дверь, ворвался в клуб. Он бесшумно бежал по мягкому ковровому покрытию к кабинету отца, начисто позабыв о цели своего визита, чувствуя пульсацию крови во всем теле, пытаясь отыскать глазами в пустом клубе хоть одного охранника, но секьюрити словно назло куда-то запропастились. Кроме уборщиц и припозднившегося крупье, слащавого прилизанного педика, он не встретил никого.

Только в холле возле кабинета Флоренского, как всегда, дежурил охранник из числа его личных бодигардов, некогда прошедших суровую школу Комитета государственной безопасности. Звали его Антон. А еще здесь торчали двое незнакомых Юрке шкафов явно бандитского вида. Услышав топот ног по лестнице, они торопливо вскочили с дивана, отбросили журналы с автомобилями и голыми красотками на обложках и синхронно, как по команде, сунули руки за отвороты пиджаков. Увидев младшего сына хозяина, Антон жестом успокоил нервных громил и положил на колени помповое ружье. Судя по арсеналу всех троих, у папаши был серьезный посетитель.

— Отец у себя?! — тяжело переводя дыхание, спросил Антона Юрка и, не обращая внимания на чужих амбалов, шагнул к отливающей лаком массивной, обшитой деревом пуленепробиваемой двери в апартаменты Флоренского. — Где Лакин?! Сюда его, срочно!!!

— Босс здесь, но он занят, — быстро сообразив, что случилось что-то серьезное, торопливо сообщил чуть растерявшийся телохранитель. С одной стороны, хозяин, беседующий с важным гостем, приказал никого к нему не пускать. А с другой, Юрка-то его сын. К тому же на нем буквально лица не было.

— А где...

— Борисыча нет, он отъехал, вернется к открытию, — перебив Юрку, сообщил бодигард. Скулы его напряглись. На широколобом лице отчетливо проступили признаки усиленной умственной деятельности в виде двух глубоких поперечных морщин. — Какие-нибудь проблемы?!

— Найди его! Немедленно! — не желая вдаваться в детали в присутствии чужаков, приказал Юрка. Окинув охранника и напряженно застывших мордоворотов с носорожьими затылками суровым встревоженным взглядом, он распахнул тяжелую дверь и вихрем ворвался в кабинет Флоренского.

Отец сидел за одним столом с невысоким, сутулым седеющим мужиком лет шестидесяти пяти, одетым дорого, но безвкусно. В нем с первого взгляда угадывался авторитет старой закалки, который благодаря новым веяниям в одночасье сменил барак и лагерную баланду на виллу на Лазурном берегу и устрицы в шампанском. Однако исходивший от него запах чифиря и параши был неистребим. Модный белый пиджак в мелкую клетку мешком висел на покатых плечах незнакомца, верхняя пуговица синей рубашки была расстегнута, а узел желтого шелкового галстука болтался где-то в районе солнечного сплетения. Руки, бледные и узловатые, в мелких черных волосках, синели наколками. По расслабленной позе гостя и натюрморту на столе можно было понять, что беседа между незнакомцем и отцом идет хоть и серьезная, но неспешная, обстоятельная, без трений и конфликтов...

Кроме початой бутылки французского коньяка на столе из карельской березы стояли два стакана с янтарной жидкостью на донышке, тарелка с нарезанным лимоном и лежала разломанная прямо на фольге плитка черного шоколада с орехами. В воздухе, несмотря на жужжащий под потолком кондиционер, висел сизый едкий дым от выкуренных гостем «беломорин», их мятые, надкусанные зубами гильзы громоздились в пепельнице. Пристрастие незнакомца к ядреному куреву лишний раз подтвердило догадку Юрки о том, что гость Флоренского — бывший зэк, проведший за решеткой лучшие годы своей уже повернувшей к закату жизни.

Услышав шум, бывший зэк медленно обернулся, окинул Юрку оценивающим взглядом, недовольно нахмурился и, скривив рожу, вопросительно посмотрел на Флоренского — дескать, а это что за болт с горы и куда смотрит твоя охрана? Но игорный воротила быстро махнул рукой, успокаивая гостя, и поманил Юрку кивком головы.

— А это, Аркадий Василич, и есть мой младший, Юра! — довольно ухмыльнувшись, представил сына Леонид Александрович. — Я говорил тебе, это именно он нашел того таксиста и вернул браслет твоей подруге... прости, дорогой, запамятовал, как ее звать-величать.

Юрка понял, что незнакомец и есть тот самый уральский вор в законе, Крестовый Батя, с розыска цацки которого началась его поганая работа в зондеркоманде.

— Отец, я к тебе по серьезному делу! — кивнув вору, срывающимся голосом выпалил Юрка. — Это очень срочно!

— Запомни, сынок, нет такого дела, ради которого я смог бы прервать беседу со столь уважаемым человеком, как Аркадий Васильевич, — сухо, с явным подтекстом и авансом собеседнику, произнес Флоренский. Видя, что Юрку буквально распирает от желания что-то сказать, и прекрасно понимая, что без веских оснований сын не вломился бы в его кабинет в присутствии постороннего, Леонид Александрович, однако ж, сделал серьезное лицо и назидательно заметил: — Что бы ты ни хотел сказать, сынок, это подождет. Успокойся и, пожалуйста, подожди снаружи, пока мы закончим. Ты меня хорошо понял?

— Так мы, кажется, уже обо всем перетерли, Саныч, — пожал плечами Крестовый Батя, залпом допивая коньяк и зажевывая его долькой посыпанного сахаром лимона. — К чему порожняки гонять, время нынче дорого. — Отодвинув стул, вор поднялся и испытующе посмотрел в глаза Юрке. — Если что — созвонимся, но я думаю, проблем не возникнет. А за браслетик, парень, спасибо. Алине он очень нравится... Надеюсь, ты отметил мальца по справедливости, Саныч?!

— Ну разумеется, — развел руками Флоренский и, поймав Юрку за локоть, не без его сопротивления притянул сына к себе. — Как же без этого...

— Ладно, увидимся еще, бывай, — без церемоний попрощался вор и, цыкнув щекой, за которой явно скрывалось отсутствие коренного зуба, сгорбившись вышел из кабинета.

— И ты тоже не кашляй, — бросив в рот кусочек шоколада и задумчиво глядя вслед Крестовому, пробормотал Флоренский, когда дверь уже закрылась. — Хрен уральский...

— Значит, так, Малыш, — обернулся он к Юрке и заговорил, не дав сыну рта раскрыть. — Насчет вашего вчерашнего дебильного вестерна и твоей стычки с Русланом. Он, конечно, лопухнулся с этим джипером, но и ты язык лучше за зубами держи, усек?! Всякое дерьмо случается, ничего предугадать нельзя. Правильно он Гитлера решил повязать, здесь я на его стороне! Тем более сам видел, тачка как две капли воды похожа на ту, на которой этот урод рвал когти из коттеджа, да и номер был грязный. Эти суки первые шмалять начали, по любым понятиям вы здесь кругом правы! Хорошо хоть с девчонкой этой шизанутой не попались. Вам вообще крупно повезло, второй раз так уже не попрет, это я тебе говорю! Короче, я с рассветом бойца на место посылал, он говорит — все тихо, пока никаких ментов. По горячим следам мусора тачки и жмуров не хватились, теперь пусть шакалят хоть до посинения... Пока узнают, что это за ребенок, чей он, где предки и кто ранил, — рак на горе свистнет. Короче, выброси этих чухонцев из головы, понял?! Мне до кучи еще разборок между вами, мудаками, не хватает! Я Душманом сыт по горло! Руслан и так на тебя зуб держит, так что смотри, не заводи его... Лучше вон девочек поприличней возьмите, из наших, и в сауне вечером попарьтесь, стресс снимите. Заодно и помиритесь. Ты все понял?!

— Я с ним в сауну не собираюсь, — жестко ответил Юрка. — И вообще... Ты лучше Лакина найди, пусть его спецы колымагу, что возле входа стоит, проверят на наличие взрывчатого вещества.

— Какую колымагу?! — Разлетистые брови Флоренского недовольно сдвинулись. Рот машинально приоткрылся.

— Я как раз во двор въезжал, когда какой-то бритоголовый вахлак целый спектакль с поломкой разыграл, «жигуль» возле дверей оставил, а сам почти бегом смылся. На проспекте его сразу бимер забрал, — лаконично объяснил Юрка, глядя в бегающие зрачки отца. — Я в Чечне с такими сюрпризами уже сталкивался. Очень уж похож. Вызывай Лакина. А еще лучше — звони сразу в милицию. У них собаки есть, да и приедут они быстрее. Литейный в двух кварталах, — на всякий случай напомнил Юрка. За прошедший месяц он успел неплохо изучить Санкт-Петербург.

— У-у, бля! — выдавил из себя Флоренский и с силой ударил кулаком по столу. — Ну, если там действительно окажется тротил, я этому Гитлеру лично глаз на жопу натяну и лизать заставлю! Тварь неугомонная... Пехоту его покрошили в винегрет, так он, гляди-ка, опять рекрутов набрал!!!

— Снова Гитлер? — стараясь держать себя в руках, осведомился Юрка, хотя и так все было ясно без комментариев. Беспредельщик объявился снова. — Когда? Сегодня?! Да звони ты, не тормози! В любой момент может так рвануть, что фасад как мозаику собирать будешь!

— Объявился, падло! Час назад, перед самым приходом Крестового! — подтвердил Леонид Александрович, деланно небрежно, что говорило о нешуточном волнении, закуривая сигарету и набирая сотовый номер начальника охраны клуба. — Он гонит, что, если я не отбашляю ему двести пятьдесят кусков сразу в качестве компенсации за пацанов, на куски порвет! Ты видал такую наглость?! Я хотел о бизнесе с Батей поговорить, а вместо этого пришлось союзников искать! Гитлер сейчас ученый, злой, второй раз просто так его раком не нагнешь... Боюсь, своими силами трудно будет воевать. А за Крестовым, слыхал, сам Толя-Толмач стоит. А у него — двести пятьдесят обломов с пушками! И Кашин из ГУВД на кормушке... Пусть к поискам Гитлера и менты подключатся, я не против... Черт, труба у Лакина вне зоны! — быстро нажав сброс, Флоренский принялся заново набирать номер.

— На твоем месте я бы лучше ноль-два набрал, папа, — поиграл желваками Юрка, зачем-то взглянув на часы. — Никто не знает, на сколько они взрыватель поставили! Скорее всего он вообще радиоуправляемый, а не с таймером... Лично я, если бы надумал сбацать фейерверк перед чужими окнами, так бы и сделал. Кстати, где Руслан?!

— В Павловске, к этой суке Катьке, мамаше своей, поехал! Дача у ней там, видите ли! — громко сопя, воротила прижал телефон к уху и снова лицо его перекосило, едва он услышал голос оператора. — Вот черт, глухо!.. А сегодня у нее, козлины, день рождения! Я ему уже сбросил сообщение насчет второго пришествия Гитлера, скоро будет здесь...

— Какой день рождения?! Ты что, ошизел?! Звони по ноль-два! — с отчаянием выкрикнул Юрка, глядя на дергающиеся щеки отца, впустую тратившего драгоценные секунды, когда там, снаружи, в багажнике развалюхи, возможно, лежит бомба, способная превратить в руины весь квартал.

Грязно выругавшись, он вдруг запоздало вспомнил, что у него тоже есть мобильный телефон. Выхватил невесомую трубку, но Флоренский ринулся на него как коршун на добычу, вырвал телефон из Юркиной руки, швырнул его на стол и снова гневно врезал по янтарной столешнице кулаком.

— Никаких ментов, я сказал!!! — скривив и без того перекошенную судорогой рожу, с гадючьим шипением выдавил игорный делец. — Две минуты роли не играют! Сами все проверим, и если окажется, что Гитлер не блефует...

Однако закончить фразу Леонид Александрович не успел.

Подпрыгнув на стуле, он вдруг испуганно втянул голову в плечи, да так, что снаружи остались только уши и едва различимая проплешина. А Юрка, когда земля покачнулась и, казалось, ушла из-под ног, торопливо схватился за подоконник, чтобы удержаться и не упасть...

Внизу рвануло так оглушительно и мощно, что даже здесь, в кабинете, в дальнем крыле старинного особняка, за пуленепробиваемой дверью с шумоизоляцией, ударная волна пнула по ушам не хуже взорвавшейся совсем рядом петарды. Дом задрожал, словно в город пришло землетрясение. Недопитая бутылка опрокинулась и забулькала, извергая на стол янтарно-коричневое пойло с запахом раздавленных клопов, а со стены кабинета по иронии судьбы рухнула вниз, брызнув осколками по дубовому паркету, большая цветная фотография в малахитовой рамке, запечатлевшая улыбающегося господина Флоренского, разбивающего на счастье о стену своего ночного клуба бутылку шампанского.

Казалось, величественное трехэтажное здание сейчас в последний раз дрогнет и рассыпется, как карточный домик, — настолько чудовищным оказался взрыв!

Леонид Александрович, на которого нельзя было смотреть без содрогания — волосы дыбом, лицо бледное как полотно, глаза выпучены, челюсть отвисла, — громко охнул, протяжно, отчаянно взвыл, как получившая пинок под брюхо брехливая собачонка, запустил скрюченные пальцы в шевелюру и начал раскачиваться взад-вперед, уподобившись хасиду на молитве.

Убедившись, что приобретенная в Чечне интуиция его, к сожалению, не подвела, Юрка дважды глубоко вздохнул, дрожащими руками прикурил сигарету, с неприязнью посмотрел на пребывающего в шоке отца и сказал:

— Ну, вот ты и дождался, папа... Как видишь, Гитлер не блефовал, а я не ошибся.

Слыша звон в ушах, он нетвердой походкой, покачиваясь, покинул кабинет. Ошалевший, но адекватно отреагировавший на ситуацию охранник Антон мельком заглянул в дверь и, убедившись, что с боссом ничего не случилось, поспешил за Юркой вниз.

Игровой зал казино практически не пострадал. Только вдребезги разлетелась зеркальная стойка бара, лопнули софиты на сцене, вылетели стекла окон. Визжали в панике зареванные уборщицы, колыхались от сквозняка тяжелые бордовые шторы на пустых оконных проемах.

Кошмар притаился ниже.

Спустившись по парадной лестнице старинного особняка туда, где еще недавно встречал гостей просторный красивый холл, где стояли скульптуры, раскидистые пальмы в кадках и журчал фонтан со стерлядкой, Юрка и Антон увидели страшную картину: первый этаж был начисто уничтожен взрывом, превратившим его в огромную, заполненную пылью и едким дымом зияющую дыру. На оплавленном асфальте у тротуара образовалась воронка глубиной полметра, повсюду валялись куски покореженного до неузнаваемости автомобильного кузова, а сквозь рассеиваемые свежим ветерком с Невы клубы дыма проглядывали пустые глазницы дома, стоявшего на противоположной стороне переулка.

— Это уже не шутки, — сдавленно прошептал секьюрити, растерянно созерцая последствия направленного взрыва. — Это — война.

Бродя вместе с Антоном и оглушенным, в окровавленной одежде, дежурным охранником Ильей, вовремя не обратившим внимания на колымагу-убийцу, по тлеющим развалинам в поисках пострадавших от теракта, Юрка разглядел в груде кирпича, смятого взрывом алюминиевого профиля и битого стекла татуированную руку со скрюченными пальцами. А когда сообразил, кому именно принадлежит эта клешня, с холодной пустотой в душе подумал, что теперь, после ужасной смерти Крестового Бати и двух его телохранителей, не успевших дойти до своего бронированного лимузина, у отца появятся проблемы куда более серьезные, чем неизбежные разборки со спецслужбами, восстановление гранитного фасада «Полярной звезды» и поиски организатора взрыва — отомстившего за гибель братков беспредельщика по кличке Гитлер. Психа, которому уже нечего было терять, кроме собственной шкуры.

Глава 32

До позднего вечера оцепленное спецслужбами и милицией место взрыва радиоуправляемой бомбы напоминало растревоженный муравейник. Зеваки выстроились в шеренгу вокруг желтых ленточек. Милиция и странно похожие друг на друга люди в черных жилетах с надписью «ФСБ» на спине были повсюду. Они, непрерывно переговариваясь по рации, кучками стояли снаружи, у огороженной по периметру огромной обугленной дыры в фасаде, рылись в кирпично-стеклянных завалах, допрашивали всех, кто находился в особняке в момент взрыва, и в сопровождении угрожающе рычавших псов шастали по помещениям казино с гордо задранными носами и таким сосредоточенным видом, словно искали вторую заложенную террористами бомбу. Офицеры некогда могущественной «конторы», заметно прибавившей в весе и авторитете после смены власти в Кремле, вообще вели себя в клубе по-хозяйски. Как их предшественники в не такие уж давние времена. Милиционеры в форме явно не претендовали на главную роль и занимались лишь обеспечением порядка, следя за тем, чтобы зеваки и слетевшиеся на грохот взрыва, словно стервятники на падаль, журналисты не проскочили за оцепление.

...В третий раз повторив свои показания плечистому близорукому человеку в штатском, представившемуся как старший лейтенант Баринов, Юрка устало поднялся со стула и вышел из кабинета отца, временно превращенного сыщиками в комнату для допросов. В прокуренном холле, перешептываясь, маялись в ожидании своей очереди два охранника и несколько человек из обслуги казино. Чуть поодаль, в стороне от остальных, стоял у окна рослый малый Володя по прозвищу Ферзь — телохранитель, в связи с чрезвычайными обстоятельствами приставленный к Юрке шефом службы безопасности Лакиным.

Отца в сопровождении сразу трех телохранителей и адвоката, срочно примчавшегося в клуб после теракта, почти пять часов назад увезли на беседу в Большой дом — на Литейный проспект, четыре, где он пребывал до сих пор. Покидая свое разгромленное заведение, Леонид Александрович, не на шутку озабоченный обещанной Гитлером личной расправой, принял решение не играть в непонятки, а частично поведать органам правопорядка о наезде беспредельщика, разумеется даже не упоминая, а если что — полностью отрицая факт кровавой разборки боевиков Руслана с шестерками Гитлера. Поэтому Юрка, юридически совершенно посторонний для бизнесмена Флоренского человек, представился рядовым сотрудником службы безопасности и легко, без малейшей запинки три раза подряд в деталях описал проводившему допрос дотошному, постоянно перебивавшему и пытавшемуся поставить его в тупик каверзными вопросами сыщику, как утром увидел у дверей клуба странное авто, как водила разыграл целый спектакль с поломкой, дошел до проспекта и отчалил на быстром темно-синем БМВ, как он, исполняя свой служебный долг, немедленно сообщил хозяину о своих подозрениях и как буквально минуту спустя грянул чудовищной силы взрыв. И взрыв этот не имел ничего общего с предупреждением, а наверняка задумывался как сокрушительная акция возмездия за категорический отказ коммерсанта платить дань отморозкам, что не редкость для ранней стадии развития отечественного капитализма.

По окончании длившейся больше часа изнурительной беседы «под протокол», когда Юрка скрепил свои показания подписью, очкарик старлей записал его адрес, номера квартирного и сотового телефонов и отпустил на все четыре стороны «до особой необходимости», на всякий случай взяв подписку об ответственности за дачу ложных показаний и настойчиво посоветовав не покидать пределы Питера как минимум ближайшие трое суток.

— Братан так и не появлялся? — на всякий случай спросил Юрка у Ферзя, когда они вышли из холла на лестницу. Тот, угрюмый молчун по жизни, отрицательно покачал головой. Руслан словно в воду канул, и с самого утра от него не было никаких вестей. Поднятые отцом по тревоге и готовые ринуться на расправу с Гитлером боевики зондеркоманды, вооруженные волынами и гранатами, все как один в бронежилетах, числом семеро, сейчас сидели в двух машинах с тонированными стеклами неподалеку от заградительной ленты и ждали только одного — приказа начать войну.

— Где же его, мудака, черти носят?! — кусая губы, пробормотал Юрка, в десятый, наверное, раз набирая номер мобильника брата, и снова услышал в ответ длинные протяжные гудки. Трубка была подключена, связь работала, только ее никто не брал. Словно Руслан, как это уже было пару раз, забыл ее в машине. У него имелся при себе еще и пейджер, обычно используемый для обмена сообщениями с бойцами и одновременного скорого оповещения. Юрка уже трижды посылал на него сообщение о теракте и требование срочно прибыть к клубу для консультации и выработки плана действий. Но брат словно в воду канул, и по мере того, как стрелки часов неумолимо отсчитывали все новые и новые минуты, неприятное предчувствие свершившейся беды усиливалось...

Но не успел Юрка отключить телефон после безуспешной попытки связаться с братом, как он сразу заморгал кнопками и залился мелодичной трелью, а на дисплее высветился незнакомый номер.

— Кажется, у нас снова гости... — тихо пробормотал Юрка, переглянулся с Ферзем и приложил янтарную трубку к уху. — Слушаю! Алло!

Однако он ошибся.

— Это я, Малыш, — донесся искаженный сильными помехами голос брата. — Что, небось потеряли меня?

— Мягко говоря, если без мата. Короче, ты уже в курсе? — вздохнув с облегчением, осведомился Юрка. — Насчет сюрприза от Гитлера?!

— Ну, не в тайге живем, — подтвердил свою информированность о теракте Руслан. — Так было нужно, чтобы я на время исчез. Поэтому, кстати, и пейджер отключил, и с трубочки другой, запасной, тебе набираю. В общем, братан, слушай и запоминай, — заговорил на полтона тише Руслан. — Я вычислил Гитлера и его нынешнее логово. Как — расскажу потом. Это в дачном поселке «Трансмаш», неподалеку от СИЗО, в Горелове. Пятеро быков и сам фюрер, сука! Все на месте! Одним словом, нельзя упускать такой шанс! Наши, как я понимаю, уже давно в сборе?

— Правильно понимаешь, — нахмурился Юрка, уже поняв, что произойдет в ближайший час, если он сейчас же не вмешается и не остановит грядущую мясорубку. — Слушай, не торопись. Отец решил рассказать ментам про Гитлера, легавые частично в курсе, вот пусть теперь фюрером и его бандой и занимаются. Я сообщу куда следует из телефона-автомата, анонимным звонком. Спецназ будет там через полчаса и возьмет всех, без единого выстрела!

— Ага, а эти шакалы на допросе в ментовке сделают круглые глаза и с честными рожами скажут, что впервые слышат и про казино и про взрыв! Нет уж, за эту бомбочку, Кулибин гребаный, он у меня ответит по полной программе, пожалеет, гнида, что на свет родился! На этот раз я ему лично гланды вырву, отрежу хер и заставлю сожрать! — распалялся, но на удивление вяло и как-то странно Руслан. — Надеюсь, ты не станешь, братила, стучать мусорам и приедешь сюда вместе с пацанами?! Поучаствуешь наравне со всеми нами в акте возмездия... Или уже в штаны наложил от страха, а, Малыш?.. За памперсом сгонять?!

Брат явно подначивал его, пытаясь поддеть побольнее и хоть частично выплеснуть злость за вчерашнюю Юркину зуботычину, за сияющий у него на скуле багровый кровоподтек, за конфликт, едва не закончившийся для одного из них серьезной трепкой.

— Ты делаешь большую ошибку, брат, — стараясь говорить как можно тверже и убедительнее, попытался остановить Руслана Юрка. — К чему подставлять пацанов, если можно решить вопрос с помощью спецназа?!

— Я их не подставляю, а даю возможность продемонстрировать свою преданность и, натурально, отработать те баксы, которые они хавают по два косаря в месяц на рыло! — не унимался Руслан. — Ладно, мне некогда здесь с тобой базарить, время дорого! Учти, попробуешь стукануть ментам — я тебя повешу на ближайшем столбе. Короче, ты едешь с пацанами на разбор, ветеран долбаный, или я звоню прямо Лешему на трубу?!

— Закрой пасть. Я еду, — поняв, что отговорить брата от намеченной расправы все равно не удастся, сквозь зубы прошипел Юрка. — А столб я тебе потом припомню, Одноглазый, — намекнул он на вчерашнюю стычку и бланш на лице Руслана. — Диктуй адрес!

— Значит, так, едешь по Таллинскому шоссе до указателя на Горелово, сворачиваешь налево и дуешь вперед до института. Там направо и дальше по главной до тех пор, пока слева не увидишь бетонный забор. Первые ворота проезжаешь, въезжаешь во вторые. Там сразу направо до второй развилки, а потом налево до конца. Деревянная двухэтажная дача-сруб, на самой окраине, возле леса. За забором из сетки. Перед домом — три тачки, все БМВ. Наверху окно светится. Тут еще баня рядом, короче — не ошибешься... Остановитесь с пацанами напротив недостроенного кирпичного коттеджа, возле кустов сирени. Я подойду к вам, выходим тихо из машин, а дальше... На месте объясню. Запомнил, как добираться? Если что, Леший этот кооператив знает, у него тут дед знакомый живет, коноплю в теплице выращивает.

— Без шестерок разберемся, — ответил Юрка и прервал связь.

— Чуяла моя жопа, ничем хорошим этот день не закончится. Пятое лунное затмение в году! — нахмурился, скривил губы, но не проявил особого страха долговязый Ферзь, когда Юрка вкратце пересказал ему диалог с братом. — Ну, тогда что, валим, командир? Типа — «и бесстрашно отряд поскакал на врага»?

— Да, поехали... — кивнул Юрка.

Он хотел было перезвонить отцу и сообщить об экстренном визите его персонального спецназа в логово подонка Гитлера, но, вспомнив, в каком именно, отнюдь не располагающем для конфиденциальных разговоров по телефону, питерском заведении находится сейчас Леонид Александрович Флоренский, передумал и первым сбежал по узкой служебной лестнице на второй этаж казино...

Отступать было поздно... Юрка вдруг поймал себя на мысли, что главную роль в его согласии участвовать в разборке, когда он уже твердо решил уйти из зондеркоманды, сыграло отнюдь не подсознательное желание сполна рассчитаться с Гитлером, пусть косвенно, но ставшим причиной вчерашней трагедии на Выборгском шоссе, и не стремление выместить на беспредельщике и его «торпедах» всю накопившуюся за месяц злость, а именно подначка умело сыгравшего на его болезненном самолюбии и гордости братца. После столь откровенного вызова и оскорбительного упоминания о памперсах уйти по-английски, проглотив язвительную плюху, не представлялось возможным. Братан, сволочь по жизни, прекрасно знал, что делал и чего добивался...

Покидая казино через пролом в стене и направляясь к автомобилям с боевиками в сопровождении осторожно озирающегося, не вынимающего рук из карманов куртки бодигарда, Юрка понял: прежде чем он навсегда покинет «Полярную звезду», разборка, с первого дня назревавшая между ним, пришельцем из иного мира, и Русланом, увы, практически неизбежна. Что ж, он готов к ней. Как только с Гитлером и его отморозками будет покончено, придет время объяснить брательнику, насколько он был не прав...

Глава 33

Когда Леонид Александрович Флоренский, одурев от многочасового допроса, ответив на сотни самых различных вопросов и рассказав сыскарям все, что знал о Гитлере и его банде, наконец вышел из Большого дома на Литейном — совместного офиса питерских ГУВД и УФСБ, то сразу же отпустил ненужного более козлобородого личного адвоката Свербицкого, сел за руль «ягуара» и, не глядя на хвостом мелькающий позади лимузина джип с охраной, поехал. Но отнюдь не в казино, а на набережную левого берега Невы.

Там, на противоположной от известного изолятора Кресты стороне, его уже битых три часа поджидал со срочным донесением Классик — не так давно вышедший на пенсию специалист по электронной разведке, не раз выручавший Флоренского в щекотливых ситуациях и помогавший быть в курсе происходящего за толстыми стенами чужих квартир, домов и за стеклами роскошных авто. Классик, в обязанности которого в данный момент входила прослушка квартиры на Богатырском, где жил и встречался со шлюхой Клио Юрка, вышел на связь еще утром, сообщив о появившейся у него любопытной информации. Но взрыв бомбы у входа в «Полярную звезду» и последующая карусель отодвинули встречу с заказчиком на поздний вечер...

Остановив ручной сборки бронированный «ягуар» позади бежевой «шестерки», одиноко стоявшей у памятника жертвам репрессий, Флоренский поморгал фарами. Из замученной отечественной моторашки тут же вылез простенько одетый неприметный мужичок и, привычно оглядевшись по сторонам, юркнул в мягкий кожаный салон роскошной иномарки, угнездившись рядом с заказчиком.

Пожав руку Флоренского, Классик достал из кармана потертого пиджачка портативный, не более пачки сигарет, цифровой диктофон, положил его на панель и поведал, не скрывая удовлетворения:

— Девчонка его все-таки расколола, Саныч! Профессионалка, нечего сказать! Лет десять назад наша контора ее бы уже давно на крючок посадила, а сейчас... столько толковых агентов пропадает!

— Как видишь, не пропадает, — огрызнулся бизнесмен. — Включай, у меня мало времени, — недовольно поморщился Флоренский. — Слыхал, наверное, новости?!

— Земля слухами полнится, — хмуро подтвердил специалист по электронному шпионажу и, более не отклоняясь от темы встречи и не считая своим долгом комментировать происшедшее, нажал на диктофоне кнопку воспроизведения.

Из крохотного невидимого динамика полился возбужденный, злой, срывающийся на шипение голос Юрки:

— ...Я понял это только вчера, когда увидел кровь на детском платьице. В этом долбаном и продажном мире нет и быть не может такого казино, такого бизнеса, которые лично для меня стоили бы дороже, чем жизнь одной маленькой девочки! Понимаешь или нет?!

— Сколько идет вся запись? — потвердев лицом, спросил Флоренский, бросив мрачный взгляд на Классика.

— Если отбросить секс и всякую болтовню, то меньше двадцати минут, — словно ожидая этого вопроса, с готовностью ответил технарь. — Отмотать на начало?

Леонид Александрович кивнул, торопливо достал пачку сигарет и закурил.

В течение всего времени, пока шло воспроизведение, Леонид Александрович не проронил ни слова. Когда пленка кончилась и Классик, отключив диктофон и вынув из него кассету, вопросительно взглянул из-под бровей на заказчика, Флоренский тихо прошипел:

— Да, это уже кое-что. Эта тварь Клио действительно не только лоханкой, но и языком хорошо работает. — Леонид Александрович долго, пытливо разглядывал специалиста сквозь сигаретный туман, словно взвешивая в уме некую комбинацию. Принял окончательное решение и, умышленно отвернувшись от Классика и вглядываясь через ветровое стекло куда-то вдаль, сказал:

— Только незачем всяким лярвам знать подробности такого гнилого дела. Перестрелка, трупы, утопленный джип, раненый ребенок... От таких знаний постороннему человеку — тем более всякой гостиничной пробляди — одна маета да беспокойство. А ты сиди потом и гадай, шепнула она кому-нибудь по секрету или нет. Лучше сразу, пока не поздно, позаботиться, чтобы дальше этого, — Флоренский ткнул пальцем в кассету, — информация не просочилась... Понимаешь, Виктор Палыч, о чем я? Помнится, ты говорил и про другие свои способности, имевшие место в бытность гэбэшную. Думаю, самая пора их вспомнить...

Крестный отец недвусмысленно сдвинул брови и окатил Классика холодным взглядом. В зрачках Флоренского явственно плескалась смерть. Спорить было бесполезно.

— Клио должна пропасть без вести? — понимая, что отказываться от навязываемой мафией мокрухи — себе дороже, покорно уточнил технарь. Ему снова, как в былые времена, предстояло стать убийцей. Правда, объект ликвидации на сей раз — легче не бывает. Замочить проститутку, у которой в Питере ни родственников, ни влиятельных покровителей, — как два пальца обмочить. Сложностей не возникнет...

— Лучше самоубийство или несчастный случай, — сухо сказал Флоренский. — Вместо обещанной суммы получишь вдвое больше. Но завтра утром, сразу по исполнении... Впрочем, я не настаиваю. Если тебе не нужны деньги, Палыч, скажи, я найду другого исполнителя. Без проблем и без комментариев.

— Мы друг друга поняли, Леонид Александрович, — сдержанно улыбнулся Классик. — К утру сладкая давалочка будет мертвее Тутанхамона. Я что-нибудь придумаю, чтобы у ментов даже зацепки не возникло.

— Вот за что я уважаю старую гвардию, так это за смекалку, — надменно кивнул Флоренский. Давая понять, что разговор окончен и тема исчерпана, «честный бизнесмен» небрежно взглянул на массивный наручный «роллекс» с бриллиантами, вздохнул и положил волосатую лапу на рычаг переключения передач.

Через двадцать секунд тупорылая «шестерка», оставив после себя облако едкого бензинового дыма, уже исчезла за ближайшим поворотом.

Леонид Александрович некоторое время сидел неподвижно, потом, грязно выматерившись, нервно воткнул первую скорость и погнал машину по вечерним улицам к клубу.

Когда кортеж прибыл к «Полярной звезде», Юрки и зондеркоманды уже и след простыл. Номер Руслана, как и весь день, не отвечал, зато Малыш, которому удалось дозвониться с первой попытки, неожиданно сообщил Флоренскому новость, пролившую целительный бальзам на душевную рану игорного воротилы:

— Едем в гости к фюреру, с подарками! Этот засранец Руслан каким-то чудом вычислил его новое лежбище и сейчас ждет в засаде... Пожелай нам удачи, отец.

— Удачи, сынок. Если подфартит— попробуйте взять этого урода живым, — с трудом сдерживая эмоции, хрипло выдавил Флоренский.

По дороге в клуб он сам для себя уже все окончательно решил: с гордым, независимым Юркой, не оправдавшим его ожиданий, с ходу невзлюбившим Руслана, на дух не выносившим все то, чем ему приходилось заниматься в зондеркоманде, и в конце концов до дна «протекшим» перед подстеленной под него проституткой-раскрутчицей, — с этим Юркой, увы, придется кончать. Оперативно и конкретно, как с Клио.

Решил и мгновенно поймал себя на мысли, что, подписав родному сыну смертный приговор, не испытывает по этому поводу никаких угрызений совести. Словно с первого дня Юркиного появления в городе подсознательно был готов к такому не похожему на голливудский хеппи-энд грустному финалу почти киношной истории. А иначе зачем он поселил сына под прослушкой, на Богатырском проспекте, зачем отслюнил путане две тонны зеленью за ковыряние в Юркиных мозгах?.. Значит, сколько он ни пытался заставить себя относиться к этому свалившемуся как снег на голову ершистому пацану так же, как к Руслану, ничего не получилось. И вообще из-за этого морпеха одни проблемы. Начиная от махаловки с Душманом и заканчивая вчерашней стычкой у расстрелянного джипа «чероки». Пора с этим дерьмом кончать...

Воротила окончательно понял, что его внебрачный сын от случайной любовницы, о которой он в течение двадцати лет ни разу не вспомнил, так и остался для них, Флоренских, чужаком, инородным телом. В этом пацан не ошибся, откровенничая перед Клио. Не получилось у него второй семьи! Не увидел он питерского серого неба в халявных алмазах!

Что ж, такая у тебя хреновая судьба, парень...

— А не получится взять падлу живым, — продолжал наставлять Леонид Александрович, — разнесите там все к чертовой матери! Но главное — не лезьте на рожон, берегите себя, парни...

И тут Флоренского осенило. Он вдруг подумал, что было бы как нельзя кстати, если бы Юрка погиб уже сегодня, в перестрелке с окруженной бандой Гитлера.

«А ведь это действительно самый козырный вариант!»— молнией полыхнуло в гудящей от напряженной умственной деятельности лысеющей голове крестного отца.

— Знаешь что, сынок, дай-ка мобилу Ферзю, я скажу ему пару слов,— ласково попросил Юрку Леонид Александрович.— Напомню этому борову, что за твою безопасность он отвечает задницей...

— На, это тебя, нянька, — усмехнувшись такой странной просьбе отца, Юрка сунул сотовый телефон шкафообразному двухметровому бодигарду из личной охраны Флоренского, сидевшему рядом с ним на заднем сиденье огромного «ниссана-патрола», который в эту минуту стремительно летел по Таллинскому шоссе в сторону Горелова.

— Я, босс,— доложился Ферзь в трубку.

— Слушай меня внимательно, Володя, и сделай вид, что я тебе вдуваю в уши пургу! — услышав знакомый басок накрепко повязанного кровью телохранителя, сдавленно рявкнул Леонид Александрович.— Сделаешь все в точности так, как я скажу, — по возвращении сразу получишь десять штук баксов!..

«И разрывную пулю в башку»,— мысленно продолжил фразу Флоренский.

Еще в середине восьмидесятых начинающий мафиозный делец Леня по прозвищу Хитрый раз и навсегда понял, что в любом мокром деле нужно обрубать концы и не оставлять следов. Значит, сильный, тренированный, но глупый от природы Ферзь, которому предстояло незаметно для остальных боевиков чужим оружием выполнить приказ босса, был обречен с этой самой секунды.

Дальновидный Леонид Александрович никогда не ценил жизни телохранителей и рядовых боевиков, прекрасно зная, что на освободившееся вакантное место в зондеркоманде отыщется целая толпа визжащих от радости безмозглых молодых и не очень молодых амбалов, которым не терпится стать полноценным братком, сесть за руль не первой свежести иномарки, обрить голову, навесить на шею тяжелую голду и, махая распальцовкой, кончать двадцать четыре часа в сутки от сознания своей крутости и принадлежности к «правильным» пацанам. Как сказал егерь Кузьмич в популярном фильме: «На Руси, слава Богу, дураков еще лет на сто припасено!» А значит, ни у бандитских группировок, ни у подчиненных большому бизнесу частных охранных структур проблем с набором беспринципных, готовых ради сытной жратвы и короткой вольготной жизни на любую гнусность рекрутов явно не ожидается... Вот и ладушки.

Глава 34

Тягостное ощущение необъяснимой неправильности, если можно так выразиться— притянутости за уши всего происходящего не оставляло Юрку на протяжении всей дороги от разгромленного Гитлером ночного клуба до затерянного на самой границе мегаполиса дачного поселка «Трансмаш».

Куря одну сигарету за другой и разглядывая застывшие в предвкушении кровавой мести суровые лица боевиков, нервно перекидывающихся плоскими остротами, он снова и снова прокручивал в памяти их телефонный разговор с Русланом, пытаясь вспомнить фразу, насторожившую его, фразу, на которую он в запарке не обратил внимания, но которая отложилась в дальнем уголке сознания и теперь не давала покоя, словно оставленный включенным дома, за тысячу верст от солнечного Сочи, проклятый утюг...

Когда измазанные в дорожной грязи джипы преодолели глубокую лужу перед настежь распахнутыми металлическими воротами дачного поселка и въехали на чавкающую насыпную грунтовку, Юрка понял, что отпущенное ему на размышление время, увы, истекло, и теперь придется действовать по обстановке...

С каждым из восьми вооруженных до зубов боевиков, включая Ферзя, он уже общался раньше и знал, что только двое — высокий сухопарый Леший и его полная противоположность, скуластый низколобый коротышка Годзила, до того как начать быковать на «семью», успели всерьез нюхнуть пороху. Но если Леший, разменявший четвертый десяток, воевал в Афгане, то на долю более молодого Годзилы выпала стремная роль лебедевского «миротворца» в Приднестровье. Так или иначе, но опыт реальной войны оба имели.

Оставшиеся пятеро боевиков, не считая Ферзя, успевшего отучиться три курса в стокгольмской Школе безопасности и с позором изгнанного за пьяную драку, воспитывались двором, улицей, шпаной, и их навыки ограничивались кабацкой махаловкой, бандитскими тёрками-разборками и так полюбившимися садюге Руслану неоправданно жестокими расправами над разными «терпилами» и «лохами». Контингент отвязанный, блатной, но в серьезных делах ненадежный. Понтов много — мозгов мало...

Значит, на ходу мыслил Юрка, в задуманной им акции прикрытия с гарантией положиться можно только на Лешего и Годзилу. Главное, чтобы привыкшие во всем слушаться старшего брата мордовороты не взбрыкнули и подчинились ему...

— Витек, тормозни вон у той недостроенной садюги, перед поворотом,— тоном, не терпящим возражений, приказал Юрка водиле— бритому под Котовского суетливому сутулому пацану по прозвищу Пуля.— Есть одна тема, надо подстраховаться...

— Как скажешь, Юрец,— кивнул браток, сбросил и без того черепашью скорость, с которой джип полз по узкой хлюпающей дороге.— Пока брательника нет, ты, в натуре, здесь главный...

«Патрол», дернувшись на раскисшей от дождей колее, остановился на краю поросшей кустарником дренажной канавы. Как и во многих районах Питера, почвы здесь были сплошь глинистые, сырые, и канавы между секторами дачного поселка становились такой же необходимостью, как насыпанная поверх грунта щебенка.

Идущий следом второй джип с пацанами, корейский «киа», в котором ехал Леший, недовольно заурчав мотором, остановился в шаге от заднего бампера «патрола».

— Годзилыч, ты со мной,— коротко скомандовал Юрка, поймав на себе настороженный взгляд приставленного отцом Ферзя. Открыв дверь, он выпрыгнул наружу.— А вы все, как договаривались, кáтите до тупика, пока не покажется коттедж за забором из рабицы, и ждете нас там. Надо оглядеться. Если вдруг лажа — знаете, где у волын курки...

— А то!— осклабился сидевший рядом с Пулей вечно улыбающийся лопоухий и чернявый татарин Микки-Маус.— У меня уже грабки чешутся разрядить в эту плесень подъяичную весь рожок!— и весельчак потряс автоматом «узи» с накрученным на ствол глушителем.

— Успеешь, не волнуйся,— усмехнулся Юрка. Для сменившего Душмана Микки-Мауса, еще недавно обиравшего торгашей на вещевом рынке «Юнона», это был первый боевой выезд. Руслан взял его в команду по просьбе отца. Парень приходился племянником начальнику охраны казино Лакину, буквально рвался в бой и явно тосковал, день за днем выполняя нудную работу шестерки у «казанских».— Смотри только в штаны не наделай от страха...

— Не ссы, не подведу,— пообещал татарин.

— Я иду с вами,— поколебавшись секунду, деловито заявил Ферзь, уже собираясь покинуть джип вслед за Годзилой. Однако Юрка смерил навязанного ему Флоренским «хвоста» уничижающим взглядом и гневно прошипел:

— Сиди здесь, Вован. Не болтайся под ногами. Зона твоей ответственности закончилась перед воротами. Пошла другая опера. Со мной идут только ветераны— Леший и Годзилыч.

Не найдя вразумительного контраргумента, бодигард недовольно прикусил губу и повалился обратно на заднее сиденье, скользнув по шустрому ветерану чеченской бойни черными и блестящими, как пуговицы, настороженными глазами.

С момента получения в высшей степени странного и повергшего его в кратковременный шок приказа от Флоренского Ферзь не мог думать ни о чем, кроме обещанных за убийство этого бакланистого вологодского выскочки десяти тысячах долларов, и даже уже прикинул, на что потратит столь громадную сумму в валюте. Для начала он, разумеется, воплотит в жизнь свою давнюю мечту и купит себе черный БМВ пятой серии, а потом... Дальше Вован еще не придумал, и это его угнетало. Мысли о деньгах отвлекали от выполнения поставленной задачи. Впрочем, время действовать пока не наступило и выстрелы еще не прозвучали...

— В чем дело?— из приоткрытой двери «киа» показалась голова Лешего. Он был встревожен непредвиденной остановкой и заметно нервничал.

— Выходи, пойдем оглядимся,— кивнул ему Юрка.— Скажи рулю, пусть едет за нашей тачкой, как договаривались...

Нырнув назад в салон и накоротке переговорив с остающимися в джипе боевиками, Леший выпрыгнул на раскисшую глинистую землю и, следуя жесту Юрки, перепрыгнул через заполненную водой канаву и скрылся за углом протянувшегося вдоль нее дощатого забора...

Пока джипы с боевиками, переваливаясь с колдобины на колдобину, друг за другом ползли по грунтовке к условленному месту, где зондеркоманду должен был ждать Руслан, наблюдающий за облюбованной боевиками Гитлера дачей, вооруженные одним пистолетом, тремя автоматами и парой гранат Ф-1 Юрка, Леший и Годзила, прижимаясь к земле, прячась за постройками, перемахивая через ограды и меся ногами серую жижу, приближались к точке рандеву.

— Думаешь, наклевывается какая-нибудь лажа?— поинтересовался Годзила.

— Черт его знает,— нахмурился Юрка.— Странно как-то брательник со мной разговаривал... А может, показалось.

— Перекрестись,— ухмыльнулся Леший, вслед за Юркой пролезая через дыру в очередном заборе.— Я думаю, все ништяк. Русел на моей памяти еще ни разу не облажался...

Перепрыгивая через канаву, Леший неожиданно поскользнулся, упал и, тихо матерясь, на брюхе сполз вниз по отвесному склону в мутную воду, окунувшись в нее по самые яйца. Выбраться удалось только при помощи спутников — непреодолимым оказалось для бывшего шурави плёвое на вид, но чересчур скользкое препятствие. Слава Богу, канава была не глубже метра...

На вызволение Лешего была потрачена драгоценная минута, о которой очень скоро пожалели.

Уже приблизилась плотная стена леса за бетонным ограждением поселка, а обещанного двухэтажного коттеджа с баней все не было. Большинство участков лишь недавно отвоеванной у леса территории бывшего танкового полигона находилось еще в стадии разработки, и, несмотря на летнее время, дачников в этой части поселка, состоявшей в основном из заборов, пней и редких доведенных до крыши временных построек, практически не было...

— Упали! — сдавленным шепотом вдруг скомандовал Юрка, когда они выскользнули из-за бревенчатого сруба — самого высокого строения в округе, и первым рухнул на землю там же, где стоял.

Джипы, которые практически все время находились в поле зрения предпринявшей скрытный обходной маневр группы, вынужденно остановились возле прорытой поперек грунтовки траншеи, рядом с которой лежала приготовленная к закладке секция бетонной дренажной трубы. Метрах в семи позади проехавших вперед внедорожников стоял на куче песка экскаватор.

— Не нравится мне все это, — словно прочитав Юркины мысли, тихо пробормотал Годзила, притаившийся с автоматом за кучей зачем-то привезенного хозяином сруба битого кирпича.— Дерьмом несет за километр. Не мог он проглядеть эту траншею, не мог!.. Тут даже развернуться негде, вот сука!

— Без паники, братва, может, еще обойдется,— припадая к автомату, как к снайперской винтовке, не слишком уверенно буркнул Леший, судя по тону, явно разделявший опасения Годзилы. — Я в Афгане еще не в такие духовские засады попадал и, как видите, жив-здоров...

— Видали мы, как ты из засады выбираешься!— даже в столь поганой ситуации не удержался от подначки Годзила и нервно хихикнул, зловеще оскалив пасть.

— Дупло прикрой!— огрызнулся Леший.— По сторонам лучше смотри, остряк хренов!

Юрка, с ходу оценив обстановку, в которую попали джипы, как критическую, выхватил из нагрудного кармана телефон и стал торопливо давить на кнопки. Не без толики облегчения заметил, что стоявший вторым «киа» уже включил задний ход и медленно, рискуя угодить колесом в канаву, начинал сдавать обратно к развилке...

— Вот видишь, все пучком! — Леший с облегчением отпрянул от оружия и уже собирался подняться на колени. — Никакой на фиг подста... — и тут же заткнулся на полуслове, увидев, как быстро сполз с кучи песка на дорогу до сих пор стоявший неподвижно гусеничный экскаватор.

— Хана, бля! — хрипло вырвалось у Годзилы, лицо которого мгновенно перекосило гримасой ужаса...

Не успел раствориться в воздухе последний произнесенный коротышкой звук, как из-за колеса строительной автобытовки-фургона, стоявшей по другую сторону грунтовки, вдруг выстрелили из ручного гранатомета «муха» и сверкающая дымная полоса настигла пятившийся вторым «ниссан», в котором находились Ферзь, Пуля и Микки-Маус. Громыхнуло так, что заложило уши, а жаркая ударная волна облизала лица. Там, где только что находился джип, в небо взметнулся огромный, метров пять в высоту, столб огня...

Не прошло и двух секунд, как вслед за первым раздался второй выстрел и рядом появился факел-близнец, поглотив в своем раскаленном чреве взвизгнувший буксующими колесами «киа». Шестеро боевиков — практически вся зондеркоманда — погибли на месте, так и не успев до конца понять, что произошло...

— Не стрелять, бля! — чужим, задушенным голосом успел крикнуть Юрка, остановив собравшегося уже заполошно давить на курок Годзилу, — тот резко повернул голову и посмотрел на него взглядом безумца. — Пусть они считают, что мы — там... — сглотнув давно уже пересохшую слюну, с трудом выдавил из себя Юрка, в голове которого словно стучал паровой молот, в желудке шевелился скользкий тошнотворный комок, а перед глазами плясали темные пятна. — А мы здесь. Живые. С оружием. Въехал?!

— Я твой должник, Юрец, по гроб жизни, — не поворачивая головы и не отрываясь от автомата, глухо обронил Леший. — Спасибо, что вытащил из тачки, иначе... Сейчас мы их всех, уродов, положим! Пускай только высунутся!

— Я тоже твой должник, земеля, — вздохнул Годзила, плотно сжав побелевшие как простыня губы. — Выходит, Руслан у них в заложниках и этот пидер заставил его вызвать нас, вместе с тобой, сюда, на верную смерть?! А он, тварь, нагадил в штаны и подписался... Вот мусор!

— Хуже, — брезгливо выплюнул Леший. — Ничего, был бы жив, крыса проклятая, а там разберемся! За все хорошее... И папа не поможет. Гля, вон один, падла, в кабине!

— Где же ему еще быть, — логично заметил Годзила. — Знать бы еще точно, сколько их на той стороне попряталось, за кустами!

— Похоже, всего трое. Всех гасить нельзя, — пробормотал Юрка, пристально, до рези в глазах вглядываясь в мелькнувший в кабине экскаватора смутный силуэт, явно медливший, прежде чем подняться в полный рост. Не могло быть и речи о том, чтобы снять подонка с расстояния в двадцать пять—тридцать шагов одиночным выстрелом из пистолета или предназначенного для ближнего боя автомата «узи».

— Сделаем так, мужики... У меня есть нож. Я попытаюсь обойти их слева и взять живьем этого долбаного тракториста, а вы пробирайтесь вдоль забора к той чурке, — он махнул рукой на огромных размеров бревно, одиноко лежавшее на границе заросшего высокой травой участка, — и мочите гранатометчиков, как только те появятся из-за колес фургона. Зуб даю, Гитлер изначально был уверен, что хватит двух выстрелов по джипам, и вряд ли у гранатометчиков и у того, в кабине, есть серьезная подстраховка. Максимум — один снайпер.

— Ну, обрадовал, отец родной! — кисло ухмыльнулся Леший.

— А других вариантов у нас по-любому нет!.. Ништяк, Юрец, — согласился бывший приднестровский «миротворец» Годзила. — Мы, если что, очередями прикроем. У меня три рожка на поясе. Мало козлам не покажется!

— Ни пуха! — пожелал Юрке «воин-интернационалист» Леший, впервые с начала разборки пристально посмотрев ему в глаза и сдержанно кивнув. — За нас не волнуйся, братан, ни одна гнида не уйдет. Работай спокойно. Как там, за речкой... как ее... кажется, Аргун?

— Там много речек, — сухо обронил Юрка. — Если вдруг... короче, скажите отцу...

Рядом с Юркиным лицом, на уровне левого глаза, с визгом ударила в кучу битого кирпича и, выбив искру, отрикошетила в сторону ошибившаяся всего на какой-то сантиметр снайперская пуля.

По ту сторону грунтовки, значительно правее фургона, за пылающими, развороченными остовами двух джипов, в кустах черной рябины на сотую долю секунды вспыхнул и погас крохотный огонек.

Снайпер! На сей раз проклятый Гитлер предусмотрел почти все. Кроме разве что человеческой интуиции, вынудившей Юрку и двух бойцов покинуть джипы за минуту до их расстрела.

— Я засек его! — судорожно ткнув пальцем в точку выстрела, крикнул коротышка. По-волчьи оскалив зубы, Годзила вскинул «узи» и с перекошенным от злобы лицом полоснул по кустам длинной извилистой очередью, нажав на курок чуть раньше тоже открывшего пальбу Лешего...

Отсутствие на винтовке пламегасителя и острое зрение Годзилы сослужили снайперу плохую службу. Промахнувшись в первый раз, он не успел сделать больше ни единого выстрела и остался лежать на месте, с двумя багровыми дырками в голове...

Впрочем, это выяснилось гораздо позже.

А пока, пользуясь моментом, под прикрытием шквального автоматного огня Юрка оттолкнулся от земли, перекатился, броском достиг угла сруба и побежал вдоль забора к канаве, мечтая лишь об одном: успеть перехватить затаившегося в кабине экскаватора боевика...

Глава 35

Когда Юрке удалось по широкой дуге обойти соседний, с не выкорчеванными еще пнями участок, нырнуть в дренажную трубу, спиной вниз проползти под дорогой, подняв над головой автомат, по шею в грязной воде, и, оставаясь незамеченным, зайти в тыл засевшим под фургоном бандюганам и притаиться в непосредственной близости от экскаватора, перестрелка была уже в самом разгаре.

По прерывистому чахоточному стрекотанию автоматов Лешего и Годзилы, регулярно прерываемому затяжными глухими очередями со стороны «гитлеровцев», Юрка понял, что устроившие засаду боевики не поленились и кроме двух гранатометов «муха» на всякий случай прихватили с собой легкий ручной пулемет. Придавленные его огневой мощью к земле, Леший и Годзила не могли даже помышлять о том, чтобы высунуть нос из-за кучи битого кирпича, сменить позицию на более удобную и вести прицельную стрельбу. Вместо того чтобы вести наступательные действия, они были вынуждены тупо, примитивно обороняться, огрызаясь на свинцовый дождь короткими ответными сериями в паузах. Теоретически, в условиях того же превращенного в руины Грозного, при равном раскладе сил такая дуэль из укрытий могла продолжаться бесконечно, будь у сторон неограниченный боезапас. Но Юрка знал, через минуту-другую патроны у Лешего и Годзилы подойдут к концу и тогда у них, отделенных от пулеметчика слишком большим для броска гранаты расстоянием, останется только один выход — тихо отойти и раствориться... В общем, медлить было никак нельзя.

Юрка упал на живот и, невидимый за высокой травой, подполз сзади к забытому дорожными рабочими экскаватору, в кабине которого до сих пор сидел защищенный от пуль моторным отсеком боевик, на долю которого выпала ответственная задача перекрыть отход джипов и ждать окончания акции возмездия. Но скоротечная, как предполагалось, расправа — вот незадача! — неожиданно затянулась...

Убедившись, что из-под колес стоящего впереди автофургона его не видно, Юрка, стараясь не греметь ботинками по железу, взобрался на экскаватор и осторожно заглянул через заляпанное узкое окошечко позади сиденья в кабину.

И тут же, буквально лицом к лицу, встретился взглядом с резко обернувшимся, почуявшим за спиной какое-то неуловимое движение бритоголовым парнем лет двадцати пяти с покрытой отвратительной угревой сыпью продолговатой физией. Он сидел на корточках в нише под сиденьем и явно боялся собственной тени.

Направив пистолет на прыщавого, в котором узнал водилу роковой для «Полярной звезды» развалюхи, Юрка приложил указательный палец к губами и предостерегающе покачал головой, дескать, не шевелись, гнида. Затем едва заметно кивнул на дверь кабины: вылезай, и без фокусов. Приспешник бандюги фюрера сразу все понял. Подбородок его часто-часто задергался вверх-вниз, глаза выкатились из орбит и подернулись поволокой смертельного ужаса. Словно кролик, парализованный взглядом удава, прыщавый вывалился из кабины и, непрерывно оглядываясь через плечо на двигавшийся вслед за ним ствол «беретты», скользкой соплей сполз вниз, под траки, и затих, ожидая своей участи и надеясь на спасение. «Тракторист» справедливо посчитал, что раз его не застрелили сразу, то, возможно, не убьют и потом, и поэтому предпочел благоразумно не делать лишних движений и не привлекать внимания подельников истошным криком. Своя шкура, понятное дело, дороже тысячи, миллиона других...

— Сколько их? — коротко осведомился Юрка, прижав ствол к башке пленника и краем уха отмечая, что из-за кирпичной кучи доносится стрекотание всего одного «узи». Да и то явно истеричное, рваное, словно стрелок корчился в агонии и из последних сил давил на спусковой крючок.

— Т-трое, но Зыга, снайпер, кажется, уже все... — проглатывая звуки, сообщил прыщавый и, коротко охнув, кулем повалился на траву от не слишком сильного, но точного удара тяжелой пистолетной рукояткой по затылку.

Стрельба прекратилась внезапно, словно по команде невидимого режиссера. Сначала затих автомат, потом, чуть позже, выплюнувший еще три коротких очереди пулемет. Юрка едва успел затянуть на заломленных за спину руках прыщавого обрывок подобранной на полу кабины тонкой стальной проволоки, как пулеметная очередь прервалась и наступила томительная, гнетущая тишина. Оставив пленника наслаждаться нирваной, Юрка вновь упал на живот, подполз к краю экскаваторных траков и осторожно выглянул наружу...

От фургона, за колесами которого притаились боевики Гитлера, Юрку отделяло не больше десяти—двенадцати шагов, и он вскоре увидел, как оттуда осторожно вылез один из обломов — скуластый приземистый «полтора Ивана» с зажатым в клешне пистолетом ТТ. Пригибаясь, бивень метнулся через дорогу, мимо пылающих, искореженных «мухами» джипов, в направлении кучи битого кирпича. А следом, волоча не такой уж легкий ручной пулемет, выбрался рослый и поджарый вахлак с лысой башкой, в измазанном грязью зеленом спортивном костюме «пума». Двигаясь чуть позади подельника, он был готов при первой необходимости полоснуть очередью по высунувшемуся из-за укрытия противнику.

Оба облома действовали хоть и бесстрашно, но так топорно, что Юрка сразу понял: ни один из них никогда не был на настоящей войне...

Не поднимаясь с земли, не отрывая взгляда от вжавших головы в плечи братков, Юрка ящерицей прополз вперед, до бугра, образовавшегося из вычерпанной ковшом экскаватора серой липкой породы, и затаился, на всякий случай прицелившись в спину идущего последним быка.

То, что Леший и Годзила не стреляли по этим уродам, представлявшим собой отличные мишени даже для слепого, говорило само за себя. Либо они оба были мертвы, либо, израсходовав патроны, пошли на хитрость и разыгрывали дурочку с целью подпустить противника на расстояние броска, а затем катнуть ему под ноги осколочную гранату. У Лешего, Юрка знал, была при себе противопехотная Ф-1, более известная под названием «лимонка»...

Юрка непроизвольно напрягся, когда шедший в авангарде на негнущихся ногах громоздкий, как трехстворчатый шкаф, браток поравнялся с кучей битого кирпича, заметно измельченного пулями, и, коченея от страха и вытянув перед собой зажатый обеими руками подрагивавший ТТ, заглянул на ту сторону. А потом до крови прикусил губу, увидев, что застывший на миг «полтора Ивана» без опаски обернулся, растянул губы в глумливой ухмылке и с явным облегчением махнул корешу рукой: мол, не дрейфь, готовы оба...

Значит, Годзилы и Лешего больше не было. Они присоединились к сгоревшим в джипах боевикам.

Когда Юрка понял это, то ему, еще утром ненавидевшему каждого из членов отцовской зондеркоманды, включая жадного до денег, готового на все ради лишней сотни гринов Лешего и импульсивного недалекого садиста Годзилу, вдруг захотелось выть от отчаяния, от злобы и неукротимой жажды мести. Однажды он уже испытал такое, там, в Чечне, когда взвод его друга Толика Дробышева попал в засаду духов Арби Бараева и из восьмерых пацанов в живых осталось только трое...

Опустив вниз стволом изготовленный к бою пулемет, лысый «спортсмен» остановился, утер рукавом струившийся со лба пот, а потом вразвалочку, уже не таясь и не опасаясь выстрела в упор, шагнул вперед, к небрежно поигрывавшему пистолетом, разглядывавшему трупы подельнику.

Юрка заткнул «беретту» за брючный ремень, снял с шеи автомат и прицелился битюгу в спину, не испытывая по поводу такой подлянки ни малейших угрызений совести. На войне — как на войне.

Но тут ситуация возле кучи кирпича мгновенно переменилась. Еще только миг назад спокойный, как удав, и уверенный в полной победе «полтора Ивана» вдруг вздрогнул, заорал во весь голос и сайгаком отпрыгнул в сторону, да с такой прытью, словно его ужалила болотная гадюка, которой браток случайно наступил на хвост.

Возле низкого укрытия, за которым неподвижно лежали Годзила с Лешим, прямо под копытами у амбала, с глухим хлопком и алой вспышкой взорвалась граната, полоснув несколькими осколками даже над Юркиной головой...

Последний привет от Лешего! Поняв, что с ним все кончено, бывший «афганец» Серега Раев вспомнил наставления инструктора в учебке — никогда не сдаваться в плен — и вместо того, чтобы получить контрольный выстрел в голову, предпочел уйти, забрав с собой в ад сунувшихся к нему обломов Гитлера. Двоих не сумел, слабеющие пальцы уже не могли дольше держать пружину. Так хотя бы одного...

«Полтора Ивана» скопытился мгновенно, чего нельзя было сказать о лысом пулеметчике.

— А! А-а-а-а!!! — выронив пулемет, упав на колени и прижав руки к лицу, истошно, переходя на утробный хрип, заорал «спортсмен». Повалившись на бок, он стал корчиться от жуткой боли. Грязный, мокрый, окрасившийся кровью фирменный костюм в нескольких местах зиял рваными дырами. Кровь сочилась и сквозь прижатые к истерзанному лицу пальцы. «Похоже, — машинально подумал Юрка, вставая из-за укрытия во весь рост, — с зенками «спортсмену» придется распрощаться. От посеченной кожи столько юшки не бывает...

Первым непроизвольным Юркиным желанием было нарочито медленно подойти к воющему на всю округу пулеметчику и добить его выстрелом в голову. А потом шагнуть к тому месту, где лежали Годзила и Леший. Но, справившись с чувствами, Юрка удержал себя от этого. Вахлак никуда отсюда не денется, будет ныть и ползать на брюхе, истекая кровью, до приезда опергруппы. Когда облома подлечат и расколют, он многое сможет рассказать... Смотреть же на опаленные куски мяса, еще пять минут назад бывшие живыми людьми... Хватит, насмотрелся. До блевотины. До ночных кошмаров. Хватит до самой гробовой доски.

Уже не обращая внимания на стенания раненого боевика, Юрка вернулся к экскаватору и обнаружил, что связанный им проволокой по рукам и ногам, пришедший в себя прыщавый «тракторист» успел чудом освободить грабки и пытается стянуть путы и со щиколоток. Заметив Юрку, он мгновенно оставил свои отчаянные попытки высвободиться и, помертвев физией, снова впал в состояние прострации.

Вернуть братку способность мыслить более-менее конкретно помог размашистый удар ногой в живот. Юрка дал ему пару секунд на то, чтобы слегка отдышаться, затем наклонился, схватил за ухо, рывком запрокинул голову назад до упора и прошипел сквозь зубы:

— Еще?! Слепить из тебя околеванца, чучело?!

Прыщавый завыл и отрицательно дернул башкой, насколько позволял мертвый захват.

— Где Руслан?! Где Гитлер?! — Стимулируя быстрый ответ, Юрка подкрепил вопросы сильным ударом кулака в другое ухо.

— Тут они! Рядом! — завопил, все еще надеясь на милость победителя, пленник и ткнул пальцем куда-то за спину. — В коттедже у поворота, на противоположной от поселка стороне дороги! Куб из белого кирпича!

— Сколько там ваших, кроме пахана?! — продолжал допрос Юрка, с трудом удерживая себя от короткого движения, ломающего шею, как вафельную трубочку с кремом. Его знобило и бросало в жар одновременно, словно при высокой температуре.

— Ни одного, только сам Гитлер и заложник! — шлепая губами, как выброшенная на берег рыба, послушно выкладывал «тракторист». — Сын Флоренского в подвале, в гараже!.. Не убивай меня! Я ничего не делал! Меня заставили!

— Ну, разумеется... — процедил Юрка. — И тачку с бомбой возле дверей казино бросить, и разыграть перед камерой целый спектакль тебя тоже заставили?

Разглядывая тщедушного, обделавшего от страха джинсы «тракториста» и впервые задумавшись над вопросом, что с ним дальше делать, Юрка вдруг обратил внимание на кулон, болтавшийся на груди прыщавого. Нагнувшись, Юрка рывком сорвал его вместе с серебряной цепочкой и приблизил к лицу, чтобы рассмотреть более детально.

Это был крест-распятие, умышленно подвешенный вверх ногами. Символ секты сатанистов. Об этих скотах, раскапывающих, оскверняющих могилы, похищающих людей, в том числе и младенцев, для принесения в жертву дьяволу, а также о других творимых мракобесами зверствах, даже не искушенный в вопросах веры и религии Юрка знал не понаслышке: за день до похорон матери, в Вологде, шайка таких же тварей осквернила десятки надгробий на городском кладбище. Они разбили несколько памятников, нарисовали на фотографиях усопших красной нитрокраской пентаграммы (не менее известный оккультный символ) и, мало того, нагадили перед обелиском солдат-разведчиков, погибших в Великую Отечественную. Все это Юрка видел тогда собственными глазами. Уже находясь в Питере, он узнал из криминальных теленовостей, что милиция сволочей поймала, но, ничего не доказав, отпустила на все четыре стороны...

— Так-так-так, — оскалился Юрка, с ненавистью отшвырнув в сторону кулон и заглянув в бегающие глаза выродка, в которых вдруг появился странный блеск. — Вот, значит, какими мы бесовскими играми на досуге балуемся?! И Гитлер — он тоже из вашей кодлы?! Отвечай, падаль!

— Да пошел ты! — неожиданно взвился, казалось, окончательно сломленный «тракторист». Словно в его мозгах сдвинулась с места какая-то пружинка, отключив механизм самосохранения. — Через двадцать две минуты ты все равно сдохнешь! Так что скоро встретимся... В аду!!!

— Не дождешься... Встать! — решительно приказал Юрка. — Руки за голову! — он схватил сатаниста за шиворот и дернул вверх. Послышался треск рвущейся ткани. Выдавил с отвращением:

— Я придумал, что с тобой сделать, скотина рогатая!..

Все последующее произошло менее чем за секунду. Изловчившись, поднявшийся было на ноги бандит вильнул просветлевшим взглядом, резко выхватил из-за ремня Юркиных брюк «беретту», оттолкнулся, на мгновение уйдя с точки досягаемости, упал плашмя на спину и, цепко обхватив пистолет обеими руками, снизу вверх четко навел оружие Юрке прямо в грудь. Вот только указательный палец прыщавого подвел, из-за дрожи в руках проскочил мимо курка...

С расстояния в шаг трудно промахнуться из автомата. Короткая очередь наискосок прошила живот сатаниста. Своим хитрым финтом он едва не свел проигранную им вчистую партию к полной победе... Не проронив ни звука, он конвульсивно дернул ногами и растянулся, уткнувшись носом в траки экскаватора. Через ровный ряд опаленных порохом пулевых отверстий показалась рубиновая кровь.

Юрка, чуть слышно выдохнув, впервые в жизни почти неосознанно перекрестился. Торопливо, неумело. Достал пачку сигарет, нашел в ней одну не полностью размокшую и прикурил, жадно вдыхая горький дым.

Подумав, Юрка не стал вынимать из мертвой руки «беретту», едва не ставшую причиной его смерти. В последний раз окинул взглядом поле самого настоящего боя, пылающие, окутанные черным сладковатым дымом джипы, развернулся и побежал по грунтовке к выходу из поселка, прочь от этого гиблого места.

Он бежал, сжимая в руке автомат, совершенно мокрый, машинально задавая ритм счетом «раз-два-три», как на марш-броске, и мысли его уже были там, за опоясывающим поселок «Трансмаш» серым бетонным забором, возле коттеджа из белого кирпича...

Где-то сзади временами все еще слышался тихий гнусавый вой червяком ползавшего по траве, посеченного осколками гранаты, слепого и контуженного боевика из группировки Гитлера. Юрку он больше не интересовал, и это спасло выродку жизнь.

Впереди, на долгие восемь лет, «спортсмена» ждали черные очки, казенная баланда, ржавая вонючая «утка» и железная провисшая койка с несвежими простынями. А дальше... впрочем, это уже не важно. Что бы там ни говорили о карме, но в определенный момент жизни каждый из нас сам выбирает свою будущую судьбу.

Глава 36

Коттедж выглядел издалека огромной грязно-белой игральной костью, захватанным циклопами кубиком, на каждой из сторон которого находилось по четыре симметричные точки-окна. Расположенный у самой дороги, он был окружен хлипким, видимо оставшимся еще от старого снесенного дома, деревянным забором, с остатками облупившейся зеленой краски.

Рассмотрев дом с почтительного расстояния и сразу обратив внимание, что все окна на фасадной части плотно зашторены, Юрка сделал крюк и, пробравшись на соседний с коттеджем участок, пролез через дыру в заборе с тыльной стороны дома. Здесь ему неожиданно повезло: одно из окон первого этажа было слегка прикрыто. Переметнувшись от забора к стене дома, Юрка, пригнувшись ниже уровня подоконника и целиком обратившись в слух, целую минуту пытался уловить хоть какие-нибудь звуки изнутри. Но их не было — в невидимой за шторой комнате царила полная тишина. И Юрка решился — будь что будет. Вытянутой рукой он приоткрыл окно шире. Тихое шуршание потревоженной занавески заставило его выждать паузу. Затем он схватился за выступ, подтянулся на руках и, стараясь не шуметь, перевалился через подоконник в грозящую смертельной опасностью неизвестность...

Мягко приземлившись на ноги, подошвы которых утонули в пушистом ковре, Юрка сдернул с шеи «узи» и огляделся.

13--1135

Судя по обстановке, это была детская. Но похоже, в ней очень давно не звучали смех и звонкие голоса. На пустой мебели и двухъярусной кровати без матрацев лежал толстый слой пыли, а стрелки настенных электронных часов со смешными бородатыми гномами на циферблате не двигались. Возможно, здесь вообще еще никто не жил с момента постройки дома, мимоходом подумал Юрка, неслышно ступая по розовому ковру к плотно прикрытой двери. Но почему тогда открыто окно?

Его взгляд, подстегнутый этой здравой мыслью, еще раз обежал комнату и вскоре заметил на подоконнике скрытую краем шторы стеклянную пепельницу с окурками. Не желая дымить в доме, некто регулярно выходил к обращенному во двор окошку пустующей комнаты, дабы можно было, не привлекая чужого внимания, спокойно насладиться дымком... Каков, однако, этот Гитлер! На бандитские разнузданные замашки явно не похоже.

Юрка переступил с ноги на ногу и тут же опустил глаза. Мокрые ботинки противно чавкали. В запарке он сразу не обратил на это внимания, но теперь, когда нужно было соблюдать тишину, передвигаясь в незнакомом доме, от такой визитной карточки, не только производящей характерный звук, но и оставляющей на полу хорошо заметные следы, следовало немедленно избавиться. Торопливо сбросив ботинки и стянув носки, он досуха вытер холодные влажные ноги о мягкий ворс ковра и только после этого, встав у стены и перехватив одной рукой автомат, медленно повернул золотистую ручку и приоткрыл дверь.

В полутемном коридоре, с одной стороны упиравшемся в лестницу и занавешенное окно, а с другой заканчивавшемся белой дверью с медной навесной чеканкой, изображавшей писающего и моющегося в ванной мальчика, не было ни души. Юрка заметил, что в коридор выходят еще две двери — одна, обычная, в соседнюю комнату и витражная, скорее всего ведущая в холл у главного входа. На секунду он заколебался. Куда направить стопы в первую очередь? В этом погруженном в абсолютную тишину, не так давно выстроенном и наполненном новыми вещами коттедже, казалось, не было ни души.

А вдруг прыщавый «тракторист», сатанюга проклятый, его обманул, направив по ложному следу?! Тогда можно и не мечтать о том, чтобы найти похищенного Руслана и добраться до сволочи Гитлера. Нет, это вряд ли... Не мог он, паскуда, врать, глядя вылупленными зенками в ствол шмалера!

Не успел Юрка об этом подумать, как его слух уловил странные, едва различимые даже в тишине звуки, доносившиеся вроде как откуда-то снизу. Вероятно, из расположенного под первым этажом гаража. Вспомнив наводку прыщавого и более не колеблясь, ступая по-кошачьи, неслышно, он бросился к лестнице, держа «узи» наготове. Оказавшись у ведущего вниз лестничного пролета, сразу понял, что не ошибся — звук, похожий на сдавленное мычание человека с кляпом во рту стал отчетливей. Юрка начал осторожно спускаться, прислушиваясь к стонам, и вскоре, оставив позади деревянные дубовые ступеньки, уже стоял босыми ногами на колючем пластиковом коврике для вытирания ног перед обшитой шпоном металлической дверью.

За ней явно кто-то был! А кто, кроме взятого в заложники и наверняка зверски избитого Руслана, может так ныть? Не Гитлер же! Тогда что ты стоишь, как истукан?!.

Собравшись с духом, Юрка перехватил «узи» правой рукой, левой взялся за ручку на двери, очень плавно нажал на нее, а потом с силой толкнул вперед. Ощутив свободный ход и убедившись, что дверь не заперта, он для пущего ускорения врезал по ней ногой. Взвизгнув петлями, тяжелая бронированная преграда понеслась вперед и, дойдя до упора, гулко стукнула и завибрировала, потом качнулась в обратном направлении...

То, что увидел Юрка в распахнутом дверном проеме, за которым находился ярко освещенный несколькими настенными лампами просторный гараж, заставило его на секунду потерять ориентацию во времени и пространстве и позабыть про автомат.

...Кроме единокровного братца, продавшего его с ребятами Гитлеру и обрекшего их всех на верную гибель, здесь был и сам фюрер. Юрка прежде никогда не видел его, но узнал мгновенно — таким удивительным было сходство бандита с проклятым Адольфом Шикльгрубером. Вот он, безбашенный дебил, из-за которого столько проблем и крови! Стоит только нажать на спусковой крючок, и урода не станет, но... Юрка не смог этого сделать. Слишком велик оказался испытанный им шок.

На капоте черного джипа «чероки», привязанный за руки и за ноги к хромированному отбойнику, полулежал-полувисел лицом к моторному отсеку избитый до невозможности, извивающийся всем телом Руслан. На опухшем, иссиня-багровом лице брата не осталось живого места. Рот был заткнут кляпом. Джинсы и трусы с него сорвали, оголив широко разведенные в стороны и зафиксированные веревками лохматые ноги и задницу. К ней уютно пристроился, двигая бедрами туда-сюда, хрипя от похоти и непрестанно облизываясь, приспустивший до колен штаны худощавый высокий тип в черной майке, с длинным острым носом, со слипшимися в сальные пряди прямыми черными волосами и «фюрерскими» усиками над верхней губой.

Схватив Руслана обеими руками за горло, словно намереваясь его задушить, Гитлер насиловал пленника с таким дьявольским неистовством и уничтожающе-брезгливым выражением на покрытом бисеринками пота лице, что сомневаться в конкретном сдвиге, имевшем место в мозгах отморозка, не приходилось. Этот отвязанный урод и извращенец явно получал кайф от того, что сейчас делал, причем как физический, так и моральный...

Руслан же, распластанный на капоте джипа, судя по лохмотьям кровоточащих губ, выбитым передним зубам, исцарапанным ногтями ягодицам, выступал в роли «мочалки» отнюдь не первый раз с момента похищения, чуть раньше уже испытав сомнительное счастье быть гнусно опущенным и превращенным в «птаху». Сотрясаясь на капоте от сильных толчков Гитлера и делая чисто инстинктивные слабые попытки освободиться от введенного в задний проход инородного тела, униженный, смешанный с дерьмом некогда крутой босс зондеркоманды сейчас лишь тихо скулил, зажмурив глаза и уронив на капот «чероки» обезображенное побоями лицо...

Первым, как и следовало ожидать, на грохот распахнувшейся двери отреагировал Гитлер. Машинально продолжая свое занятие и не разжимая судорожно вцепившихся в шею Руслана пальцев (судя по обилию стекавшего по лицу монстра пота оргазм ожидался им в самое ближайшее время), главарь банды резко повернул шею в сторону распахнувшейся двери, увидел Юрку, живого и невредимого, с автоматом в руке, и тут же, плотно сжав губы, скривил дрогнувшее в судороге лицо и застонал. Громко, отчаянно, широко открыв пасть. Страх скорой смерти смешался со сладострастием внезапного семяизвержения и пьянящим, особенно сейчас, чувством безоговорочной победы над раздавленным, втоптанным в пыль и навсегда превращенным в паршивого пидера врагом.

— У-у-у, бля-я-я! Собака бешеная! — оскалив зубы, со страшным рыком протяжно изверг из своей утробы пойманный в самый не подходящий для сопротивления момент голозадый и безоружный Гитлер. — Нашел-таки, падла-а-а!!!

Глядя на босого Юрку из-под сбившихся на лицо волос подернутыми туманной поволокой экстаза, глубоко посаженными глазами, главарь кровавой банды еще дважды отчаянно сильно приложился к заднице Руслана, а потом рывком высвободился, разжав сжимавшие шею «птахи» пальцы, повернулся к Юрке и вдруг раскинул руки в стороны, приподнял подбородок и неожиданно громко рассмеялся. Да так неистово, вызывающе, что в памяти Юрки поневоле всплыл очень похожий фрагмент из фильма «Горец», когда убивший бессмертного собрата злодей, воздев руки и очи к грозовому небу, стоит на вершине горы и сотрясается от проходящих через него разрядов молний.

— Давай, щенок, стреляй! Чего ты ждешь?!! Вот он я, ха-ха-ха! — жутким, каким-то сюрреалистическим смехом проревел в лицо растерявшемуся, истуканом застывшему в дверном проеме Юрке окончательно расставшийся с мозгами Гитлер. Отморозень даже попытался шагнуть вперед, но спущенные до колен брюки не давали извращенцу возможности двигаться.

— Никогда не думал, что сдохну в такой интересной позе, сразу после того, как в третий раз за день отхарю в очко барыжьего сыночка Флоренского! Вот умора! Да о такой смерти можно только мечтать, верно, Малыш?.. Эй, милашка моя, проснись! — обернувшись к пленнику, Гитлер хлопнул его ладонью по липкой исцарапанной ягодице. — Братик за тобой, шлюхой, пришел! Вах, какой маладэц!.. Слышь, бля буду, завтра весь Питер узнает, что ты теперь голимый пидер! — схохмил ублюдок и снова, захлебываясь в истерике, заржал, хватаясь за живот и весь изгибаясь от сотрясающих тело конвульсий. — Ой, братва, держите меня, сейчас обоссусь! Ой, бля, прикол!..

Бледный как мел Юрка недрогнувшей рукой молча направил на кривляющегося Гитлера автомат и перевел взгляд на брата.

Промычав что-то через кляп, Руслан несколько раз дернулся, потом медленно уронил лоб на капот джипа и беззвучно зарыдал, сгорая от неслыханного стыда и лютой ненависти к самому себе, оттраханному прямо на глазах Юрки, вероломно подставленного им, но все-таки пришедшего выручать брата...

Сглотнув подступивший к горлу ком и пытаясь унять начавшую сотрясать руки дрожь, Юрка вновь перевел свой застывший взгляд на гогочущего дебила с грязными липкими патлами и гнусными усиками, качнул стволом ниже уровня сердца, прицелился и коротко надавил на курок.

Все три пули вошли Гитлеру в пах, превратив его причиндалы в кровавое месиво. Захлебнувшись застрявшим в глотке смехом, тут же перетекшим в судорожный мерзкий хрип, Гитлер схватился руками за свежерубленый фарш и с выпученными глазами-телескопами сначала рухнул на колени, а потом, суча ногами, как висельник, повалился на спину, громко ударившись затылком о бетонный пол гаража.

Юрка, на лице которого при виде корчей урода не дрогнул ни один мускул, подошел ближе и, как заправский киллер, хладнокровно произвел контрольный выстрел в голову Гитлера, в результате которого она в буквальном смысле раскололась на две половины.

Опустив автомат, Юрка вытащил из пристегнутого чуть выше щиколотки, под джинсами, кожаного чехла нож, подошел к джипу и четырьмя взмахами перерезал связывавшие руки и ноги брата крепкие капроновые веревки, после чего выдернул у него изо рта грязную, промасленную отработкой тряпку.

Голозадый истерзанный Руслан тихо, как сопля по стеклу, сполз по решетке отбойника и зашелся в истерических рыданиях, от которых у Юрки сразу же больно защемило сердце.

Юрка не пытался представить себе, что бы он сам ощущал, кем бы себя чувствовал, окажись вдруг по воле случая на месте раздавленного в лепешку Руслана. Почти родного брата, который, угодив в лапы братков Гитлера, сломался и подставил их всех, обрек на мгновенную, страшную и, что немаловажно для боевиков, совершенно бесполезную гибель в бандитской засаде...

— Хватит ныть, оденься! — невероятным усилием воли взяв себя в руки, сказал Юрка. Он брезгливо отвернулся, не в силах больше смотреть на скорчившегося у бампера Руслана, сверкавшего развороченной задницей. — Там, в поселке, я оставил ползать одного слепого калеку. Скоро здесь наверняка будут менты с группой захвата... Если не хочешь давать письменные показания, как тебя здесь отъеб... в общем, кончай выть, надевай штаны и сматываемся отсюда!

— Я... я не хочу больше жить, — цепляясь за отбойник, Руслан поднялся на ноги и медленно, очень медленно натянул джинсы. Потом повернулся к Юрке лицом, снова сел на пол, прислонился спиной к бамперу «чероки» с нарисованным на запаске клыкастым вампиром — того самого, злополучного, за который он прошлым утром принял финскую тачку на Выборгском шоссе — и чуть слышно просвистел через сломанные зубы: — Дай мне ствол... Я... не смогу каждый день просыпаться с мыслью, что из-за меня, суки, погибли пацаны, а сам я — пидер! Я хочу кончить все прямо сейчас, одним выстрелом! Дай ствол, прошу тебя. Братан...

— Я тебе не брат, слякоть, — выдавил с ненавистью Юрка. — На хер вы мне сдались, такие честные коммерсанты. Сегодня я уезжаю из Питера, и лучше навсегда забудем, что наши дорожки пересекались! —

Наконец-то сказав Руслану главное, то, что не успел сообщить отцу, Юрка помолчал и добавил уже гораздо спокойнее: — Кроме безглазого калеки и меня, о твоем вздрюченном очке пока никто не знает. С братком, думаю, все ясно, уйдет к тюремной параше, в больничку. У тебя связи есть, если захочешь, сможешь заставить его замолчать навсегда... А мне, козел, твои сексуальные подвиги вообще до лампочки, понял?! Это твои проблемы, ты и загружайся! Отец никогда не узнает ни про твою гнусную подставу, ни про все это дерьмо. А больная жопа... ничего, до свадьбы заживет. Вставай, бля, пошли! У нас мало времени...

— Нет, — покачал головой Руслан, так и не поднявшийся с бетонного пола гаража. — Ты не понимаешь... не можешь понять! Мне плевать, узнает кто-то или нет! Я сам — сам! — никогда не прощу себя! Я не смогу жить, зная, что я — крыса и петух! Дай мне ствол, ты, падла! Или пристрели меня прямо сейчас! Ну, давай, чего медлишь!

— Заткнись, — процедил Юрка сквозь зубы. — Считаю до трех, потом ухожу один. Раз... Два...

— Ствол, умоляю... — тихо прошептал Руслан. — Я — не просто слякоть. Я хуже. Так не отнимай у меня самое последнее, дай хотя бы уйти достойно. Мужик ты или не мужик?!

— О-о, как вы меня достали, блядская семейка! — Юрка на миг прикрыл глаза, сжал зубы и медленно покачал головой. А потом без тени сожаления посмотрел на сжавшегося в комок Флоренского и швырнул ему «узи». С глухим стуком оружие ударилось об пол гаража. — На, подавись! Если так сильно хочешь сдохнуть, кретин, суй дуло в пасть и жми на курок! Счастливо оставаться.

— Спасибо, Малыш... — рука Руслана быстро легла на рифленую рукоятку компактной израильской машинки для убийства, а указательный палец нащупал спусковой крючок. — Я знал, что ты добрый и не откажешь мне, — пробормотал он, глядя в спину Юрке, который молча развернулся и решительно шагнул к распахнутой металлической двери.

— Знаешь, я передумал, — вдруг на удивление бодро сказал Флоренский. — Я не хочу умирать. О том, что произошло здесь, действительно никто не узнает. Я ведь не сказал тебе... Гитлер привязал меня к решетке уже после ухода братвы, когда я был в отключке после замеса. Так что раненый бык ничего в мусорне не скажет. Остаешься только ты и твое твердое обещание молчать всю оставшуюся жизнь. Но, прости, я не привык верить людям на слово. Береженого, как говорится, Бог бережет... Поэтому будет гораздо лучше, если вместо меня сдохнешь ты, прямо сейчас! Короче, чао, придурок!..

Руслан решительно вскинул автомат, прицелился в спину Юрки, после его откровений резко затормозившего на пороге, и, растянув губы в садистской ухмылке, плавно надавил на спуск.

Сухо выплюнув, как оказалось, самую последнюю в обойме пулю, «узи» захлебнулся и затих. А купившийся на паскудный финт брата Юрка, отброшенный титанической ударной силой за порог, волчком крутнулся в воздухе, взмахнул руками, рухнул лицом на коврик для вытирания ног и затих с широко открытыми глазами. Пуля ударила ему в спину точно между лопаток, в сантиметре от позвоночника...

— Вот и ладушки, — не спеша вставая с пола и морщась от острой боли, сквозь сломанные зубы выдавил Руслан, хлюпая распухшими багровыми губами. — Сейчас мы протрем ручку волыны от пальчиков, вложим ее в грабку этого дурня, а сами доберемся до телефона и сообщим ментам печальное известие... Знаешь, мне почему-то кажется, что отец не очень расстроится, когда узнает, что ты сдох! А зря — это было так красиво, как в кино! Я, заложник, видел все собственными глазами! Покрошив всех быков и чудом выжив в засаде, ты бесстрашно ринулся мне на помощь и успел, пока не было Гитлера (тот куда-то умотал), перерезать веревки, но тут откуда ни возьмись снова появился фюрер и выстрелил герою в спину. А я, будучи свободен от пут, улучив момент, прыгнул на злодея, выбил у него машинку и двумя очередями раскроил ему яйца и череп... Малыш, у тебя будут шикарные похороны! Жаль только, что ты, лох голимый, этого уже не увидишь... Но шикарный обелиск из черного гранита, с портретом-гравировкой и траурной слезливой надписью, я, так и быть, тебе обещаю. Братан все-таки!..

Юрка лежал совершенно неподвижно, не в силах пошевелить даже пальцем, не то что вздохнуть. Надетый под блейзер взятый «напрокат» у одного из погибших боевиков легкий кевларовый бронежилет не дал выпущенной в упор пуле вонзиться в тело, но, увы, не смог уменьшить ее огромную ударную силу, потрясшую позвоночник. Юрка был жив, но не мог ни двигаться, ни дышать, ни даже стонать. Он лежал на пороге гаража, повернув голову набок, глядел в одну точку полными слез раскрытыми глазами и медленно, мучительно умирал от удушья.

...Как это ни странно, но способность дышать вернулась к нему отнюдь не от живительного дуновения свежего воздуха, а совсем наоборот — от попавшего в слипшееся сухое горло и просочившегося в легкие едкого угарного дыма, черным туманом медленно сползавшего вниз по ступенькам лестницы.

Словно очнувшись от летаргического сна, Юрка конвульсивно вздрогнул, широко открыл рот и рывком вдохнул ядовитый воздух. И тут же заорал от полыхнувшей в спине, груди и отозвавшейся во всех частях тела нестерпимой боли, скорчился, подтянув колени к животу, и зашелся в судорожном хриплом кашле... Кое-как очухался, вдыхая обжигающий легкие едкий дым, хотел было, придерживаясь за стену, подняться на ноги, но не сумел. Вовремя сообразил, что этого делать не стоит. Несколько глотков этой растворенной в воздухе отравы — и он снова упадет, потеряв сознание, на сей раз уже навсегда...

Если и оставался еще в замкнутом пространстве гаража относительно пригодный для дыхания воздух, то он у самого пола.

Перевернувшись на правый бок и отталкиваясь ногой (передвигаться по-пластунски не позволяли боль в спине и плохо слушающиеся левые рука и нога), Юрка, извиваясь, с черепашьей скоростью пополз к закрытым воротам гаража. Не могло быть и речи о том, чтобы попытаться покинуть коттедж через окно первого этажа, поднявшись по двум крутым лестничным пролетам в охваченный пламенем дом. Единственной дорогой к спасению для Юрки могли стать только автоматические въездные ворота, едва различимые даже при свете ярких ламп сквозь стену повисшего в воздухе черного дыма.

Они обязательно должны открываться изнутри кнопкой...

Увы, кнопка оказалась так высоко, что достать ее из положения лежа оказалось совершенно невозможно. Так же невозможно, как подняться на ноги или хотя бы на колени. После нескольких безуспешных попыток дотянуться до кнопки рукой, Юрка огляделся, отполз в угол, схватил стоявшую там лыжную палку и... в этот момент в коттедже погас свет и вокруг сгустилась темнота. Гуляющий по дому огонь добрался-таки до распределительного щита или попросту пережег провод, ведущий к гаражу, тем самым лишив питания электродвигатель, приводящий в движение ворота...

Юрка даже взвыл от досады и, заскрежетав зубами, на секунду безвольно и подавленно распластался на холодном полу. Его мозг, с невероятной скоростью прокручивая сотни самых невероятных комбинаций, отчаянно искал выход из сомкнувшейся со всех сторон смертельной ловушки.

Джип! Как же он мог забыть о джипе? Только бы ключи от тачки оказались в кармане этого ублюдка, куском разорванного мяса валявшегося рядом с американским внедорожником в луже собственных мозгов!

Ползти назад, как ни странно, оказалось легче. Торопливо обыскав труп, Юрка, увы, не обнаружил в карманах Гитлера никаких ключей. Оставалось надеяться, что отморозок не оставил их где-нибудь наверху, в доме, а забыл в замке зажигания джипа...

Лыжная палка-костыль помогла Юрке вскарабкаться в кабину и, кусая губы, кое-как взгромоздиться на кожаное водительское сиденье. Не обращая внимания на непрерывный, судорожный, со сгустками кровавой слизи кашель, на колокольный звон, раздающийся в ушах, Юрка, холодея от страха окончательно потерять надежду на спасение, протянул руку, и... его пальцы сразу нащупали связку ключей!

Легкий поворот ключа по часовой стрелке — и мощный двухсотсильный мотор заработал!

Возможно, услышав пьянящий равномерный гул под капотом, Юрка даже закричал бы от радости, но он был уже физически не способен на это. Механически, словно во сне, Юрка повернул рычаг на рулевой стойке, включил галогеновые фары, осветившие через клубы черного дыма стальной прямоугольник гаражных ворот, двинул вперед ручку автоматической коробки передач, а затем до отказа выжал педаль акселератора...

Взревев мотором, забуксовав по бетону всеми четырьмя колесами, оснащенный хромированным отбойником тяжелый «чероки» торпедой сорвался с места, с легкостью и адским грохотом вынес гаражные ворота и вылетел из объятого пламенем коттеджа. Ломанулся прямо, с треском снес хлипкую деревянную ограду участка в стороне от запертых въездных ворот и, заложив крутой вираж, выскочил на узкую раздолбанную дорогу.

Откуда-то издалека уже доносился надрывный вой милицейских сирен...

Глава 37

— Открой глаза, Аверин! — услышал я ровный, бархатистый мужской голос, показавшийся мне знакомым. — Коктейль давно подействовал, кого ты пытаешься обмануть? Не заставляй меня снова звать Крысу. Морфий с пирамидоном нынче стоит слишком дорого, а я человек жадный... Очухался?!.

Я разлепил тяжелые, в корке запекшейся крови веки и взглянул на человека, стоявшего по ту сторону ржавой металлической решетки. Да, мне не почудилось. Это был глава сатанистов собственной персоной. Оборотень, сменивший за свою фальшивую жизнь много масок, подобрал наконец самую подходящую внутренней своей сущности...

— А ты живучий, капитан, — ухмыльнулся бывший пастырь, покачав головой с прилизанными, собранными на затылке в длинный хвост волосами стального цвета. — И с рефлексами у тебя, похоже, полный порядок. Тренируешься, поди, у себя на острове?! Со штангой мышцы качаешь, груши околачиваешь... Вот и свиделись, капитан Аверин. Я смотрю, ты не рад встрече?

— Я не капитан Аверин. Я священник и зовут меня отец Павел. — Я ощутил, как из разбитых губ на подбородок побежала соленая кровь.

— Нет. Ты уже не отец Павел, — посерьезнел гуру. — Теперь ты никто! Тебя уже нет! Из этой сырой ямы, — Каллистрат нервно ткнул указательным пальцем сквозь разделяющую нас решетку, — только один путь — к жертвенному алтарю. Это, — он опустил палец вниз, — родовая усыпальница, склеп. Раньше он принадлежал одной знатной католической семье. Оглянись. Сзади тебя — постамент для гроба. Здесь служили заупокойную мессу. Затем гроб опускали в яму... Прямо у тебя под ногами— гранитная плита, под ней четыре давно сгнивших трупа. Приятное соседство, не правда ли?!

— Мертвые не так страшны, как живые, — тихо ответил я, глядя не столько по сторонам, сколько на старого знакомого. Нас разделяло всего три шага, увы — совершенно непреодолимых в моем положении...

За прошедшие с нашей последней встречи годы отлученный от Церкви отец Вячеслав, он же бывший зэк Вячеслав Милевич, сильно изменился и сильно похудел. Волосы поседели, окладистая борода исчезла, обнажив шрам, безобразивший подбородок, черты лица заострились, глаза запали глубоко под надбровные дуги. Не изменилось, пожалуй, лишь их выражение. Живые и льдисто-холодные, они по-прежнему смотрели сквозь собеседника, придавая главарю сектантов сходство со слепцом-блаженным, погруженным в свой бездонный внутренний мир. Или с давно утратившим всякую жалость палачом...

На Каллистрате был грубый вязаный свитер с высоким воротом, поверх которого висела золотая цепь с массивным перевернутым распятием. Вокруг лба повязана черная лента с красной каймой. На ногах — узкие джинсы и короткие сапоги с металлическими накладками на носах. За его правым плечом в заляпанной воском нише каменной стены горела одинокая свеча. Ее мерцающее желтое пламя бросало дрожащие отсветы на покрытый каплями воды потолок, сырые, в плесени, стены и каменный пол склепа, обрисовывало силуэт чертопоклонника.

Казалось, здесь снимается голливудский фильм ужасов. С той лишь разницей, что мрачные декорации подземелья не были сделаны из папье-маше, что не жужжала кинокамера, не суетились статисты, а я и Каллистрат не играли заранее заученные роли. Все происходило всерьез и ждать команды режиссера «стоп, снято!» было бесполезно.

Нас окружала жестокая, на грани безумия, чудовищная реальность. Под моими ногами находилась настоящая могила, а над головой — старое католическое кладбище. Наверняка расположенное вдали от города...

— Я вижу по выражению твоего лица, что ты проникся серьезностью происходящего, — внимательно наблюдая за мной, не без удовлетворения сказал Каллистрат. — Тогда тебе будет небезынтересно узнать, что тебя ждет... Я прав, батюшка?!

— Скажи, ты действительно веришь в то, что делаешь?

— О, да у нас идейные разговоры пошли! — холодно оскалился сектант. В полумраке мне вдруг показалось, что надменный взгляд Каллистрата на мгновение дрогнул, предательски вильнул в сторону. Впрочем, это могла быть лишь игра воображения, галлюцинация, вызванная сотрясением мозга. — Хочешь знать, действительно ли я сменил веру? — понизив голос, прошептал бывший священник. — Зачем тебе это нужно?.. Для тебя исход ясен. Вместо обещанного за служение Христу небесного рая ты этой ночью попадешь прямо в преисподнюю, к Князю Тьмы. Падшему ангелу. Единственному настоящему богу!!! Ты кончишь жизнь ровно в полночь на могиле невинно убиенной девственницы Анне-Марии. Твое сердце пронзит ритуальный кинжал!

— Ты блефуешь, Милевич, — бросил я с вызовом. — Нессельроде, который уже горит в геенне огненной, успел слишком много мне рассказать, прежде чем его застрелили дуболомы охранники... Видно, твой подельник чересчур понадеялся на то, что дальше его роскошного кабинета ни одно слово не просочится...

Теперь я отчетливо увидел, как лихорадочно забегали холодные зрачки Каллистрата. Как дрогнули его скулы.

— Ты такой же убежденный сатанист, как и он! — продолжал я. — Оба вы — ловкие и двуличные шакалы. Когда тебя лишили сана за связь с бандитами и развратные действия с несовершеннолетней сиротой, ты быстро понял, что можно добиться желаемого на противоположном краю веры. Главная ваша цель — деньги и власть над людьми. На воркутинской зоне, где ты отсидел тринадцать лет, ты был блатным авторитетом и даже возглавил бунт среди зэков. Тогда тебя чудом не расстреляли бойцы спецназа внутренних войск... За властью ты пришел и в Церковь, и тебе снова повезло: сначала удалось вообще скрыть факт своей судимости, а потом убедить всех, что тебя осудили за чужие преступления!.. Когда же тебя уличили в мерзости и отмывании грязных, заработанных на крови и горе криминальных денег через банковский счет храма, ты решил переметнуться к сатанистам... Ты хорошо помнил слова основателя одной из западных тоталитарных сект: «Создай свою собственную религию — и ты станешь неслыханно богат и получишь власть над людьми». Но тебе даже придумывать ничего нового не пришлось, ты отлично уловил нужные тебе тенденции в нашем погрязшем в грехах и невежестве обществе... Ты до тонкостей изучил все творения родоначальников практического сатанизма и, засучив рукава, взялся за дело. Обладая прирожденным талантом лидера, интуицией, звериным чутьем и умением растоптать ближнего, ты влился в секту, быстро устранил конкурентов, мешавших осуществлению плана, и в один проклятый день стал вождем. И, надо отдать должное, весьма преуспел в своей грязной миссии!..

Всего пять лет назад жители Питера получали информацию о чертопоклонниках и черных мессах только из видеокассет. Именно ты сумел сделать так, что о секте душегубов и ее ужасных ритуалах заговорили не только пишущие и снимающие журналисты, многих из которых ты банально купил, но и простые люди! Сейчас у тебя в городе тысячи последователей, свихнувшихся на модной среди обкурившихся тинейджеров и всевозможных моральных уродов идее поклонения дьяволу. У тебя более чем достаточно денег, нужные связи на всех уровнях, прочно сидящие на крючке чиновники и менты и как следствие — практически безграничная власть над этим гнусным стадом! Что тебе еще нужно?! Зачем содержать боевиков?! Зачем ты помогаешь иностранным подонкам воровать наших детей и переправлять их за границу на «запчасти»?! Для чего ты оскверняешь храмы и поджигаешь дома священников?!

Каллистрат выслушал меня, ни разу не перебив.

— Ты всегда был не только хорошим попом, но и хитрым гэбэшным агентом, товарищ капитан, — с вызовом процедил он сквозь зубы, когда я замолчал. — Неужели ты думаешь, что я поверю, будто у тебя, настоятеля церкви в тюрьме для убийц, под рясой не скрывается погон с нагруженной звездами синей полосой?! А насчет похищения детей и прочего... Раз ты в курсе... Подумай хорошенько, товарищ капитан или как там тебя сейчас звать-величать, поройся в своих гениальных мозгах, и сам ответишь на свой вопрос...

— Я хочу, чтобы ты мне ответил, Милевич, — в тон оборотню произнес я. — Нас никто не услышит, а мертвые... они умеют хранить свои секреты гораздо лучше живых. Зачем тебе переступать за рамки чистого бизнеса и пачкать руки в крови? Зачем доводить до того, чтобы тобой и творимым твоей сектой беспределом вплотную занялись спецслужбы? Отвечай! Кого ты боишься здесь, в подземном склепе?! Летучих мышей? Или душ умерших?

— Я никого не боюсь, понял ты, умник! — потеряв самообладание, сильно ударил ладонями о решетку Каллистрат. — Кроме того закона власти, о котором ты, прокурор долбаный, вспомнил в своей обличительной речи, есть еще один, не менее важный! Либо ты идешь до конца, постоянно подтверждая и демонстрируя свое право управлять быдлом, либо тебя стаскивают с трона и уничтожают! Тем более это касается того рогатого черного стада, которое копошится у меня под ногами! Только запредельная жестокость, только четкое соблюдение описанных адептами черной магии ритуалов, только все то, что с точностью до наоборот противоречит христианской вере, — и тебя будут не просто бояться, но и почитать как приближенного, как члена ближнего круга самого Князя Тьмы! Христос сказал: возлюби ближнего своего? Так возненавидь, уничтожь его! Он сказал: не убий? Так возьми нож и перережь ему глотку! Не прелюбодействуй? Ха-ха! Трахай, насилуй, суй свой похотливый болт всем, кому хочешь, не глядя ни на возраст, ни на пол, ни вообще на человеческую принадлежность! Собака, свинья, ребенок — какая разница?! Главное — заглушить похоть, получить удовольствие, унизить, опустить, растоптать и тем самым возвыситься в собственных и чужих глазах!.. Теперь понял, почему я никогда не остановлюсь и буду идти только вперед? Плевать я хотел и на дьявола, и на поклоняющихся ему идиотов! Но я для них — слуга Князя, почти что сам Сатана, я должен соответствовать по всем статьям, иначе...

И Каллистрат нарочито медленно, почти торжественно провел ребром ладони по своему горлу.

— Я еще в семинарии догадывался, что ты лживый оборотень, — тихо сказал я. Заглушенная на время наркотиками боль снова возвращалась, но уже вместе с выворачивающей наизнанку тошнотой. — Но когда с тебя сняли рясу и изгнали из Церкви, ты еще не получил по заслугам, — отдышавшись, продолжал я. — Ты умудрился предать даже самого дьявола, а он не прощает изменников. Тебе, лжепророку, скоро придется отвечать перед его истинными слугами, — сурово предупредил я, внимательно вглядываясь в темноту склепа поверх плеча взмокшего от напряжения, изменившегося в лице Милевича.

— О чем ты, батюшка-смертник? — расхохотался Каллистрат, демонстративно схватившись за живот. — Ты лучше о себе подумай! До полуночи, когда наверху, у могильного алтаря, начнется ритуал принесения жертвы Падшему ангелу, осталось еще полчаса. Я сегодня добрый, поэтому по старой памяти разрешаю тебе упасть на колени и помолиться... Знаешь, обычно меня тянет блевать от необходимости лакать на наших мессах горячую кровь, но сегодня мне действительно хочется попробовать, какова она у тебя на вкус! — с глумливым превосходством заявил сектант.

— Сомневаюсь, что тебе выпадет такое удовольствие, оборотень.

— Чего?! — снова расхохотался Каллистрат. — Ну, тогда, может, скажешь по секрету, кто сможет мне в этом помешать?! Уж не твой ли восставший из мертвых всемогущий Иисус Христос? Ха-ха-ха!

— Я тебе помешаю! — Громовой раскат, вспышка молнии, озарившая мрачное подземелье, не поразили бы так сильно Каллистрата, как поразил тихий, сдавленный от ярости голос Люцифера.

...Тихо спустившись в склеп по невидимой из моей клетки лестнице, он стоял неподвижно в тени уже целую минуту, а в момент неосмотрительных откровений сбросившего маску Каллистрата встретился со мной взглядом и сделал короткий предостерегающий жест — мол, пусть продолжает, а мы послушаем. Я мигом просчитал возникшую ситуацию и предоставил лохматому редкую возможность взять потерявшего в кураже всякую осторожность хитрого подонка за одно место. Народная мудрость гласит: если две бешеные собаки готовы растерзать друг дружку, лучше им не мешать. В данном случае было очевидно, что без разборки и крови уже не обойдется...

Я молча ждал развития сюжета, в котором совершенно неожиданно стал второстепенным лицом.

И развязка, разумеется, наступила.

— Я тебе помешаю, червь навозный! — прогнусавил через выбитые зубы оскорбленный в своей черной вере сектант и плавным движением вытащил из ножен ритуальный кинжал. Мерцающий свет горящей в нише свечи заиграл на отточенном клинке угрожающими желтыми бликами. — Сегодня жертвоприношение Падшему ангелу впервые начнется раньше обычного... Поп прав. Ты предал нашего повелителя и заслуживаешь жестокой казни. На колени!!!

Лицо застывшего, боявшего шелохнуться Каллистрата стало таким же серым, как каменные стены склепа. Дьявольский свет его горящих глаз померк, словно в черепной коробке села батарея. Сглотнув застрявший в горле ком, Милевич плотно сжал губы и, превозмогая смешанный с досадой страх, медленно повернулся к Люциферу.

— Брось кинжал, — требовательно прорычал Каллистрат первое, что пришло на ум, но голос его предательски сорвался на фальцет. — Брось, и я подарю тебе жизнь...

— Кто, кто подарит?! — вызывающе вскинул брови нисколько не стушевавшийся Люцифер. Ухмыльнулся, сделал быстрый шаг вперед и, со свистом рассекая воздух, угрожающе взмахнул кинжалом перед лицом изменника. На лбу Милевича появилась тонкая алая полоска. — Ты — мне?! Я сказал: падай на колени, вошь!..

— Мы договоримся, Люцифер!!! — сообразив, что крупно влип, быстро пошел на попятную Милевич. —

Я сделаю тебя своей правой рукой. Вместо Тамерлана. Его пустим в расход. И никто ничего не узнает. Это будет только наша тайна!

— Не пойдет! — с ненавистью выплюнул Люцифер. — Ты сдохнешь, как чумная крыса... — И, крепче стиснув костяную рукоятку кинжала, сатанист резко подобрался, готовясь совершить решающий смертельный бросок.

— Я все понял, Люцифер. Не надо, не убивай меня... — испуганно замахал руками оборотень, прижавшись спиной к решетке. — Хорошо, я встану перед тобой на колени, — покосившись на меня через плечо, обреченно проронил Каллистрат. — Я буду целовать тебе ботинки, ублажать твой сфинктер, когда скажешь, я стану твоим рабом, только, умоляю, не убивай! Смотри, я уже падаю ниц перед тобой...

И, покорно уронив голову на грудь, стал опускаться на сырой каменный пол склепа.

Люцифер, изготовившийся было пустить в ход оружие возмездия, видимо, не ожидал, что изменник так легко сломается и не только согласится стать рабом, но и более чем неожиданно и легко предложит вылизывать задний проход своему повелителю. Грозный идейный сатанист растерялся и — заглотал ловко подброшенную ему наживку не глядя, вместе с крючком, грузилом и поплавком. Видимо, ему, не входившему в «элиту» секты, хотелось сполна ощутить себя на вершине власти, под крылом рогатого покровителя, растоптать и унизить оказавшегося хитрым лицедеем изменника. Полубога, которому буквально пять минут назад он сам во всем безоговорочно подчинялся и которого свято почитал как одного из приближенных слуг Князя Тьмы...

— Ладно, я подумаю над твоим предложением, собака! — ощерился Люцифер, опустив занесенный кинжал и схватив Милевича за волосы. Затем не без самолюбования мельком взглянул на меня, сидевшего за решеткой на холодном полу склепа, прислонившись спиной к сырой древней кладке. — А сейчас расстегивай джинсы и соси! И попробуй только укусить... глаза вырву.

— Да, да, конечно, — покорно и торопливо запричитал Каллистрат, хватаясь за «молнию» брюк и дергая ее вниз. — Только убери от моего виска лезвие... Иначе я не смогу...

В голосе хитрого оборотня сквозило столько фальши, что я невольно вгляделся в выражение физиономии Люцифера. Неужели он так ослеплен неожиданным шансом круто подняться в жесткой иерархии секты, что ничего уже не видит и не слышит?!

— Поторапливайся, глотай глубже! У нас мало времени! — словно отвечая на мой немой вопрос, убийца толстяка Пороса довольно хрюкнул и сам расстегнул штаны, окончательно поверив в зигзаг фортуны.

Наивный дурак...

В следующую секунду бывший зэк, закаленный в кровавых камерных драках, победоносно оскалил зубы и железной хваткой вцепился в запястье сжимающей кинжал руки. Резко вывернув кисть в сторону и вниз, он сдавил ее с такой чудовищной силой, что лохматый, прежде чем упасть, истошно заорал в голос и выронил на щербатый гранит ритуальный клинок, тут же едва не ставший достоянием униженного, но не сломленного Каллистрата.

В последний момент наркоману все-таки удалось ударом ноги отшвырнуть кинжал в сторону, а потом он, сбитый с ног змеиным броском изменника, тяжело рухнул на каменный пол, отчаянно скрежеща оставшимися зубами и пытаясь сбросить с себя навалившегося сверху Каллистрата. Тот в свою очередь более не желал уступать инициативу схватки и изо всех сил пытался дотянуться до горла опасного свидетеля, дабы мертвой хваткой сомкнуть на нем свои тонкие и длинные пальцы...

Катаясь по каменному полу склепа, рыча, исходя слюной и истошно матерясь, сцепившиеся не на жизнь, а на смерть нелюди на время позабыли и про кинжал, и про меня. А само дьявольское оружие, пролетев несколько шагов, ткнулось острием в перекосившуюся плиту пола и упало совсем недалеко от ржавой решетки...

Стараясь двигаться как можно тише и незаметней, я стал ползком пробираться вдоль стены к кинжалу, впервые за последние несколько часов вспомнив о ноже-выкидухе, отобранном у Прыща в автомобиле опера Семенова. Пошарив рукой у щиколотки, я ничего не обнаружил. Нож или выпал в офисе «Кобры», или потерялся во время драки в фургоне. А может быть, наученные горьким опытом и двумя трупами сектанты забрали спрятанную выкидуху уже здесь, обыскав меня перед тем, как вколоть морфий с промедолом...

Так или иначе, у меня снова появился шанс завладеть оружием. Для чего? В тот момент я не задавал себе подобный вопрос, просто инстинктивно пытался сделать хоть что-то, дабы избежать мученической смерти. Когда ты, лишенный возможности ходить из-за травмы коленей, вооружен острым клинком, тебя можно убить издали. Но нельзя подойти, схватить и поволочь, как барана на заклание, без риска самому оказаться с перерезанным горлом. А это уже совершенно другой расклад...

Эх, если бы люди имели возможность выбирать себе смерть! Но, увы, о таком щедром подарке Господа не приходится даже мечтать...

Не спуская глаз с дерущихся сектантов, я осторожно лег на камни, просунул руку под решетку и попробовал достать кинжал, ухватившись за кончик лезвия. Но в результате лишь порезал палец об острие. Зато звук скребущего по граниту металла вмиг остудил пыл дерущихся сатанистов. Они оба, как по команде, повернули головы в сторону забытого в азарте схватки ритуального кинжала и, отпихивая друг друга, стремительными лягушачьими прыжками бросились к заветному оружию.

Первым до вырезанной в форме змеи ручки дотянулся взмыленный, всклокоченный, лишившийся в драке клока слипшихся патлов Люцифер. Под его левым заплывающим глазом багровел фингал, край рта был разорван, отчего казалось, что с пергаментного лица наркомана не сходит злорадная ухмылка. Заграбастав кинжал, он вцепился в него всей пятерней, резко перевернулся на спину и сильнейшим ударом ног в живот откинул от себя опоздавшего Каллистрата. Потрепанный, перемазанный сочащейся из пореза кровью гуру протяжно взвыл и тряпичной куклой отлетел к противоположной стене склепа, жестко приземлившись на пятую точку. Практически одновременно оба врага с завидным проворством вскочили на ноги и принялись кружить друг возле друга в дьявольском танце смерти. Люцифер, выставив перед собой кинжал, делал стремительные выпады, но Каллистрат в самый последний момент успевал увернуться и снова забегал противнику за спину, чем приводил практически ослепшего на один глаз сектанта в бешеное неистовство, заставлял забыть об осторожности и сломя голову снова и снова бросаться в атаку. В конце концов бывший зэк сумел замотать выдохшегося, уставшего без толку рубить воздух Люцифера и, в очередной раз ускользнув от удара кинжалом, заставил совершить роковую ошибку.

Отпрянув в сторону, Каллистрат неожиданно сделал бросок вперед, схватил сжимающую клинок руку противника, вывернул ее сначала в одну, затем в другую сторону, заставив вскрикнувшего от боли сектанта повернуться к нему спиной, после чего резко согнул ее в локте и по самую рукоятку воткнул кинжал Люциферу между ребрами...

Отстранился, тяжело, прерывисто дыша. Наслаждаясь одержанной трудной победой, наблюдал, как из распяленного в беззвучном крике рта упавшего на колени лохматого сатаниста толчками вырывается наружу пузырящаяся кровавая пена. Взявшись за рукоятку, рывком выдернул кинжал из тела противника и кулаком, брезгливо-надменно, словно боясь испачкаться, толкнул его в плечо. Люцифер боком повалился на каменный пол, судорожно подтянул подрагивающие колени к груди и, в последний раз утробно захрипев, затих.

— Пером меня пугать вздумал, тля белобилетная... Я таких в Воркуте шнурками душил и пачками раком ставил! Проваливай к своему тезке, выродок! — выдавил устало Каллистрат, снимая с ремня драных джинсов Люцифера старинные кожаные ножны. Зачехлив клинок, дрожащей рукой промокнул краем рваного свитера липкий лоб и уже совершенно без сил опустился на каменный пол в углу между мокрой стеной и решеткой. Прильнул виском к холодному мшистому камню и словно уснул. Лишь неровно вздымалась и опускалась грудь с висящим на ней сатанинским символом.

В наступившей гнетущей тишине единственными звуками были лишь тихий стук падающих с потолка на каменный пол капель воды и еще более слабый треск догорающей в стенной нише восковой свечи...

Просидев в неподвижной позе не менее минуты, Каллистрат очнулся, поднял веки, повернул ко мне голову, долго смотрел сквозь меня стеклянными пустыми глазами и, наконец, едва шевеля губами, устало выдавил:

— Я передумал, Аверин. Я не стану пить твою кровь... — Выдержав паузу и не дождавшись моей реакции, оборотень добавил совсем уж отрешенно: — Я вырежу и съем твое еще трепыхающееся в судорогах сердце! Это будет красивое зрелище, плебс оценит по достоинству. Полные придурки вообще кончат в штаны не сходя с места. Ты уже труп, капитан... Но твой совет насчет перебора я, пожалуй, учту. Возможно, уже завтра или на днях я неожиданно исчезну, навсегда и для всех, и вскоре мое место займет кто-нибудь из настоящих идейных бузумцев, скорее всего садюга и извращенец Тамерлан. И отныне копыта моего не будет в этом мертвом и сыром городе на болотах. Меня будут считать мертвым, а я буду жить! Смотреть со стороны, жрать, пить, трахать дорогих сучек с силиконовыми сиськами, плевать всем на головы и смеяться! Только ты этого никому не расскажешь, падре. Конец игры... Гейм овер!

Каллистрат, в облике которого после схватки с Люцифером произошли разительные перемены, медленно встал, придерживаясь рукой о стену, перешагнул через лежавшего в темной маслянистой луже мертвеца и удалился прочь, пошатываясь, словно пьяный.

Я отчетливо слышал, как шаркают по невидимым каменным ступенькам родового склепа подошвы его сапог со скошенными высокими каблуками и острыми, укрепленными металлом носами...

Слова оборотня вмиг отрезвили меня. С моих глаз мгновенно упала застилавшая их много часов подряд пелена ярости. Прорвавшийся из глубины подсознания отчаянный и циничный вояка Аверин вдруг исчез, растворился, уступив место прежнему отцу Павлу. Это было страшное возвращение!

...Впервые с тех пор, как связал свою жизнь с Церковью, я сорвался, отступил от клятвы Господу и сейчас корил себя за то, что позволил жажде возмездия затмить мой разум, что позабыл о святом сане духовного отца и опустился до банальной очной схватки с сектантами, вместо того чтобы в храме молить Господа о помощи. А милиция и спецслужбы сами сделали бы свое дело. Нет, мое раскаяние не было вызвано тем, что теперь я более чем когда-либо приблизился к порогу физического небытия. Суть его была куда глубже и несравнимо горше!

Я, однажды и навсегда поклявшийся более никогда в жизни не прибегать к насилию и не брать в руки оружие, совершил непростительную ошибку, усомнился во всесилии Спасителя нашего Иисуса Христа, доверил свершение возмездия над чертопоклонниками грубой силе своих некогда наученных убивать рук. И в результате не добился ничего, но потерял все... Да, я сломался. И отныне уже не имел морального права носить сан священника. Как отступник от веры может учить и наставлять других на путь истинный, если сам до конца не верит в то, что делает и говорит?!

Прислонившись затылком к холодной стене склепа, я впервые за много лет беззвучно заплакал, чувствуя, как медленно и одиноко стекают по щеке горячие соленые капли...

Очнулся я только тогда, когда лестница наполнилась гулким топотом торопливо, уверенно спускающихся по ней нескольких пар ног. Стук подошв по камню почему-то сразу напомнил мне о дьявольских копытах...

— Господи, прости меня за все!.. — прошептал я, перекрестился и чисто инстинктивно до судорог в суставах стиснул кулаки.

Увы, я был лишен даже элементарной возможности в последний раз постоять за себя, когда четверо рослых звероподобных монстров с какими-то словно размазанными лицами, мельком взглянув на скрюченный труп Люцифера, в полном молчании ключом отперли висячий замок, распахнули решетчатую дверь, с ходу скрутили меня несколькими четкими движениями тренированных сильных рук и, подхватив под локти, волоком потащили вверх по лестнице к распахнутому выходу из мрачного подземелья.

Глава 38

Оборотень не обманул. Это действительно было старое католическое кладбище с массивными гранитными надгробиями, заросшими бурьяном неухоженными могилами, кое-где стояли покосившиеся металлические кресты за коваными оградами. Вверху, над головой, гулял ветер и тихо шумели, перешептываясь меж собой, могучие кроны высоких сосен. Моросил мелкий дождь. Пахло сырой землей, хвоей и озоном. Слышались отдаленные раскаты грома...

Два сектанта, не останавливаясь, с упорством бульдозеров быстро волокли меня к виднеющемуся впереди странному пятну яркого света, которое создавали несколько сходящихся в одной точке направленных лучей. Словно вывернутое наизнанку холодное солнце — солнце ада. Два других громилы шли рядом, словно эскорт телохранителей, оберегающих ценный объект на случай непредвиденных осложнений...

Вскоре наша странная процессия остановилась у края освещенной площадки и я, с трудом приподняв голову, смог кое-что разглядеть...

Пятно яркого света было образовано светом фар десятка выстроившихся в круг автомобилей — ощетинившихся хромированными отбойниками джипов и сверкавших лакированными боками престижных «мерседесов» и БМВ. Лишь знакомый уже минивэн «Кобры» и красная «десятка» несколько выбивались из общего строя этого импровизированного автопарада...

Рядом с лимузинами смутно угадывались колеблющиеся на ветру огоньки свечей, тонущие во мраке многочисленные фигуры людей, среди которых, как мне показалось, было немало молодых женщин...

Но самое главное было в центре освещенного круга! Возле выщербленного временем высокого обелиска с полустершейся надписью «Anne-Marie Gorden. 1867—1884», увенчанного взметнувшимся вверх гранитным крестом, на гладкой и широкой могильной плите горело тринадцать свечей и лежало несколько предметов, среди которых мой взгляд сразу выхватил череп, острые серебряные стилеты и высокий кубок на витой хрустальной ножке, до краев заполненный чем-то неестественно алым, по виду напоминавшим дешевый кетчуп. Здесь же лежала старая книга в потертом черном переплете с медными замками, вытисненным на обложке перевернутым крестом и надписью на латыни: «TRIBLE»... Вокруг импровизированного дьявольского алтаря неподвижно застыли полукругом пять фигур в длинных черных балахонах, препоясанных красными веревками. Лица четырех из них скрывались под надетыми на голову капюшонами. Пятым, как и следовало ожидать, был сам Каллистрат. Он стоял посредине и не скрывал обращенного в мою сторону лица. На нем застыла обманчивая маска полной отрешенности, хотя в черном нутре оборотня, я не сомневался, клокотал сейчас целый вулкан. В правой руке он держал тот самый ритуальный кинжал, которым недавно убил «идейного» адепта сатанизма Люцифера...

Волочащие меня боровы сделали было шаг вперед, но, словно наткнувшись на невидимую стену, остановились как вкопанные, следуя повелительному взмаху руки Каллистрата, и с благоговением взирали на своего повелителя. Знали бы они, какой хитрый и расчетливый мошенник кроется под личиной одного из вернейших слуг ближнего круга так почитаемого ими нечистого божества...

Повернувшись лицом к могиле и воздев руки, Каллистрат стал громко бормотать какое-то заклинание, в котором я почти сразу распознал известное мне по старинным книгам моление черных колдунов к темным силам открыть врата ада. Вздумай обычный человек любопытства ради произнести его вслух после захода солнца — и его начинали мучить кошмары, он слышал голоса, призывающие к самоубийству, осквернению христианских святынь и свершению гнусных поступков. За время служения в Троицком храме я много повидал таких несчастных...

Похоже, Каллистрата ночные кошмары не мучали. Его договор с дьяволом был составлен еще в день его рождения.

Закончив читать заклинание, Милевич скрестил на левой руке указательный и средний пальцы и осенил себя выворотным сатанинским крестом, после чего повернулся к сгрудившимся за автомобилями, в полосе мрака, участникам сборища и произнес с хриплым надрывом:

— Братья! Сегодня, в день Падшего ангела, верные слуги нашего повелителя — бесы — преподнесли нам поистине царский подарок!.. И мы должны сейчас принести его в жертву владыке мира на этом святом для братства месте — могиле девственницы, рожденной в седьмое полнолуние, в високосный год — год, когда адский легион возглавил двенадцатый Князь Тьмы — Ваал!

По своре мракобесов прошел одобрительный гул. Я видел, как сатанисты стали осенять себя дьявольским крестом и свечами чертить во мраке замысловатые символы.

— К сожалению, наш ритуал омрачен неожиданным инцидентом. Брат Люцифер, которого сегодня должны были посвятить в слуги Ваала, не сможет свершить жертвоприношение, наполнить череп кровью одного из врагов Князя Тьмы, к тому же лично виновного в гибели двух наших братьев... — продолжал, грозно нахмурив седые брови, Милевич. — Пребывая в состоянии дурманящего отречения от внешнего мира, брат Люцифер, имея при себе этот священный кинжал, задумал раньше времени расправиться с жертвой. Сводя старые счеты за убитых братьев, он готов был лишить всех нас возможности принести крещеное человеческое мясо в дар владыке! Но ангел-истребитель помешал безумцу — посредством моей руки покарал за отступничество и раньше времени отправил на суд повелителя, где будет решаться его дальнейшая участь... Поэтому, с учетом заслуг перед братством, святое право забить животное переходит к брату Самуэлю!.. Ты готов пролить кровь христианина ради верховного предводителя адских легионов, брат Самуэль?!

Не дожидаясь ответа, заранее известного всему копошащемуся за кругом света сборищу бесноватых, оборотень торжественно протянул кинжал стоявшему слева от него нелюдю в балахоне. Тот, поклонившись, с благоговением принял ритуальное орудие убийства, перевернул его острием вниз и троекратно перекрестил себя им, громко произнося какие-то непонятные слова, видимо, очередную из дьявольских молитв-перевертышей...

Налетевший порыв ветра задул несколько восковых свечей на алтаре и сорвал капюшон, скрывающий облик «брата Самуэля»...

Прежде чем он успел набросить капюшон на голову, я узнал холеного продюсера группы «Гниющие внутренности», известного также по кличке Воланд. Того самого лощеного отзывчивого прохожего с профилем аристократа и манерами банкира, которому удалось обвести меня вокруг пальца на Петергофском шоссе и на время спасти от расплаты ныне более чем заслуженно пребывающих в преисподней трусливого богатенького толстяка Пороса и наркомана Люцифера. То, что оба они погибли от рук таких же сектантов, вполне символично. Ибо сатана — зло в чистом виде, а зло не способно щадить даже тех, кто ему самозабвенно служит...

— Я готов, брат, — закончив заклинание и склонив голову, сказал Самуэль. — Во имя Ваала!

— Во имя величайшего из величайших, и в его день. Да будет так! — бывший пахан и лжесвященнослужитель подал державшим меня громилам знак рукой.

Гориллоподобные выродки-качки послушно подволокли меня к «алтарю». Скорее для большего антуража, чем по необходимости, наградив ударом пудового кулака по лицу, они бросили меня на гранитную плиту. Я лежал поперек надгробия, голова свисала вниз, лицом к фигурам в балахонах, рядом дрожали на ветру оплывшие свечи, стояли желтоватый человеческий череп, кубок с «кетчупом» и прочие малопонятные атрибуты бесовского культа.

Один из обломов-охранников по-турецки уселся мне на ноги, для уверенности лапами прижав их к земле, другой схватил за волосы и подбородок, запрокинув голову и обнажив шею, двое других крепко держали руки. Я был словно распят на могильном камне и мог пошевелить разве что пальцем...

Все, что я мог реально сделать как священник, это вслух читать «Отче наш». Я повторял святые слова снова и снова, не обращая внимания на удары по разбитому и без того лицу.

— Отче наш, Иже еси на небесех... Да святится имя Твое... да будет воля Твоя, яко на небеси и на земли...

В конце концов один из державших руки громил, повинуясь нараставшему гулу толпы и категоричному жесту Каллистрата, накрыл мне рот шершавой, бугристой от мозолей ладонью и надавил сверху всем своим весом — в его бычьей туше было никак не менее полутора центнеров. Кости черепа у меня заскрипели, дышать стало невозможно, и я начал терять сознание. Однако все еще ни на секунду не переставал, уже мысленно, повторять слова святой молитвы. Перед глазами все плыло...

Сквозь застилавшую взгляд кровавую пелену я увидел, как Каллистрат, взяв с плиты череп, вручил его подобострастно опустившемуся на одно колено Самуэлю. Приняв импровизированную чашу для жертвенной крови, удостоенный высокой чести свершить ритуальное убийство сектант медленно поднялся, расправил плечи и с видом палача шагнул ко мне, в одной руке держа череп, а в другой сжимая сверкающий обоюдоострый кинжал...

Опахнув меня ароматом мало уместного здесь и сейчас дорогого французского одеколона, Воланд на миг застыл, по-актерски подчеркивая торжественность наступившего момента, а затем растянул в оскале тонкие губы, обнажив два ряда белоснежных фарфоровых зубов, и резким решительным взмахом занес над моей оголенной шеей дьявольский клинок...

В этот момент воздух возле моего разбитого лица вдруг знакомо колыхнулся. Я отчетливо уловил кожей этот характерный толчок и горячую волну...

Мне ли, бывшему боевому офицеру, не знать, что это за волна!

Снайперская пуля!!!

Во лбу продюсера-сатаниста появилась маленькая, похожая на раздавленную ягоду красной смородины дырочка, а затылок вместе с мозгами разлетелся во все стороны, обдав студенистыми сгустками рожу и балахон Каллистрата. Вмиг обмякший Воланд начал оседать, складываясь пополам, словно невидимая рука схватила его за задницу и разом выдернула позвоночник...

«Господи, неужели... еще не конец?» — как-то слишком отстраненно пронеслось в моей гудящей голове. Сердце больно защемило.

Но радость моя была преждевременной — рука с кинжалом, занесенная для удара, успела набрать инерцию и сейчас помимо воли мертвеца летела отвесно вниз. Остановить ее, отвести в сторону снайпер был не в силах.

Повинуясь врожденному инстинкту самосохранения, я всем телом что было сил рванулся в сторону, последним усилием пытаясь высвободиться из цепких лап распявших меня на могильном надгробии боевиков Нессельроде, все еще не понимавших, что произошло, и тупо хлопавших глазами. Тщетно. Вцепившийся в жертву дрессированный бультерьер-убийца, а тем более целых четыре сразу ни за что не разожмут свои челюсти. Только если им прикажет хозяин...

И тут в который уже раз мне на помощь пришел сам Господь!

...Удар клинка, зажатого в падающей руке Воланда, пришелся в грудь — прямо в незаметный под рясой серебряный православный крест. Однажды, в камере маньяка Маховского, он уже спас меня от заточки!

Скользнув по кресту, ритуальное оружие выпало из разжавшихся мертвых пальцев сектанта на сырую кладбищенскую землю...

Зияющий пустыми глазницами череп, так и не напоенный жертвенной кровью, выпал из другой руки Самуэля и, как пустая консервная банка, покатился в сторону.

До собравшихся на кладбище сатанистов наконец-то стал доходить смысл происходящего. Но бежать, даже на автомобиле, было уже слишком поздно. Вторая снайперская пуля угодила точно в правый глаз державшего мою голову амбала. Отброшенный ударной силой, тот забулькал и свалился назад, раскинув руки в стороны...

Трое ошалевших громил, еще недавно похожих на автоматически выполняющих команды зомби, заполошно заорали и отпрыгнули в стороны с таким сайгачьим проворством, какого трудно было ожидать от этих неуклюжих с виду качков.

Впрочем, их можно было понять: две подряд снайперские пули со смещенным центром тяжести, которые на их глазах вошли между бровей лощеного брата Самуэля и коллеги-бройлера, залепив рожи подельников ошметками мозгов, заставят бежать без оглядки кого угодно!

Да только кто им, отморозкам, теперь позволит? Спецназ, как известно, на то и существует, чтобы всякий раз появляться внезапно и действовать с предельной жесткостью. Тем более в случае захвата всякой мрази, которую любой нормальный человек с ходу назовет отребьем рода человеческого. А если кто из сектантов рискнет оказать сопротивление, потянется за припасенным стволом, разговор у суровых мужиков в масках и камуфляже короткий. Одно движение указательного пальца, и — собаке собачья смерть...

— Внимание, вы, уроды!!! — прогремел, казалось, сразу со всех сторон утопавшего в промозглой ночи кладбища усиленный мегафоном грозный голос капитана Томанцева. В эту минуту он показался мне таким родным и близким, словно мы с оперативником были братьями.

— Здесь спецназ МВД! Всем оставаться на местах! В случае сопротивления или попытки к бегству огонь открывается без предупреждения! А тебя, Милевич, это особо касается, — после короткой паузы на полтона тише добавил из темноты опер. — Только пошевели грабкой, мразь поганая, и пиздец тебе!.. Впрочем... как хочешь...

Эмоции капитана явно били через край, иначе он публично не позволил бы себе матерщину. Впрочем, ситуация, что и говорить, соответствовала на все сто. Тут уже не до сантиментов и нормативной лексики...

— А ты, я гляжу, остроумный... мент, — с вызовом процедил Каллистрат, зыркая по сторонам в поисках предъявившего ультиматум Томанцева. Однако с места все-таки не сошел, прекрасно зная, что за этим последует. Не исключено, что бойцы спецназа именно попытки к бегству от него и ждали. Один выстрел — и никакого суда, никакого адвоката, вообще никаких сложностей. Во времена тотальной «демократии и свободы вероисповеданий» спецназ только в одном случае может быть уверенным в неотвратимости наказания — если сам приведет приговор в исполнение. Думаю, чем больше будет помилований и смягчений приговоров, тем чаще задержание убийц и насильников будет заканчиваться «ликвидацией при попытке к бегству»...

— Ладно, ваша взяла, псы! — сплюнул под ноги оборотень. — Банкуйте...

...Я спихнул с себя на траву труп Воланда, скатился на землю с гранитной плиты Анне-Марии Горден, лег на спину и, глядя на звезды, мерцающие в разрывах плывущих по ночному небу грозовых туч, сделал первый глубокий вдох. А затем, не шевелясь, лежал в таком положении целую вечность, совершенно не ощущая терзающей все тело боли и истово благодаря Бога за чудо.

Лежал и с застывшей на лице улыбкой внимал одной из самых приятных, как мне тогда показалось, музыкальных мелодий среди всех, что мне приходилось когда-либо слышать...

Странное дело, до той минуты мне и в голову не могло прийти, что эта весьма своеобразная музыка, до зубного скрежета знакомая большинству питерских бандитов; музыка, звучащая в злачных местах моего любимого города едва ли не каждые день и ночь и всякий раз вызывающая у криминального люда легкий озноб, переходящий в судорожную икоту, — что это музыкальное сопровождение спектакля под названием «маски-шоу» когда-нибудь доставит мне такое удовольствие!

Я слушал, как ругаются матом, отрывисто кричат, бряцая оружием, бойцы спецназа, как истошно воют, получив удар пониже живота, сникшие двухметровые громилы, как скулят от боли в почках и ребрах лежащие на брюхе с заломленными за спину руками в «браслетах» облаченные в балахоны «жрецы», как испуганно визжат дамочки и сперва качают права, а потом, вскрикнув, гнусаво ноют разбитым носом холеные господа, приехавшие на шабаш в своих роскошных авто... Я слушал эту музыку и улыбался, ибо лично для меня этой промозглой ночью она означала только одно: ЖИЗНЬ ПРОДОЛЖАЕТСЯ!

Глава 39

Я отказался во второй раз ложиться в больницу — не слишком веселое это место, лучше лечиться дома. К тому же врачи при обследовании не нашли у меня архисложных повреждений, требующих ежечасного внимания медперсонала, — только сотрясение мозга, два сломанных ребра, тяжелые множественные ушибы ног, пара десятков саднящих царапин по всему телу и один разрыв мягких тканей. Плюс приличный фронт работ для стоматолога-протезиста...

На первый этап выздоровления, после которого я, даст Бог, смогу передвигаться самостоятельно, не опираясь на костыли или чужое плечо, отводилось примерно шесть недель, и эти недели я провел на даче капитана Томанцева в окрестностях Шлиссельбурга, под присмотром его младшей сестры-художницы. Когда оперативник неожиданно сделал мне предложение погостить у него, я решил не отказываться. Ведь именно благодаря Томанцеву, который не раз имел веские основания выражать недовольство моими поступками, я в конце концов остался жив. А что касается памятного предложения капитана устроить отцу Сергию фиктивную страховку на сгоревший дом и последовавшей за этим ссоры, то мы о них больше никогда не вспоминали...

Томанцев, имевший законное право оформить меня не только потерпевшим и свидетелем, но и подозреваемым в преступном самоуправстве, делать этого не стал. Хотя, с точки зрения буквы закона, дров я наломал многовато... Начиная от нападения на оперуполномоченного в кабинете РОВД, похищения табельного оружия и заканчивая несколькими не без моего участия отправленными в иной мир сектантами. Тяжелым камнем висела на моей душе трагедия, разыгравшаяся в Сертолове, когда от рук водителя минивэна и Сибирской Язвы погибли оказавшие мне помощь охранники «Кобры». В итоге в деле секты чертопоклонников фигурировало такое количество эпизодов ее преступной деятельности, что процесс обещал быть очень громким. От коршунов-журналистов в пресс-службе ГУВД и УФСБ не было отбоя. Однако Томанцев пообещал, что мое личное присутствие на слушаниях дела не потребуется, вполне достаточно будет письменных показаний. Как только я встану на ноги, никто не станет препятствовать моему возвращению на Каменный. К слову сказать, обещание свое капитан выполнил...

На даче меня навестил уже оправившийся после пожара отец Сергий. Едва осведомившись о моем самочувствии, настоятель сообщил, что сразу несколько частных строительных организаций вызвались отстроить новый дом в Стрельне на месте сожженного сектантами дряхлого сруба. Работы по расчистке участка начнутся в будущую среду... Я порадовался за старика и тут же, не удержавшись, поделился с духовным наставником своими сомнениями и горькими мыслями, мучившими меня на пороге мучительной смерти. Мне важно было знать его мнение, преступил ли я, священник, Закон Божий настолько, что впредь не имею права быть пастырем? В ответ я услышал простые и согревшие мою душу слова:

— Никогда не ошибается лишь тот, кто не живет. Священник — тоже всего лишь человек, хоть и живущий церковной жизнью. Если оступился, главное — вовремя понять свою ошибку и сделать для себя правильные выводы. Когда разъяренная толпа хотела забросать камнями грешницу, Спаситель сказал им: пусть первый бросит в нее камень тот, кто сам без греха. Люди, подумав, побросали камни на землю и разошлись... Разве отступил ты от Закона Божьего три года назад, когда попавший на крючок к бандитам тюремный доктор рассказал тебе на исповеди о готовящемся побеге опасного преступника Завьялова? Нет. Хотя тогда, чтобы не допустить побега убийцы, тебе тоже пришлось применить физическую силу... Сейчас, конечно, несколько иной случай. Ты лишил людей жизни... Но разве монах Пересвет, защищая свою землю, не вышел на святую битву с татарским воином Челубеем? Да, жажда мести иссушает человеческую душу. Пытаясь отомстить, ты отступил от своих обязанностей пастыря, это верно. Но ради чего ты решил в открытую сразиться с этими нелюдями, поклоняющимися нечистой силе? Ради личной выгоды?.. Идя на поводу у порока жестокости к ближнему?! Нет. Убивал ли ты невинных, когда твоей жизни ничто не угрожало? Или, может, ты перестал верить во всевидящее око Спасителя, воздающего каждому по делам его? А может, ты сам больше не хочешь быть пастырем и служить Господу?

— Нет, отец, — покачал я головой. — Я по-прежнему тот, кем был. А после всего, что произошло со мной, моя вера в Господа стала еще крепче...

— Тогда не мучай себя и не изводи понапрасну, Павел. Из всего, что с нами происходит, нужно извлекать урок. Ты не сделал ничего такого, за что лишают сана...

— Храни тебя Господь, отец...

— Поправляйся. Там, на острове, ты нужнее, чем в этой кровати, — сказал на прощание настоятель Троицкой церкви.

...Разумеется, капитан Томанцев, приехав на дачу, рассказал мне о том, каким образом ему удалось узнать о Каллистрате и шабаше на старом погосте.

Многое он, правда, утаил, сославшись на милицейские секреты, а кое-что (я понял это лишь спустя полгода) вообще до невозможности запутал.

Как я и предполагал в самом начале, маленькая Лиза Нагайцева была похищена и едва не вывезена за границу именно сектантами, давно наладившими преступные связи с зарубежным мафиозным синдикатом, специализировавшимся на поставках и «разборке» российских детишек на «запчасти». Подонок Струков и его подельники на поверку оказались активными членами секты сатаны.

Вкупе с подключившимся к грязному бизнесу наркоманом Люцифером, использовавшим в качестве транспорта джип Пороса, они действовали по прямому указанию одного из приближенных Каллистрата, некоего Стаха, курировавшего в секте киднепинг. После ареста Струкова и других членов банды Томанцеву через известного в городе адвоката Перельмана неожиданно поступило предложение выкупить у следствия некоторых участников группы за весьма приличные деньги. Требовалось лишь на время оформить подписку о невыезде и отпустить их на свободу до суда. Одновременно по каналам ФСБ пришла информация, что одного из арестованных неоднократно видели в ночном клубе «Зевс» в компании с лохматыми типами, которые носили на груди перевернутые кресты... Через час активной терапии в звуконепроницаемом помещении следственного изолятора «Кресты» Струков и компания рассказали все. Затем оперативно задержали и «раскололи» адвоката и его нанимателя. Таким образом причастность сатанистов к похищениям детей была подкреплена документально...

Что касается сборища на католическом кладбище в день так называемого Падшего ангела, то здесь славно поработали коллеги из «конторы» генерала Корнача, которых в питерском милицейском главке издавна называли «старшими».

Следуя личным неформальным договоренностям, «старшие» сразу передали информацию ведущей расследование группе сыщиков Томанцева. Дальше было совсем просто...

Вот вкратце и все, что счел необходимым рассказать мне капитан о работе органов по делу секты. Детали не столь важны, главное в другом — верхушка сатанинского гнезда во главе с Каллистратом арестована и по окончании весьма не простого следствия обязательно предстанет перед судом. Органами велась активная кропотливая работа по установлению связей секты с властными и деловыми структурами. Капитан не сомневался, что на этом направлении следствие столкнется со множеством сюрпризов. Хотя честно признавал, что многим из власть имущих — тем, кто за пристрастие к малолетним прочно сидел на крючке у чертопоклонников и выполнял их волю или, что не менее гнусно, в погоне за острыми ощущениями за большие деньги принимал участие в грязных ритуалах в качестве зрителя, — увы, удастся по обыкновению уйти из поля зрения правосудия... И все-таки результаты операции обнадеживали. По крайней мере, они давали причастным к расследованию мужикам в погонах чувство удовлетворения от профессионально выполненной работы. А для «правильного» оперативника, «мента в законе», это уже немало.

Еще капитан сказал, что, как бы там ни было, без моего непосредственного участия добраться до Каллистрата и взять его с поличным было бы значительно труднее. Говоря это, он как-то странно отводил взгляд в сторону.

Может, он лукавил и моя самодеятельность была не только не оправданной, но и вредной? Кто знает...

А через пару дней Томанцев словно между прочим озвучил уже давно промелькнувшую у меня в голове мысль: если Милевича, защищать которого приглашены лучшие адвокаты, берущие по сто долларов в час, все-таки приговорят к высшей мере и, как сейчас водится, заменят «вышку» пожизненным заключением, то, возможно, через год или два мы с ним снова встретимся. На острове Каменном, где сатанинскому гуру предоставят камеру-одиночку, в которой он будет медленно гнить до конца своей никчемной жизни...

Однако может статься, что даже в случае осуждения Каллистрата по максимуму новой встречи не произойдет. С тех пор как в России прекратили расстреливать, количество преступников, осужденных на смерть в рассрочку за тюремными стенами, непрерывно растет. И на деньги гуманной Европы уже начато строительство сразу двух новых узилищ для убийц — непременно с соблюдением всех норм содержания, принятых в цивилизованных странах. Обитатели этих тюрем — сплошь маньяки, насильники, потрошители и душегубы — будут, по слухам, иметь возможность смотреть телевизор, читать прессу, заниматься на тренажерах и вообще чувствовать себя с биологической точки зрения несравнимо лучше, чем многие их свободные сограждане, мыкающиеся в поисках пропитания, перебивающиеся с хлеба на воду и живущие в трущобах. Вот только голосовать за народных избранников обитатели этих резерваций не смогут. Хотя... мир меняется и всякое может произойти. Еще десять—пятнадцать лет назад жизнь огромной страны была совершенно другой, совсем не похожей на нынешнюю.

Спустя полтора месяца я чувствовал себя заметно лучше. Попрощавшись с отцом Сергием и поблагодарив милицейского капитана за все доброе, что он для меня сделал, я купил билет на поезд до Вологды. Пора было возвращаться на остров Каменный. Моя поездка в Северную Пальмиру и так оказалась втрое дольше запланированного срока.

Однако один волнующий меня вопрос остался без ответа: куда исчез и почему в нужный момент не отозвался на мою настойчивую просьбу о помощи мой бывший командир, а ныне генерал-лейтенант ФСБ Алексей Трофимович Корнач? За те без малого два месяца, что я провел в Санкт-Петербурге и в окрестностях Шлиссельбурга, он так ни разу и не дал о себе знать, несмотря на ряд моих звонков по контактному телефону и просьбу срочно выйти на связь...

В то, что генерал Корнач, работая в такой могущественной государственной структуре — в каком бы уголке планеты он в данный момент ни находился и какое бы задание ни выполнял, — ничего не слышал об истории с арестом главаря питерской секты сатанистов и моего во всем этом участия, поверить было совершенно невозможно!

Только смерть могла помешать генерал-лейтенанту, моей единственной связующей ниточке со спецслужбами, объявиться. Но в это верить не хотелось, и я всякий раз гнал прочь эту настойчиво возвращающуюся в голову мысль. И без того слишком много рубцов на душе оставило это долгожданное возвращение в родной город дождей...

Глава 40

...Корнач все-таки нашелся! Ангелом-хранителем возник у меня за плечом буквально за полчаса до отправления поезда. Тихо подошел, когда я стоял возле двери купейного вагона на перроне Финляндского вокзала, тронул меня за локоть и спокойно произнес знакомым до боли баритоном:

— А я боялся, что не успею, что из-за грозового фронта самолет посадят где-нибудь в Таллине. Обошлось, слава Богу. И таксист попался толковый, домчал из Пулково так, как мы с мигалками не летаем... Ну, здравствуй, что ли, отец Павел. Наслышан уже, как ты здесь бесам рогатым лихо хвоста накрутил!.. Не можешь, капитан, жить спокойно, без приключений... а, батюшка?!

— Здравствуйте, Алексей Трофимович. Ждал вас почитай два месяца, но уже не надеялся увидеть, — ответил я, не веря своим глазам. — Мысли уж всякие в голову лезли...

— Ну, ты это брось! — сдвинув брови, полушутливо-полусерьезно погрозил пальцем Корнач. — Поживем еще. Старая гвардия не сдается, сам знаешь... А если всерьез — извини, что так долго молчал. На то были важные причины, сам понимаешь, наша служба веников не вяжет. В детали, понятное дело, не посвящаю, да и не обо мне сейчас речь. Знаешь, давай лучше прогуляемся туда-сюда!.. — предложил чуть заметно располневший за три года моложавый пятидесятидвухлетний генерал, увлекая меня к виднеющемуся впереди локомотиву и на ходу прикуривая сигарету. — До отправления железного коня еще целых двадцать пять минут, а мне, честное слово, есть о чем тебе рассказать.

Мы молча дошли почти до конца платформы.

— У меня для вас новость, батюшка, — перейдя на «вы», заговорил генерал. — Это касается Вики и того скота, который ее... — он запнулся и опустил глаза.

— Вы... нашли его? — с трудом выговорил я и, не удержавшись, вцепился в рукав бывшего командира «Белых барсов».

— Ну, можно сказать и так, — чуть помявшись, подтвердил Корнач, легко высвобождая рукав замшевой куртки и как ни в чем не бывало продолжая променад по перрону. Я двинулся следом. — Короче, мочканули подонка примерно полгода назад, нет его больше... — сообщил генерал. — Но это еще не все новости. Я знаю, кто это сделал, и поверьте, отец Павел, этот человек заслуживает отдельного разговора. Другой такой птицы я, признаться, прежде не встречал! Вообще говоря, все, что касается этого питерского Рэмбо, относится к секретным файлам ФСБ, но вы у нас, как известно, человек особенный, священник... К тому же Вика... Думаю, ничего страшного не случится, если я расскажу, как все на самом деле произошло. Вроде как на исповеди. Сейчас свобода совести, даже офицерам спецслужб общение со служителями культа не возбраняется. Хотя, как известно, и среди слуг Господних целая армия стукачей...

— Не надо бросаться такими словами, — поостерег я сухо.

— Вы правы, отец Павел... Сорвалось, извините. Ну тогда просто пообщаемся как старые знакомые. Для этого я, собственно говоря, и приехал... Вам, отец Павел, прозвище Ворон ни о чем не говорит? — Корнач профессионально, словно невзначай глянул мне в глаза, ожидая реакции. Только, скорее всего, контрразведчик увидел в них лишь усталость и щемящую тоску. Кличку «Ворон» я слышал впервые. Наверное, какой-нибудь матерый уголовник, подумалось мне с ходу. У кого еще может быть такое прозвище?

— Так кто же это сделал? — этот вопрос интересовал меня куда больше, чем какой-то там Ворон. Хотя слова генерала и обещали некую интригу, из серии «паук ужалил паука». Я хотел наконец узнать имя того монстра, который перечеркнул всю мою прошлую жизнь, лишил меня жены, сына, до рождения которого оставалось меньше двух месяцев. Случись у Вики днем раньше преждевременные роды — и все могло быть иначе! Жена и сын были бы сейчас живы. А я никогда не носил бы рясу священника...

— Иногда реальность куда фантастичнее вымысла, — глубоко затянувшись дымом, буркнул Корнач, ведя брови к переносице. — Их всех, я имею в виду женщин, ставших жертвами маньяка, насиловал и убивал прокурорский следователь по особо важным делам, тот самый, которому впоследствии поручили вести дело о его собственных преступлениях! Каково, а?! Вот шакал...

— Яблонский?!

Сказать, что я был удивлен, значит не сказать ничего. Я наконец узнал правду об убийце моей жены, и этим все сказано.

— Значит... это тот самый молчун с короткой стрижкой и бегающими глазами. Выгораживая себя, он умышленно подвел под расстрел единственного подозреваемого! Яблонский Борис Дмитриевич... — как заклинание, слетело с моих губ.

— Да, он, — подтвердил Корнач. — Отправил невиновного парня гнить на Каменный, а сам выждал несколько лет и принялся за старое... Первая новая жертва, которую нашли возле платформы Броневая, сошла ему с рук, а вот со второй девицей, на которую он напал ночью в парке неподалеку от Сосновой Поляны, Яблонскому крупно не повезло... Мало того, что девчонка оказалась дочкой одного местного олигарха, так его вдобавок застукали прямо на горячем, в кустах! И не кто-нибудь, а сам Ворон, лично знакомый с беспутным чадом богатенького папаши... Это давняя история. Однажды, выполняя заказ отца, он вытащил ее из рук бандюганов, требовавших выкуп за возврат загулявшей дочурки в семейное гнездышко. Тогда Ворон вычислил подонков и порешил всех, за что папаша хорошо ему заплатил. Впрочем, это к делу не относится... Ну и вот, судьбе было угодно, чтобы он снова встретил старую знакомую, которая охала под Яблонским в парке в два часа ночи...

— Что за человек этот... Ворон? — спросил я без особого интереса. Главное — имя убийцы Вики — я уже знал. Оно набатом звучало у меня в голове.

— Бывший командир спецназа, последнее звание — майор милиции. Кстати, наш бывший коллега — в начале восьмидесятых тоже воевал в Афгане, — не без уважения сообщил генерал. — А потом... Боевики некоего отморозка Пегаса, которого отряд майора накануне сильно прищучил и опустил на огромные деньги, конфисковав крупную партию наркоты, сумели узнать адрес командира, ворвались в дом, дождались его возвращения со службы и у него на глазах изнасиловали и убили жену и двенадцатилетнюю дочь. Отцы-командиры, понятно, отказали ему в праве самому расследовать дело, и Ворон ушел из милиции... В одиночку достал и казнил всех четверых. Но душевный надлом оказался слишком сильным, он уже не мог остановиться. И фактически превратился в наемного убийцу. Как сейчас говорят журналюги — киллера, — ухмыльнулся, сдувая сигаретный пепел, Корнач. — С одной лишь оговоркой. Все его жертвы — отъявленные сволочи и, положа руку на сердце, давно заслуживали пули...

Я почувствовал, как у меня по спине пробежал холодок и закололо кончики пальцев. Трагическую историю кровавой мести, которую сейчас рассказывал Алексей Трофимович, я уже слышал из уст ее главного фигуранта в Троицкой церкви. На исповеди... Выходит, это именно он — незнакомец, назвавший себя Сергеем, опекавший меня на Васильевском острове, застрелил проклятого гада, на совести которого несколько зверски замученных молодых женщин. В такое неслыханное стечение обстоятельств было трудно поверить, но факты, сложившиеся, словно осколки мозаики в геометрически правильную фигуру, упрямая вещь...

Я не мог видеть себя со стороны в ту минуту. Наверное, я выглядел бы менее потрясенным, если бы генерал поведал мне о приземлении на Дворцовой площади летающей тарелки с гуманоидами.

— На каждом трупе, если это было возможно, майор оставлял визитную карточку с изображением черной птицы, — между тем продолжал рассказывать Корнач не прекращая мерить шагами серый асфальт. — Наверное, за эти визитки его и окрестили Вороном. Никто точно не знает... На его счету по меньшей мере тридцать жмуриков, и один другого стоит. Бандитские авторитеты, вор в законе, крупный мошенник — колоритный списочек, прямо как со стенда «Их разыскивает милиция»!.. Несколько лет подряд помимо нашей конторы Ворона ловила вся ментовка страны, был подключен Интерпол, но взять его удалось только после того, как он кончил Яблонского. Этот следак-извращенец, как выяснилось, был неплохим бойцом, плотно изучал боевые искусства и, выходя на дело в ту ночь, имел при себе пару стилетов. Один успел метнуть в грудь Ворону, застукавшему его прямо на девице-красавице, и попытался с голой задницей удрать через кусты. Но пуля — она любого спринтера догонит... Короче, там его, голубчика, опера с экспертами и нашли, с дырками в спине.

— А... девушка и Ворон?

— В том-то и соль! — фыркнул службист. — Девчонка узнала своего давнего спасителя и хотела вызвать «скорую помощь» — тот истекал кровью... Но что означает больница, да еще после всего случившегося в парке, для киллера, на которого объявлен федеральный розыск? Правильно — конец. Ворон это прекрасно понимал и вместо благодарности за желание помочь направил на куклу пистолет и приказал бегом бежать куда подальше. Затем кое-как доковылял до стоявшей неподалеку машины и поехал к своему врачу. Но по дороге потерял сознание от потери крови, возле станции метро «Кировский завод» врезался в ночной киоск и чуть не угробил продавца-азера. Джигит едва успел выпрыгнуть из будки. Говорят, за ночь поседел, бедолага, от ужаса... В общем, так его в первый раз и взяли.

— В первый?

— К сожалению, сбежал, прямо из больницы, — подтвердил Корнач. — Признаться, мы сами лохanулись. Хотя картинка нарисовалась на загляденье сыщикам. В разбитой тачке перекосило кузов и обнаружился хитрый тайничок. А там чего только нет! Ксива частного детектива, оружие, чек аж на пол-лимона долларов, самый настоящий... А на руках истекавшего кровью водилы — защитная пленка, чтобы отпечатков не оставлять! — в сердцах взмахнул руками и досадливо цокнул языком генерал-лейтенант. — Сначала мы даже не догадывались, что перед нами сам неуловимый Ворон... Потом, когда было поздно, стали копать, сверили отпечатки не только с компьютерной базой данных последних лет, по которой все выходило тип-топ, но и со старой картотекой. Вот и выяснилось, что перед нами был не кто иной, как бывший командир СОБРа, взорвавшийся вместе с машиной на подложенной братками гранате еще фиг знает сколько лет назад и похороненный на Южном кладбище рядом с женой и дочкой!

— Действительно, нарочно не придумаешь, — пробормотал я и спросил: — Как, вы говорили, зовут этого киллера?

— Ворон.

— Кажется, вы называли имя, а не прозвище, — слукавил я, желая окончательно убедиться в идентичности наемного убийцы Сергея с тем человеком, о котором говорил Корнач. И сразу понял, что с генералом ФСБ такие детские трюки не проходят.

Глаза моего бывшего командира подозрительно сузились, губы понимающе изогнулись.

— Кажется, я не называл его настоящего имени... Но если вас это интересует, отец Павел, его зовут Сергей Северов. Только об этом, — брови генерала снова сошлись на переносице, — доподлинно знают всего три человека: я, один мой коллега из ГРУ и замдиректора на Лубянке. Теперь вы четвертый, батюшка... А что, вам знакома такая редкая фамилия?

— Ни о майоре Северове, командире СОБРа, ни о киллере по прозвищу Ворон я до нашей с вами сегодняшней встречи никогда не слышал, Алексей Трофимович, — не желая говорить генералу неправду, нашел я компромисс. В моем ответе не было лжи — пять минут назад я действительно знал только некоего наемника по имени Сергей. Но сейчас все изменилось. Я окончательно убедился, что ошибка исключена.

На исповеди Ворон сказал, что до определенного момента наши с ним судьбы очень схожи. Выходит, это действительно так... Знал ли он, когда пришел в храм, что застреленный им маньяк Яблонский в числе прочих несчастных женщин убил и мою Вику? Скорее всего — да. Сергей вообще много обо мне знал, как оказалось. Нетрудно представить себе реальные масштабы и возможности этого человека и его «команды». Пожалуй, по сравнению с ним вскользь упомянутый Корначом голливудский супермен просто отдыхает...

— Ну что ж, не слышали так не слышали, значит, мне показалось. Бывает, — резюмировал Корнач. Это прозвучало так, словно генерал хотел сказать совсем другое: «Темнишь, батюшка, я-то знаю, с чьей помощью ты вышел на квартиру Пороса! Менты все выложили... Ладно, можешь не говорить, если не хочешь. Вполне достаточно, что нам известно, как оно было на самом деле».

А может, снисходительная ирония почудилась мне там, где ее не было вовсе...

— Этот майор действительно неординарная личность, — сказал я вполголоса. — Значит, в конце концов вам и вашим коллегам удалось его выследить и арестовать?

— Выследить — да, — кивнул Корнач. — А вот арестовать... Такой цели мы не ставили. Ворон — не обычный наемник, к тому же таких профи по работе в каменных джунглях, как он, днем с огнем не найти. Разве что в «Альфе» или ГРУ пяток-другой человек наберется... Уверен, вы понимаете ход моих мыслей, отец Павел.

Губы генерал-лейтенанта чуть дрогнули. Он остановился у пустынного конца платформы и снова закурил, пристально глядя на меня прищуренными умными глазами.

— Неужели согласился? — спросил я, словно впервые вглядываясь в лицо человека, с которым знаком более пятнадцати лет и которого не раз видел с оружием в руках.

— Если бы! — хмыкнул Корнач, медленно выдохнув через нос тут же слизанный порывом ветра сигаретный дым. Взгляд его помрачнел. — Выслушав предложение начать жить сначала, Ворон только ухмыльнулся мне и коллеге из ГРУ в лицо... А такой дерзкий ответ автоматически означает конец...

— Но только не в случае с Вороном, я так полагаю. Он жив?

— Да жив, мать его!!! Местонахождение объекта, как пишут в официальных документах, в настоящий момент доподлинно не известно, — процедил, отвернувшись в сторону, Корнач. — Девка ему помогла! Сказать какая? Или сами с трех раз догадаетесь?.. То-то и оно... Красивая была сцена, жаль — на видео не снимали.

— Значит, снова упустили, — мои губы чуть дрогнули. — Судьба у него такая, Алексей Трофимович.

— Судьба! Ангел-хранитель, что у него за плечом стоит, в раю с отличием спецназовские курсы окончил! Не может же всегда так чудовищно везти, а вот, блин, везет же некоторым! — беззлобно фыркнул Корнач и глубоко вздохнул.

— Сила ангела-хранителя зависит от нас с вами. Чем больше мы грешим, тем он слабее. И напротив — чем больше совершаем праведных, приносящих пользу поступков, тем он сильнее. — Помолчав, я добавил: — Вот только спросите любого прохожего на улице, можно ли считать человека везунчиком, на глазах которого бандиты сначала надругались над его женой и дочерью, а затем убили их. Вряд ли ответ будет положительным...

— Да, вы правы, батюшка, — протянул задумчиво Корнач. — Не дай Бог никому такое везение. Ну, как говорится, на небе нас всех рассудят. Пусть пока полетает, вольная птица... Но если попадет к нам в клетку в третий раз, банкет с угощением не обещаю.

— Третьего раза не будет, — заверил я.

— Думаете? — на полном серьезе нахмурился генерал.

— Уверен. Интуиция. Предчувствие, если хотите.

Корнач пожал плечами, выбросил на рельсы сигарету, посмотрел на массивные дорогие часы в золоченом корпусе. Я нашел взглядом видное издалека электронное табло вокзала.

До отправления поезда оставалось меньше десяти минут. Пора было возвращаться к вагону.

— Знаете, отец Павел, — словно наконец собравшись с духом, залпом выдохнул Корнач, — я ведь с понедельника на пенсию выхожу. Сегодня утром обрадовали, по спутниковому телефону, прямо из Москвы... Вместе с благодарностью за плодотворную работу во благо новой России. Я в Цюрихе почти два месяца работал, возглавлял группу, которая совместно с тамошними спецами банковские счета наших правителей разыскивала. Вот ведь, понимаешь, загогулина какая.... Нашел на свою голову... Отчетик кодированный сверхсекретный, со всеми фамилиями и цифрами позавчера прямо главному в личный ноутбук через Интернет скинул. Даже бутылку шампанского по этому поводу с мужиками в гостинице распили. Радовались, дурачки, что карт-бланш от руководства не зря получили — разворошили осиное гнездо! Грядут, значит, с приходом нового Папы долгожданные веселые времена, когда кое-кого из господ неприкасаемых тихо и незаметно для толпы к ногтю прижмут, да так, что яйца посинеют, прости Господи... А сегодня в шесть утра из приемной главного позвонили — с радостной новостью. Пенсия по максимальной ставке, даже дачу государственную в Сочи оставили, чтобы не забывал, значит, о щедрости хозяйской! Чтоб их, лизоблюдов кремлевских, Железным Феликсом придавило. Когда наконец его установят?! Устали ждать уже...

На лице генерала заходили желваки, губы сложились в прямую линию, устремленный куда-то мимо меня взгляд на секунду застыл. В нем было столько отчаяния и тоски, что сразу захотелось сказать Трофимычу, как в свое время называли его крутые парни из «Белых барсов», что-нибудь обнадеживающее, успокаивающее. Мол, не расстраивайтесь, товарищ генерал-лейтенант...

Да вот только язык не поворачивался.

— Ладно, что это я все жалуюсь, — махнул рукой Корнач. — Гусарам не пристало падать духом! В наше время ценные кадры вроде вашего покорного слуги на дороге не валяются! Предложений от толстосумов личную службу безопасности возглавить — море разливанное... Так что тапочки, радикулит и карасевая рыбалка временно откладываются. Я же говорил, повоюем еще, значит, так тому и быть. Э-э, а время-то, батюшка, поджимает! — словно спохватившись, присвистнул новоявленный пенсионер и чуть ли не силой потащил меня назад к моему вагону, взяв самый бойкий темп.

— Значит, телефон с автоответчиком в погонах отменяется, Алексей Трофимович? — для поддержания беседы с улыбкой уточнил я.

— А як же! — подтвердил Корнач, на лице которого не осталось ни намека на недавнюю хандру. — Теперь можно звонить прямо домой или на мобильный. И в гости заезжать, когда снова в Питер занесет. Как-никак, а боевые товарищи, так, батюшка Павел?!

— На все воля Божья, — тихо ответил я.

...Дойдя до вагона, мы с генералом Корначом попрощались, по русскому обычаю троекратно расцеловавшись. Проводница — дородная грузная женщина в униформе МПС, с крашенными хной собранными в пучок волосами — захлопнула дверь лязгнувшего сцепкой и медленно покатившего по рельсам вагона...

Корнач не спешил уходить с перрона. Он еще целую минуту стоял, глядя вслед поезду, и лишь когда последний его вагон превратился в едва различимую точку на горизонте, сунул руки в карманы коричневой замшевой куртки и, не оглядываясь, быстрым шагом направился к станции метро...

...Расставаясь с грустно улыбавшимся генералом ФСБ в отставке Алексеем Трофимовичем Корначом, я не мог знать, что менее чем через сутки после моего отъезда в бензобаке его новенького автомобиля «ауди А-4» что-то тихо щелкнет и остановившаяся на перекрестке Светлановского проспекта иномарка взорвется, да так, что в близлежащих домах повылетают стекла, а престижный автомобиль превратится в крематорий...

Следствие вынесет заключение: несчастный случай, вызванный неисправностью в электропроводке и коротким замыканием, повлекшим возгорание бензина.

Узнай о таком загадочном вердикте питерских милиционеров создавшие новую модель «ауди» инженеры-конструкторы немецкого автогиганта, вот уж подивились бы! Но единственное, что осталось бы сделать шокированным педантичным спецам — это вздохнуть и беспомощно развести руками. Мол, у них, у этих загадочных русских, и новейшие атомные подлодки от столкновения с учебной миной тонут, как утюги, и бабушки-пенсионерки, живущие на двадцать долларов в месяц, виллы на Лазурном берегу покупают, а уж про взлетающие на воздух авто и говорить нечего! Черная дыра, а не страна!..

Но ничего этого пока не случилось. Отдернув шторку, я задумчиво смотрел в запотевшее окно купе набиравшего ход скорого поезда, и по мере того, как хмурый Петербург оставался все дальше, мои мысли плавно возвращались к покинутому два месяца назад острову. За время моего отсутствия в тюрьме особого назначения наверняка появились новые заключенные...

Горшков Валерий Сергеевич

ТЮРЬМА ОСОБОГО НАЗНАЧЕНИЯ
НЕЧИСТЬ

Редактор *Л. Алексеева, А. Добрынин*
Дизайнер обложки *З. Буттаев*
Корректор *В. Коротаева*
Компьютерная верстка *Г. Балашовой*
Набор *Н. Рыжих, Т. Чертовой, И. Шумановой*

ИД № 04467 от 09.04.2001.

**Подписано в печать 25.04.01. Формат 84 × 108/32. Печать высокая.
Бумага газетная. Печ. л. 14,0. Тираж 90 000 экз. Зак. № 1135. С-141.**

Налоговая льгота — общероссийский классификатор
продукции ОК-005-93, том 2 — 953 000.

ООО «АСТ-ПРЕСС КНИГА».
109202, Москва, ул. 2-я Фрезерная, д. 3, стр. 1.

Подготовлено ЗАО «Компания «АСТ-ПРЕСС».

Отпечатано с готовых диапозитивов
в Государственном Московском предприятии «Первая Образцовая
типография» Министерства Российской Федерации по делам печати,
телерадиовещания и средств массовых коммуникаций.
113054, Москва, Валовая, 28.